Zum Buch

Was wäre, wenn Hunde mehrere Leben hätten? Und angenommen, sie erinnerten sich an jedes davon? Genau das passiert Bailey, dem Helden von »Ich gehöre zu dir«. Nachdem er als Straßenköter eingeschläfert worden ist, wacht er als süßer Welpe wieder auf. Er findet bei einer liebevollen Familie ein Zuhause und wird der beste Freund des achtjährigen Ethan, mit dem er durch dick und dünn geht. Als Bailey schließlich an Altersschwäche stirbt, wird er in Gestalt eines Schäferhundes wiedergeboren. Wozu das gut sein soll, zeigt sich schnell: Bei der Polizei lernt er, wie man Spuren verfolgt, Personen aufspürt und Menschenleben rettet. Es folgt ein viertes Leben. Mittlerweile kennt unser Held sich aus mit Wiedergeburten, aber den Sinn dahinter versteht er immer noch nicht. Zudem kann er seinen Freund Ethan einfach nicht vergessen. Doch eines Tages ist es soweit: Als er seinen hartherzigen Besitzern davonläuft, steht er plötzlich vor Ethans Haus. Jetzt endlich kann er zeigen, was er alles gelernt hat und die Mission erfüllen, für die er auf der Welt ist…

Zum Autor

Als Bruce Cameron 1995 seine humoristische Internet-Kolume ins Leben rief, kannte ihn noch kein Mensch. Doch ein Jahr später war er bereits der meistgelesene Humorist im Internet. Seine Kolumne zur Erziehung von Teenagern war so populär, dass sie als Buch veröffentlicht wurde, das als Vorlage für die TV-Serie *Meine wilden Töchter* diente. Bruce Cameron publiziert seine Kolumnen in verschiedenen Zeitungen und arbeitet derzeit an einer Fernsehadaption von *So erziehen Sie Ihren Mann.*

W. Bruce Cameron

Ich gehöre zu dir

Roman

Aus dem Amerikanischen
von Edith Beleites

WILHELM HEYNE VERLAG
MÜNCHEN

Die Originalausgabe A Dog's Purpose
erschien bei A Forge Book, New York

Verlagsgruppe Random House FSC-DEU-0100
Das für dieses Buch verwendete FSC®-zertifizierte Papier
Holmen Book Cream liefert Holmen Paper, Hallstavik, Schweden.

Vollständige deutsche Erstausgabe 12/2011

Printed in Germany 2011
Umschlaggestaltung: Eisele Grafik Design, München, unter
Verwendung eines Fotos von © plainpicture/Fancy Images
Satz: Uhl + Massopust, Aalen
Druck und Bindung: GGP Media GmbH, Pößneck
ISBN: 978-3-453-40894-4

www.heyne.de

Für Catherine,
die für mich alles tut und ist

Eins

Eines Tages kam mir der Gedanke, dass die warmen, fiependen, müffelnden Dinger, die da um mich herumwuselten, meine Geschwister sein mussten. Ich war ganz schön enttäuscht!

Obwohl ich noch nicht viel mehr erkennen konnte als ein paar verschwommene Konturen, wusste ich ganz genau, dass das herrliche Wesen mit der langen, kräftigen Zunge meine Mutter war. Mit der Zeit wurde mir auch klar, woran es lag, wenn mir plötzlich kalt wurde: Dann war sie fortgegangen. Aber wenn die Wärme zurückkehrte, war es Zeit für die nächste Mahlzeit. Um einen Platz zum Trinken zu finden, musste ich zunächst erst einmal etwas beiseitedrängen, was ich mittlerweile als die Schnauze eines Geschwisterchens identifiziert hatte, das mich um meinen Anteil bringen wollte. Ziemlich mühsam und verwirrend, das Ganze! Ich konnte nicht verstehen, wozu meine Geschwister überhaupt gut waren. Wenn Mutter mir den Bauch leckte, um meine Verdauung anzuregen, blinzelte ich sie selig an und wünschte, sie würde die anderen zur Hölle schicken, denn ich wollte sie ganz für mich allein haben.

Nach und nach akzeptierte ich widerwillig, dass ich den Bau noch länger mit den anderen teilen musste. Meine Nase sagte mir schon bald, dass ich eine Schwester und zwei Brüder hatte. Schwesterchen war fast genauso rauflustig wie meine Brüder.

Einer von ihnen war mir immer eine Schnauzenlänge voraus, ihn nannte ich den Schnellen. Der andere war für mich der Hungrige, denn er wimmerte immer sofort los, wenn Mutter sich entfernte. Wenn sie dann zurückkehrte, saugte er so verzweifelt an ihrer Zitze, als ob er nie genug bekommen würde. Er schlief öfter und länger als wir anderen. Das war uns natürlich recht, denn so konnten wir auf ihm herumhüpfen und an seinem Gesicht herumknabbern, ohne dass er sich wehrte.

Unser Bau lag im Wurzelwerk eines Baums, wo es selbst in der größten Tageshitze noch kühl und dunkel war. Als ich zum ersten Mal ins Freie tapste, kamen Schwesterchen und der Schnelle mit. Ich brauche ja wohl nicht extra zu erwähnen, dass der Schnelle sich vordrängelte, um als Erster draußen zu sein.

Von uns vieren war er der Einzige mit einem weißen Fleck im Gesicht, und als er unbeschwert voraneilte, leuchtete dieses Stück Fell im Sonnenlicht. *Ich bin etwas Besonderes*, schien der helle, sternenförmige Fleck der Welt sagen zu wollen. Sein restliches Fell war genauso unspektakulär braun-schwarz gefleckt wie meines. Der Hungrige war etwas heller, während Schwesterchen Mutters Knubbelnase und ihre flache Stirn geerbt hatte. Trotz dieser Unterschiede waren wir uns aber alle ziemlich ähnlich – daran änderte auch das ständige Herumtänzeln des Schnellen nichts.

Unser Baum stand am Ufer eines Baches, und ich amüsierte mich köstlich, als der Schnelle Hals über Kopf die Böschung hinunterpurzelte. Allerdings muss ich zugeben, dass auch Schwesterchen und ich keine besonders gute Figur machten, als wir unsererseits den Abstieg wagten. Schlüpfrige Steine und das schmale Rinnsal des Baches verbreiteten einen herrlichen Duft, und wir folgten dem Wasserlauf, bis wir zu einer feuchtkühlen Höhle kamen, einer Art Röhre mit Metallwänden. Mir war instinktiv klar, dass dies bei Gefahr ein erstklassiges Versteck war. Aber Mutter war von unserem Fund nicht allzu beeindruckt und beförderte uns ohne viel Federlesens wieder in unseren Bau zurück, als sich herausstellte, dass unsere Beine nicht kräftig genug waren, um die steile Böschung wieder hochzuklettern.

Jedenfalls hatten wir etwas gelernt: Wir konnten nicht ohne fremde Hilfe in unseren Bau zurück, wenn wir die Böschung hinunterkletterten. Sobald Mutter das nächste Mal den Bau verließ, zogen wir also sofort wieder los und versuchten es erneut. Dieses Mal kam sogar der Hungrige mit. Als er die Röhre erreichte, machte er es sich im kühlen Schlamm bequem und schlief ein. Erkundungsausflüge waren jetzt genau das Richtige – immerhin war die Zeit gekommen, da wir uns etwas anderes zu essen suchen mussten. Mutter hatte keine Geduld mehr mit uns und stand oft schon auf, wenn wir noch gar nicht satt waren. Daran waren natürlich die anderen schuld – der Hungrige mit seiner Unersättlichkeit, der Schnelle mit seiner Drängelei und Schwesterchen mit ihrem ewigen Schwanzwedeln. Nur ihretwegen lief Mutter davon, wenn unsere Bäuche noch nicht voll waren. Ich dagegen brachte sie fast immer dazu, sich seufzend wieder hinzulegen, wenn ich zu ihr aufschaute und sie mit den Pfoten anstupste.

Häufig nahm sich Mutter noch zusätzlich Zeit, um den Hungrigen ausgiebig abzulecken, während ich vor Wut über diese Ungerechtigkeit schäumte.

Schwesterchen und der Schnelle waren mittlerweile größer als ich – mein Körper war so groß wie ihrer, aber meine Beine waren kürzer und stämmiger. Der Hungrige war natürlich der Kümmerlichste aus dem ganzen Wurf, und es ärgerte mich, dass Schwesterchen und der Schnelle mich immer im Stich ließen, um miteinander zu spielen, als ob der Hungrige und ich aufgrund irgendeiner naturgegebenen Ordnung im Rudel zusammengehörten. Schwesterchen und der Schnelle interessierten sich mehr füreinander als für die restliche Familie. Aber das zahlte ich ihnen heim, indem ich ihnen meine Gesellschaft versagte und mich, so oft ich Gelegenheit dazu hatte, in die Röhre zurückzog.

Eines Tages erschnupperte ich den köstlichen Geruch von etwas Totem, Verwesendem, als plötzlich genau vor meiner Nase ein winziges Tier explodierte – ein Frosch!

Begeistert stürzte ich darauf zu und versuchte ihn zu fangen, aber der Frosch hüpfte erneut davon. Er hatte Angst, obwohl ich doch nur mit ihm spielen und ihn – wahrscheinlich – nicht essen wollte.

Inzwischen hatten Schwesterchen und der Schnelle mitbekommen, dass ich etwas Interessantes aufgestöbert hatte, und stürmten in die Röhre. Schliddernd kamen sie in dem schlammigen Wasser zum Stehen und waren so ungestüm, dass sie mich umwarfen. Der Frosch hüpfte vor Schreck weiter, und der Schnelle hechtete ihm nach, wobei er meinen Kopf als Sprungbrett benutzte. Ich knurrte böse, aber er ignorierte mich.

Schwesterchen und der Schnelle machten die unmöglichsten Verrenkungen, um den Frosch zu packen, aber der rettete sich in eine größere Wasserlache und schwamm mit gewaltigen Beinstößen davon. Schwesterchen steckte die Schnauze ins Wasser und schnaubte. Es spritzte so sehr, dass der Schnelle und ich ganz nass wurden. Der Schnelle sprang ihr auf den Rücken, und die beiden begannen miteinander zu raufen. Den Frosch – meinen Frosch! – hatten sie schon wieder vergessen.

Traurig zog ich davon. Anscheinend bestand meine Familie nur aus Schwachköpfen.

In den darauffolgenden Tagen musste ich noch oft an diesen Frosch denken, meist kurz vor dem Einschlafen. Und jedes Mal fragte ich mich, wie er wohl geschmeckt hätte.

Immer häufiger knurrte Mutter jetzt leise, wenn wir hungrig zu ihr kamen. Und dann kam der Tag, an dem sie drohend mit den Zähnen knirschte, als wir uns gierig auf sie stürzen wollten. Da erkannte ich verzweifelt, dass meine Geschwister endgültig alles verdorben hatten. Der Schnelle machte sich ganz flach und kroch unterwürfig auf Mutter zu. Sie senkte den Kopf und ließ ihn an ihrer Schnauze lecken. Dann belohnte sie ihn, indem sie ihm etwas zu fressen hinlegte, und alle vier stürzten wir uns darauf. Der Schnelle stieß uns fort, aber jetzt kannten wir den Trick: Wenn ich schnüffelte und dann Mutters Schnauze leckte, gab sie auch mir etwas zu fressen.

Inzwischen kannten wir das Bachbett in- und auswendig. Wir hatten so oft darin herumgetollt, dass die ganze Gegend nach uns roch. Der Schnelle und ich nahmen es mit dem Spielen sehr ernst und verbrachten fast unsere ganze Zeit damit. Irgendwann wurde mir jedoch klar, dass es dem Schnellen immer nur darum ging, mich auf den Rücken zu werfen und meinen Kopf und meine Kehle mit seinen Zähnen zu bearbeiten. Schwesterchen ließ sich nie auf solche Spiele mit ihm ein, und folglich verlor sie auch nie. Ich war mir immer noch nicht sicher, ob mir das gefiel, was jeder für die natürliche Rangordnung in unserer Familie hielt. Nur dem Hungrigen war es natürlich völlig egal, welchen Rang er einnahm. Also biss ich ihm in die Ohren, wenn mein Frust zu groß war.

Eines Nachmittags lag ich faul herum und beobachtete, wie Schwesterchen und der Schnelle mit einem Stofffetzen spielten, den sie gefunden hatten. Plötzlich stellten sich meine Ohren auf. Irgendein fremdes Tier näherte sich, ein ziemlich großes und lautes. Ich beeilte mich, auf die Füße zu kommen, aber ehe ich zum Bachbett runterrennen konnte, um nachzusehen, was das für ein Geräusch war, stand Mutter vor mir, den ganzen Körper in gespannter Alarmbereitschaft. Ich wusste nicht, warum, und am wenigsten verstand ich, weshalb sie den Hungrigen im Maul trug. So komfortabel wurden wir schon seit Wochen nicht mehr transportiert. Mutter führte uns in die dunkle Röhre und legte sich flach auf den Boden. Sogar die Ohren legte sie an. Das war eine klare Ansage. Wir folgten ihrem Beispiel und krochen mucksmäuschenstill tief in unser Versteck.

Als das große Wesen vor der Röhre auftauchte, sahen wir, dass es auf zwei Beinen ging. Mutters Rückenfell sträubte sich. So ängstlich hatte ich sie noch nie gesehen. Das Wesen hatte etwas im Maul, das einen beißenden Rauch absonderte, und es kam geradewegs auf uns zu.

Völlig fasziniert starrte ich das Wesen an. Merkwürdigerweise fühlte ich mich von ihm stark angezogen, und ich war drauf und dran, aus unserem Versteck zu stürmen, um es zu begrüßen. Doch ein Blick von meiner Mutter genügte, um mich daran zu hindern. Sie schien davon überzeugt zu sein, dass wir diese Kreatur fürchten und unter allen Umständen meiden sollten.

Heute weiß ich, dass es ein Mensch war. Der erste, den ich zu Gesicht bekam.

Er schaute nicht in unsere Richtung, sondern erklomm die Böschung und verschwand. Kurz darauf kroch Mutter aus der Röhre und hob witternd den Kopf, um zu prüfen, ob die Gefahr vorüber war. Dann entspannte sie sich, kam zurück und gab jedem von uns einen beruhigenden Kuss.

Ich rannte als Erster ins Freie, um selbst zu sehen, ob der Mensch wirklich fortgegangen war, und komischerweise war ich regelrecht enttäuscht, dass nichts als der Geruch seines beißenden Rauchs von ihm übrig geblieben war.

Im Laufe der nächsten Wochen bekräftigte Mutter immer wieder ihre Warnung: Meidet die Menschen! Fürchtet sie!

Als Mutter das nächste Mal auf Beutejagd ging, durften wir mitkommen. Sobald wir die nähere Umgebung unseres Baus hinter uns gelassen hatten, verhielt sich Mutter plötzlich ängstlich und scheu, und wir ahmten alles nach, was sie tat. Wir mieden offenes Gelände und schlichen stattdessen dicht an Büschen und Gestrüpp entlang. Wenn ein Mensch in Sicht kam, blieb Mutter wie versteinert stehen, aber an ihren Schultern konnten wir sehen, dass sie bereit war, jederzeit die Flucht zu ergreifen. In solchen Momenten kam uns der weiße Fleck des Schnellen genauso auffällig vor wie wildes Gebell, aber glücklicherweise wurden wir nicht bemerkt.

Mutter zeigte uns, wie wir die glatten Säcke aufreißen mussten, die hinter den Häusern lagen, um dann schnell alles Unbrauchbare wie Papier, Dosen und Plastik zur Seite zu scharren und zu den guten Sachen wie Fleischresten, Brotkrusten und Käserinden vorzustoßen, die wir so gut es ging zerkauten. Der Geschmack war exotisch und die Gerüche wunderbar, aber Mutters Nervosität wirkte auf uns alle ansteckend. Also fraßen wir, so schnell wir konnten, und nahmen uns nicht die Zeit, die Köstlichkeiten richtig zu genießen. Kaum hatten wir alles vertilgt, würgte der Hungrige alles wieder hervor, was ich ziemlich komisch fand, bis sich auch mir die Eingeweide zusammenkrampften und ich würgen musste.

Beim zweiten Versuch ging das ungewohnte Mahl schon viel leichter runter.

Mir war immer klar gewesen, dass es außer mir noch andere Hunde gab, obwohl ich bislang nur die aus meiner eigenen Familie kannte. Manchmal, wenn wir auf Futtersuche waren, hörte ich sie hinter Zäunen kläffen. Ich vermutete, dass sie uns beneideten, weil wir frei herumtollen konnten, während sie eingesperrt waren. Mutter hielt uns immer von ihnen fern, vor allem den Schnellen. Der sträubte sich meist ein bisschen, denn er empfand es wohl als Beleidigung, wenn jemand es wagte, sich darüber zu beschweren, dass er an seinen Baum pinkelte.

Ab und zu sah ich sogar einen Hund in einem Auto! Als das zum ersten Mal passierte, konnte ich es kaum fassen. Es sah aber auch wirklich zu blöd aus, wie er den Kopf aus dem Fenster streckte und dabei die Zunge aus dem Maul hängen ließ. Als er mich erblickte, bellte er freudig drauflos, aber ich war einfach zu verblüfft und konnte nur die Nase heben und ungläubig schnüffeln.

Autos und Trucks gehörten auch zu den Dingen, von denen Mutter uns fernhielt. Ich konnte allerdings nicht verstehen, warum. Was sollte an ihnen gefährlich sein, wenn sogar Hunde damit fahren konnten? Dass sie gemeine Dinge tun konnten, musste ich jedoch zugeben. Ein großer, furchtbar lauter LKW holte nämlich regelmäßig die Säcke ab, die die Menschen für uns hinters Haus stellten. Danach war die Nahrungsbeschaffung dann immer ein, zwei Tage lang schwierig, denn etwas anderes, womit wir uns die Bäuche füllen konnten, gab es kaum. Ich hasste diesen Laster, genau wie die gierigen Männer, die davon heruntersprangen und uns das Futter wegschnappten, weil sie alles für sich haben wollten. Und das, obwohl sie und ihr Lastwagen ganz himmlisch dufteten.

Seit wir unser Futter selbst suchen mussten, hatten wir

weniger Zeit zum Spielen. Wenn der Hungrige an Mutters Schnauze leckte, weil er von ihr gefüttert werden wollte, knurrte sie nur noch. Wir anderen verstanden, was das zu bedeuten hatte, und versuchten gar nicht erst, sie anzubetteln. Also schwärmten wir hungrig aus und hofften, etwas Fressbares zu finden. Manchmal war ich danach zu müde, um dem Schnellen Paroli zu bieten, wenn er mich anrempelte, um mit mir zu raufen. Sollte er doch den Boss spielen. Meine kurzen Beine waren ohnehin viel besser geeignet als seine, um sich auf die Weise anzuschleichen, die Mutter uns beigebracht hatte. Wenn der Schnelle sich also für den Boss hielt, weil er größer war und mich leicht aufs Kreuz legen konnte, war er ziemlich auf dem Holzweg. Außerdem war der eigentliche Chef sowieso unsere Mutter.

Bald war unter dem Baum nicht mehr genug Platz für uns alle. Mutter ging immer öfter allein ihrer Wege und blieb dann länger weg als früher. Ich ahnte, dass sie eines Tages überhaupt nicht mehr zurückkommen würde. Dann würden wir selbst für uns sorgen müssen. Bei dem Gedanken wurde mir ganz mulmig zumute – nicht zuletzt, weil ich einen Bruder hatte, der mich andauernd übervorteilte und mir die besten Beutestücke abjagte. Dann würde Mutter nicht mehr da sein und auf mich aufpassen.

Ich begann mir auszumalen, wie es wohl sein würde, unseren Bau zu verlassen.

Der Tag, an dem alles anders wurde, begann damit, dass der Hungrige sich in die Röhre schleppte und sich dort hinlegte, statt mit uns anderen auf die Jagd zu gehen. Er atmete schwer, und die Zunge hing ihm aus dem Maul. Mutter leckte ihn noch mal, ehe sie loszog, und als ich dann an ihm schnupperte, ehe ich ihr folgte, öffnete er nicht einmal mehr die Augen.

Über die Röhre führte eine Straße hinweg. Dort hatten wir einmal einen toten Vogel gefunden und uns hungrig darauf gestürzt, bis der Schnelle ihn uns weggeschnappt hatte und damit fortgelaufen war. Obwohl es ziemlich gefährlich war, weil wir da oben keine Deckung hatten, trieben wir uns oft an dieser Straße herum und hofften auf weitere tote Vögel. Das taten wir auch jetzt, als Mutter plötzlich den Kopf hob und beunruhigt stehen blieb. Dann hörten wir es alle: Ein LKW näherte sich uns.

Es war nicht irgendein Truck, sondern einer, der uns die letzten Tage schon öfter aufgefallen war. Schon allein, weil er ungewöhnlich langsam fuhr. Beängstigend langsam. Fast kam es uns vor, als sei er hinter uns her.

Wir folgten Mutter, als sie zurück zur Röhre rannte. Warum ich nach ein paar Sätzen stehen blieb und mich nach dem monströsen Gerät umschaute, ehe ich mich in den sicheren Tunnel rettete, weiß ich bis heute nicht.

Doch diese paar Sekunden veränderten alles, denn die Männer im Lastwagen hatten mich gesehen. Mit einem tiefen, grollenden Geräusch kam der LKW direkt über uns zum Stehen. Ein letztes Scheppern des Motors, dann wurde es ganz still. Kurz darauf hörten wir schwere Stiefel auf dem Schotter.

Mutter winselte. Das tat sie sonst nie.

Dann tauchten Gesichter an beiden Enden der Röhre auf. Mutter machte sich ganz flach, jeder Muskel ihres Körpers war gespannt. Die Männer zeigten uns die Zähne, aber bei ihnen schien es keine Drohgebärde zu sein. Sie hatten braune Haut und schwarzes Haar, schwarze Augenbrauen und dunkle Augen.

»Hier, Junge«, flüsterte einer. Ich wusste nicht, was das bedeuten sollte, aber in meinen Ohren klang es so natürlich wie der Wind in unserem Baum. Es kam mir vor, als hätte ich Menschen schon mein Leben lang sprechen hören.

Dann sah ich, dass beide Männer Stangen dabeihatten. An einem Ende der Stangen waren Schlingen befestigt. Sie sahen bedrohlich aus, und ich merkte, dass Mutter Panik bekam. Sie scharrte mit den Pfoten und stürzte mit geducktem Kopf los, genau auf die Lücke zwischen den Beinen des einen Mannes zu. Er senkte seine Stange, ein Schnappgeräusch war zu hören, und dann wand und sträubte sich Mutter, als der Mann sie aus der Röhre ins helle Sonnenlicht zog.

Schwesterchen und ich krochen näher zusammen und machten uns so klein wir konnten. Der Schnelle knurrte, und seine Nackenhaare sträubten sich. Doch dann wurde uns klar, dass der Hinterausgang der Röhre zwar versperrt war, die Luft vor uns aber rein zu sein schien. Wie auf Kommando schossen wir los.

»Da kommen sie«, schrie der Mann hinter uns.

Als wir das Bachbett erreichten, wussten wir nicht weiter. Schwesterchen und ich versteckten uns hinter dem Schnellen. Wenn er unbedingt der Boss sein wollte, dann sollte er jetzt auch sehen, wie er klarkam!

Von Mutter war weit und breit nichts zu sehen. Die Männer standen jetzt auf beiden Seiten der Uferböschung und schwangen ihre Stangen. Der Schnelle duckte sich unter einer weg, aber die andere erwischte ihn, und der Mann zog die Schlinge zu. Schwesterchen nutzte das Durcheinander zur Flucht. Ihre Füße platschten im Wasser, als sie davonhastete. Aber ich stand nur wie angewurzelt da und blickte zur Straße hinauf.

Da oben stand eine Frau mit langem weißem Haar und einem unglaublich freundlichen Gesicht. »Ganz ruhig, Hündchen! Alles in Ordnung«, rief sie. »Komm her! Alles in Ordnung.«

Ich lief nicht weg. Ich bewegte mich, ehrlich gesagt, gar nicht. Stattdessen ließ ich zu, dass mir die Schlinge über den Kopf und dann eng um den Hals gezogen wurde. Dann wurde ich an der Stange die Böschung hinaufgeführt.

»Das ist ein Lieber«, rief die Frau. »Lasst ihn frei.«

»Dann haut er doch ab«, rief ein Mann zurück.

»Ach, was! Nehmt ihm die Schlinge ab!«

Ich hörte alles, verstand aber kein Wort. Ich begriff nur, dass die Frau der Boss zu sein schien, obwohl sie älter und kleiner war als die Männer. Der Mann, der mich gefangen hatte, stieß einen leisen Fluch aus und machte die Schlinge los. Dann streckte die Frau ihre Hände nach mir aus. Sie waren rau wie Leder und rochen nach Blumen. Ich schnupperte daran und senkte ergeben den Kopf. Die Frau roch liebevoll und besorgt.

Sie streichelte mir über den Rücken, und ein wohliges Gefühl breitete sich in mir aus. Mein Schwanz wippte ganz von allein, und als die Frau mich dann auch noch hochhob, küsste ich ihr das Gesicht, und sie lachte.

Doch dann kippte die Stimmung, als einer der Männer mit dem leblosen Körper des Hungrigen ankam. Sie schüttelte den Kopf und schien sehr traurig zu sein. Der Mann brachte den Hungrigen zum LKW, wo Mutter und der Schnelle schon in einem Metallkäfig hockten. Ich habe heute noch den Geruch des Todes in der Nase, den der Hungrige an diesem Tag in der trockenen, staubigen Luft verströmte, denn die Männer ließen Mutter, den Schnellen und mich ausgiebig an meinem toten Bruder schnüffeln. Offenbar wollten sie uns klarmachen, was mit ihm passiert war.

Dass die Menschen alle so traurig waren, lag wohl daran, dass sie ja nicht wissen konnten, wie krank der Hungrige gewesen war, und zwar von Geburt an, und dass es ihm bestimmt war, nicht lange auf der Welt zu bleiben.

Dann wurde ich zu den anderen in den Käfig gesteckt, und Mutter schnupperte angewidert an mir, da der Geruch der Frau in mein Fell gezogen war. Mit einem Ruck fuhr der LKW an, und ich wurde von den wunderbaren Gerüchen in den Bann gezogen, die mir der Fahrtwind um die Nase wehte. Jetzt durfte auch ich mal in einem Laster fahren! Vor Begeisterung fing ich laut an zu bellen. Mutter und der Schnelle sahen mich tadelnd an, aber ich konnte mich nicht bremsen. Es war das Großartigste, was ich je erlebt hatte. Noch besser als die Sache mit dem Frosch, den ich beinahe gefangen hätte.

Der Schnelle hingegen schien von Trauer überwältigt zu sein, und ich brauchte eine Weile, bis ich verstand, warum: Schwesterchen, seine liebste Spielgefährtin, war aus unserem Leben verschwunden – wahrscheinlich genauso unwiederbringlich wie der Hungrige.

Das gab mir zu denken. Die Welt war offenbar komplizierter, als ich bislang gewusst hatte. Anscheinend bestand sie nicht nur aus Mutter, meinen Geschwistern, Umherschleichen, Jagen und den Spielen in der Röhre. Größere Ereignisse waren in der Lage, das ganze Leben zu verändern – und diese Ereignisse wurden von Menschen bestimmt.

In einem Punkt sollte ich mich jedoch geirrt haben: Der Schnelle und ich würden Schwesterchen wiedersehen. Aber das konnten wir zu diesem Zeitpunkt natürlich noch nicht wissen.

Zwei

Wo unsere Fahrt auch hinführen mochte – ich ahnte, dass es dort noch mehr Hunde geben würde. In unserm Käfig wimmelte es nämlich von Duftmarken, von Urin, Exkrementen, Blut, Haaren und der Spucke anderer Hunde. Mutter hockte zusammengekauert und mit ausgefahrenen Krallen da, um auf der schaukelnden, holpernden Ladefläche Halt zu finden. Der Schnelle und ich liefen auf und ab, die Schnauzen nur Millimeter über dem Boden, und spürten die Gerüche aller Hunde auf, die vor uns hier gewesen waren. Jedes Mal, wenn der Schnelle ans Käfiggitter kam, wollte er es markieren, aber wenn er dann ein Bein hob, fiel er um, weil der Truck so stark schlingerte. Einmal landete er sogar auf Mutter, und sie schnappte nach ihm. Ich sah ihn böse an. Sah er denn nicht, wie unglücklich sie ohnehin schon war?

Irgendwann wurde es mir zu langweilig, Hunde zu erschnüffeln, die gar nicht da waren. Ich presste die Schnauze ans Drahtgitter des Käfigs und sog den Fahrtwind in vollen Zügen ein. Es erinnerte mich an das erste Mal, als ich die Nase in eine der Mülltonnen gesteckt hatte, die neben den glatten Säcken immer für eine Mahlzeit gut waren. Auch dort waren mir tausend neue Gerüche so plötzlich in die Nase gestiegen, dass ich niesen musste.

Der Schnelle gab seine Markierungsversuche auf und legte

sich auf die dem Wind abgewandte Seite des Käfigs. Er war zu stolz, um auf meine Seite zu kommen, weil es nicht seine Idee gewesen war. Immer wenn ich nieste, sah er mich tadelnd an, als wollte er sagen: Das nächste Mal fragst du mich gefälligst erst um Erlaubnis! Doch dann blickte ich vielsagend zu Mutter hinüber, die das ganze Erlebnis zwar offensichtlich sehr eingeschüchtert hatte, in meinen Augen aber immer noch das Sagen hatte.

Als der LKW anhielt, kam die Frau an die Ladefläche, redete mit uns und hielt die Hände an den Käfig, damit wir sie ablecken konnten. Mutter rührte sich nicht, aber der Schnelle schien genauso begeistert zu sein wie ich, stellte sich neben mich und wedelte mit dem Schwanz.

»Ach, seid ihr süß! Habt ihr Hunger, ihr kleinen Racker? Hunger?«

Wir parkten vor einem langen, niedrigen Wohnhaus. Mickrige Wüstengräser ragten zwischen den Reifen des Trucks aus dem trockenen Boden.

»Hey, Bobby!«, rief einer der Männer, die uns hergefahren hatten.

Die Reaktion darauf war erstaunlich. Hinter dem Haus ertönte ein so vielstimmiges Gebell, dass ich die einzelnen Kläffer unmöglich hätte zählen können. Der Schnelle stellte sich auf die Hinterbeine und legte die Vorderpfoten ans Gitter, als ob er auf diese Weise mehr sehen könnte.

Der Lärm ging weiter, als ein zweiter Mann hinter dem Haus hervorkam. Auch er hatte braune, wettergegerbte Haut und humpelte ein bisschen. Die anderen beiden grinsten ihm erwartungsvoll entgegen. Als der Neue uns sah, blieb er stehen und ließ die Schultern hängen.

»Nein, Señora, nicht noch mehr! Wir haben doch jetzt

schon viel zu viele.« Der Mann machte einen ziemlich verzweifelten Eindruck, aber bösartig schien er nicht zu sein.

Die Frau drehte sich zu ihm um und ging auf ihn zu. »Es sind zwei Welpen und das Muttertier. Sie sind ungefähr drei Monate alt. Einer ist uns entwischt, und einer war tot.«

»O nein!«

»Die Mutter hat offenbar nie in der Obhut von Menschen gelebt, das arme Ding. Sie hat schreckliche Angst.«

»Sie wissen, was sie das letzte Mal gesagt haben: Wir haben zu viele Hunde, und sie geben uns keine Lizenz.«

»Das ist mir egal.«

»Aber Señora, wir haben nicht genug Platz.«

»Ach was, Bobby, das ist doch Unsinn! Was sollen wir denn tun? Sie da draußen wie wilde Tiere leben lassen? Es sind Hunde, Bobby, ganz junge Welpen!« Die Frau kam zum Käfig zurück, und ich wedelte mit dem Schwanz, um ihr zu zeigen, dass ich ihr genau zugehört hatte. Dass ich kein Wort verstanden hatte, brauchte sie ja nicht zu wissen.

»Tja, Bobby, was sind schon drei mehr?«, sagte einer der anderen Männer und grinste.

»Eines Tages hat sie kein Geld mehr, um euch zu bezahlen, weil sie alles in Hundefutter investiert«, sagte Bobby. Die anderen zuckten nur mit den Schultern und grinsten.

»Carlos, nimm frisches Hackfleisch und fahr noch mal zum Flussbett zurück. Vielleicht kannst du den Welpen damit anlocken, der uns entwischt ist«, sagte die Frau.

Carlos nickte und lachte über Bobbys Gesicht. Ich begriff, dass die Frau der Boss dieser Menschenfamilie war, und leckte ihr die Hand, um ihr Liebling zu werden.

»Guter Hund! Guter Hund!«, sagte sie. Ich sprang auf und ab und wedelte so heftig mit dem Schwanz, dass ich dem

Schnellen einen Hieb damit verpasste. Merkwürdigerweise blieb er ganz ruhig und blinzelte mich nur verärgert an.

Carlos duftete nach lecker gewürztem Fleisch und exotischen Ölen, die ich nicht kannte. Er steckte eine Stange in den Käfig, angelte sich Mutter und führte sie heraus. Der Schnelle und ich folgten ihr, bis wir an einen hohen Zaun kamen. Das Gebell dort war so ohrenbetäubend, dass ich es nun doch etwas mit der Angst zu tun bekam. Wo waren wir da nur hineingeraten?

Bobby roch dezent nach Zitrusfrüchten: eine Mischung aus Apfelsinen, Staub, Leder und Hunden. Vorsichtig öffnete er ein Gatter im Zaun und versperrte den Spalt mit seinem Körper. »Zurück! Los, los, zurück!«, befahl er. Das Gebell ließ etwas nach, und als Carlos das Gatter ganz öffnete und Mutter hineinscheuchte, verstummte es ganz.

Ich war so verblüfft darüber, was da auf mich wartete, dass ich kaum merkte, wie Bobby mich mit dem Fuß in das Gehege schubste.

Hunde.

Überall Hunde! Manche waren so groß wie Mutter oder sogar noch größer, andere wiederum waren kleiner, aber alle tollten ganz frei in einem riesigen Hof herum, der von einem hohen Holzzaun umgeben war. Ich nahm Kurs auf ein Grüppchen von Welpen, die einen freundlichen Eindruck machten und nicht viel älter waren als ich. Als ich bei ihnen stehenblieb, taten sie plötzlich so, als hätten sie etwas besonders Faszinierendes auf dem Boden entdeckt. Ihr Fell war heller als meins, und alle drei waren Weibchen. Also pinkelte ich erst mal verführerisch auf einen kleinen Sandhaufen, ehe ich begann, höflich ihre Hinterteile zu beschnuppern.

Vor lauter Begeisterung hätte ich am liebsten gebellt, aber

Mutter und der Schnelle hatten es nicht ganz so gut wie ich. Mutter lief die ganze Zeit witternd am Zaun entlang und suchte eine Lücke, durch die sie fliehen könnte. Der Schnelle stand steifbeinig und mit zitterndem Schwanz bei ein paar Rüden, die einer nach dem anderen das Bein hoben und ihren Platz am Zaunpfahl markierten.

Dann baute sich einer genau vor dem Schnellen auf, und ein anderer beschnupperte aggressiv sein Hinterteil. Da knickte er ein. Seine Hinterbeine sackten zusammen, und als er sich zu dem anderen Rüden umdrehte, rutschte ihm der Schwanz zwischen die Beine. Ich war überhaupt nicht überrascht, als er Sekunden später auf dem Rücken lag und versuchte, so zu tun, als wollte er spielen. Tja, nun war er wohl nicht mehr der Chef.

Erst jetzt fiel mir auf, dass die ganze Zeit über ein Rüde in der Mitte des Geheges stand und beobachtete, wie Mutter verzweifelt ihre Runden am Zaun drehte. Er war groß und muskulös, und seine langen Ohren hingen am Kopf herunter. Er rührte sich nicht und war absolut konzentriert. Etwas sagte mir, dass er derjenige war, den es hier am meisten zu fürchten galt. Und richtig: Als er aufhörte, wie eine Statue dazustehen, und sich Richtung Zaun in Bewegung setzte, hörten die anderen, die gerade den Schnellen drangsalierten, sofort auf und hoben alarmiert die Köpfe.

Zehn Meter vor dem Zaun steigerte er das Tempo und hielt direkt auf Mutter zu, die erschrocken zurückwich. Der Rüde streifte sie mit der Schulter und stellte sich quer vor sie, den Schwanz wie eine Pfeilspitze aufgestellt. Mutter kauerte regungslos da, als er sie umrundete und ausgiebig beschnupperte.

Mein erster Impuls war, ihr zur Hilfe zu eilen, und ich

glaube, dem Schnellen ging es genauso, aber das wäre ein großer Fehler gewesen. Immerhin hatten wir es hier mit dem Leithund zu tun, einer braunen, grobknochigen Dogge mit dunklen, triefenden Augen. Mutters Unterwerfung entsprach der natürlichen Ordnung der Dinge.

Nachdem er Mutter gründlich untersucht hatte, setzte der Leithund einen ebenso gezielten wie sparsamen Urinstrahl an den Zaun. Mutter wusste, was sich gehörte, und beschnupperte die Duftmarke. Damit hatte der Leithund seine Mission erfüllt und trottete davon, ohne Mutter eines weiteren Blickes zu würdigen. Mutter stand da wie ein begossener Pudel. Dann schlich sie hinter einen Stapel alter Bahnschwellen, um sich dort zu verstecken.

Wie nicht anders zu erwarten, kamen die Rüden, die sich erst mit dem Schnellen beschäftigt hatten, nun auch zu mir. Ich machte mich ganz klein und leckte ihnen die Schnauzen, um ihnen unmissverständlich klarzumachen, dass ich ihnen – im Gegensatz zu meinem Bruder, dem Querulanten – keine Schwierigkeiten machen würde. Schließlich wollte ich keinen Ärger haben. Das Einzige, was mich interessierte, waren die drei Mädels. Und dann wollte ich erst mal rausfinden, was man in diesem Hof noch alles machen konnte, der mit Bällen und Gummiknochen übersät war und der jede Menge wunderbarer Gerüche und aufregende Dinge barg. Aus einem Rohr rann frisches Wasser in einen Trog, aus dem wir uns jederzeit bedienen konnten, und Carlos kam jeden Tag in den Hof, um unseren Dreck zu entfernen. Das ohrenbetäubende Gebell, das in unregelmäßigen Abständen und ohne ersichtlichen Anlass ausbrach, schreckte mich nicht mehr, denn es war Ausdruck der gleichen überschäumenden Lebensfreude, die auch ich empfand, und so bellte ich schon bald mit.

Und dann die Fütterungen! Zweimal pro Tag kamen Bobby, Carlos, die Señora und der dritte Mann in den Hof und teilten uns nach Alter in Gruppen ein. Dann schütteten sie reichhaltiges Futter in große Näpfe, und wir tauchten mit dem ganzen Kopf hinein und fraßen, so viel in uns reinpasste. Für meine Gruppe war Bobby zuständig, und solange wir fraßen, blieb er bei uns stehen, um sicherzustellen, dass jeder genug abbekam. Wenn er meinte, dass jemand zu kurz gekommen war (meist das kleinste Mädel), hob er das betreffende Tier hoch und gab ihm eine extra Handvoll Futter, wobei er die anderen Hunde fernhielt.

Mutter fraß mit den erwachsenen Hunden, aus deren Richtung während der Fütterung manchmal ein gefährliches Knurren zu uns herüberdrang. Wenn ich mich dann zu ihnen umdrehte, war aber nichts als Schwanzwedeln zu sehen. Ich weiß nicht, womit sie gefüttert wurden, aber es war etwas anderes als das Welpenfutter, und es roch köstlich. Wenn einen von uns Jüngeren die Neugier packte und er versuchte, unauffällig zum Fressnapf der Erwachsenen zu schleichen, schritten die Männer ein und scheuchten ihn zu seiner Gruppe zurück.

Die Frau, die Señora, beugte sich oft zu uns herunter, damit wir ihr das Gesicht lecken konnten. Sie streichelte uns ausgiebig und lachte viel, weil sie sich so über uns freute. Mein Name, so sagte sie mir, sei Toby. Sie wiederholte ihn immer, wenn sie mich sah: Toby, Toby, Toby.

Ich war sicher, dass ich ihr Liebling war – wer auch sonst! Meine beste Freundin war eine hellbraune Hundedame namens Coco. Gleich am ersten Tag hatte sie mich herzlich begrüßt. Sie hatte weiße Beine und Füße, eine rosa Nase und drahtiges raues Fell, und sie war so klein, dass ich trotz meiner kurzen Beine mit ihr Schritt halten konnte.

Coco und ich kabbelten uns den lieben langen Tag. Oft machten die anderen Mädchen mit, und auch der Schnelle drängte sich manchmal auf, um seine Überlegenheit zu demonstrieren. Allerdings musste er sich dabei ziemlich im Zaum halten, denn wenn er zu aggressiv wurde, kam einer der älteren Rüden herüber und wies ihn zurecht. Dann tat ich immer so, als hätte ich ihn noch nie im Leben gesehen.

Ich liebte meine Welt, den Hof. Ich liebte es, neben dem Wassertrog so schnell durch den Matsch zu rennen, dass er mir ins Fell spritzte. Ich liebte das vielstimmige Gebell, auch wenn mir nie ganz klar war, warum wir bellten. Ich liebte es, Coco zu jagen und dicht zusammengedrängt mit all den anderen Hunden zu schlafen – mitten im Wohlgeruch ihrer Fürze. Manchmal musste ich während eines Spiels oder Wettrennens stehen bleiben – teils weil ich aus der Puste kam, teils weil mir vor Glück ganz schwindelig war.

Auch die älteren Hunde spielten viel, sogar der Leithund. Seine Lieblingsbeschäftigung waren Wettrennen, bei denen er immer einen alten Stofffetzen im Maul trug und wie einen Schatz verteidigte. Die anderen Hunde rasten dann hinter ihm her und taten so, als seien sie nicht schnell genug, um ihn einzuholen. Mutter beteiligte sich an diesen Wettrennen nie. Hinter den aufgestapelten Bahnschwellen hatte sie sich eine Mulde gebuddelt, in der sie meist teilnahmslos herumlag. Wenn ich sie dort ab und zu besuchen wollte, um zu sehen, wie es ihr ging, knurrte sie mich an wie einen Fremden.

Eines Abends nach der Fütterung, als alle faul herumlagen und vor sich hin dösten, sah ich sie aus ihrem Versteck kommen und heimlich auf das Gatter zuschleichen. Ich kaute gerade an einem Gummiknochen. Obwohl ich satt war, hatte ich andauernd das Bedürfnis, etwas zwischen den Zähnen zu haben. Trotzdem hörte ich auf zu kauen und schaute neugierig zu, wie sie sich vor das Gatter setzte, als erwarte sie etwas Bestimmtes. Hörte sie jemanden kommen? Ich legte den Kopf schief und überlegte. Wenn ein Mensch in der Nähe gewesen wäre, hätten die anderen Hunde längst angefangen zu bellen.

Oft saßen Carlos, Bobby und die anderen Männer abends an einem kleinen Gartentisch bei uns im Hof, öffneten eine Flasche, aus der ein scharfer, chemischer Geruch kam, und reichten sie herum. Aber an diesem Abend waren sie nicht da.

Mutter stellte sich auf die Hinterbeine, legte die Vorderpfoten an die Latten des Holzgatters und nahm den metallenen Türgriff ins Maul. Ich begriff gar nichts mehr. Warum, um alles in der Welt, wollte sie an so einem blöden Teil herumkauen, wo doch überall diese lustigen Gummiknochen im Hof herumlagen? Sie drehte den Kopf nach links und rechts und schien das Ding nicht gut zwischen die Zähne zu bekommen. Ich schaute mich nach dem Schnellen um, aber er schlief tief und fest.

Plötzlich klickte das Schloss des Gatters. Mutter hatte es geöffnet! Sie setzte die Vorderbeine wieder auf den Boden und schob das Gatter mit den Schultern auf. Dann streckte sie die Schnauze ins Freie und witterte vorsichtig.

Nach einer Weile drehte sie sich noch einmal um und sah mich an. Ihre Augen leuchteten. Mir war sofort klar, was sie vorhatte: Mutter wollte fliehen. Ich stand auf, um sie zu begleiten, Coco, die ganz in meiner Nähe lag, hob verschlafen den Kopf. Sie zwinkerte mir zu, seufzte und streckte sich wieder im Sand aus.

Wenn ich jetzt fortging, würde ich sie nie wiedersehen.

Ich war hin- und hergerissen zwischen der Loyalität zu meiner Mutter, die mich gefüttert, mir alles beigebracht und mich umsorgt hatte, und zum Rudel, zu dem auch mein nichtsnutziger Bruder gehörte.

Mutter wartete nicht auf meine Entscheidung. Geräuschlos verschwand sie in die Dämmerung. Wenn ich sie einholen wollte, musste ich mich beeilen.

Ich lief durch das offene Gatter und folgte ihr in die unbekannte Welt auf der anderen Seite des Zauns.

Der Schnelle bekam von alldem nichts mit.

Drei

Ich kam nicht besonders weit. Zum einen war ich nicht so schnell wie Mutter, zum anderen standen vor dem Haus lauter Büsche, an denen ich einfach nicht vorbeikonnte, ohne sie zu markieren. Sie wartete nicht auf mich, sie schaute sich noch nicht einmal nach mir um. Als ich sie zum letzten Mal sah, tat sie, was sie am besten konnte: Sie verschwand unbemerkt in der Dunkelheit.

Noch vor nicht allzu langer Zeit hatte ich mir nichts Schöneres vorstellen können, als mit Mutter zu kuscheln. Ihre Zunge und ihr warmer Körper waren das Wichtigste auf der ganzen Welt für mich gewesen. Aber als ich sie nun verschwinden sah, begriff ich, dass sie etwas tat, das alle Mütter früher oder später tun müssen. Mein Impuls, ihr zu folgen, war nur eine Art Reflex, ein letztes Aufwallen familiärer Gefühle, die ich im Grunde aber schon an dem Tag abgelegt hatte, als man unsere Familie auf den Hof gebracht hatte.

Ich stand gerade mit erhobenem Bein vor einem Busch, als die Señora von ihrer Veranda herunterkam und mich entdeckte.

»Toby!«, rief sie erstaunt. »Wie kommst du denn hierher?«

Wenn ich wirklich hätte fliehen wollen, hätte ich es *in diesem Augenblick* tun müssen, aber ich ließ es bleiben. Stattdessen wedelte ich mit dem Schwanz und sprang an den Beinen der Señora hoch. Am liebsten hätte ich ihr das Gesicht abgeleckt. Sie roch noch besser als gewöhnlich, weil ihr sonst eher blumiger Geruch von leckerem Hähnchenfett überlagert war. Sie strich mir die Ohren nach hinten, und ich folgte ihr, als sie zum offenen Gatter ging. Die anderen waren inzwischen alle eingeschlafen. Die Señora gab mir einen kleinen Klaps und folgte mir in den Hof.

Kaum war das Gatter zugefallen, kamen die anderen auf die Beine und rannten uns entgegen. Die Señora streichelte sie und redete beruhigend auf sie ein, während ich mich darüber aufregte, dass ich nun nicht mehr ihre ungeteilte Aufmerksamkeit hatte.

Das war ziemlich unfair. Immerhin hatte ich mich gegen meine Mutter und für die Señora entschieden, und sie tat, als sei meine Anwesenheit genauso selbstverständlich wie die aller anderen.

Als sie den Hof wieder verließ, schnappte das Gatter laut und deutlich hinter ihr zu, aber davon ließ ich mich nicht täuschen, denn jetzt wusste ich ja, dass es keine unüberwindliche Barriere darstellte.

Ich balgte gerade wieder mit Coco, als Mutter schon wenige Tage darauf zurückkehrte. Zumindest hielt ich sie auf den ersten Blick für meine Mutter. Ich hatte wohl nicht richtig hingeschaut, weil Coco so widerspenstig war. Unser Spiel bestand im Wesentlichen darin, dass ich mich an sie heranschlich, sie dann von hinten besprang und mit den Vorderbeinen umklammerte. Ich liebte dieses Spiel und konnte nicht verstehen, dass Coco es nicht so toll fand. Andauernd versuchte sie mich abzuschütteln, knurrte und kläffte böse. Es fühlte sich so toll an, wieso war sie nur so abweisend?

Ich blickte auf, als Bobby das Gatter öffnete, und da sah ich

Mutter unsicher dastehen. Voller Freude rannte ich auf sie zu, die anderen hinter mir her. Als ich das Gatter erreichte, machte ich völlig perplex Halt.

Die Hündin hatte das gleiche kurze Fell wie Mutter, den gleichen schwarzen Fleck über dem Auge und die gleiche rundliche Schnauze, aber es war nicht Mutter. Sie duckte sich und urinierte vor Schreck, als alle angelaufen kamen. Wir umrundeten sie erst einmal, nur der Schnelle beschnupperte ohne viel Federlesens ihr Hinterteil.

Bobby stand genauso da wie an dem Tag, als wir hier angekommen waren: resigniert und mit hängenden Schultern. Aber er blieb in der Nähe der Hündin und schützte sie mit seinem Körper vor uns.

»Alles wird gut, mein Mädchen«, sagte er. »Alles wird gut.«

Es war Schwesterchen. Ich hatte sie fast völlig vergessen, und als ich sie jetzt genauer betrachtete, wurde mir klar, wie sehr sich das Leben auf der anderen Seite des Zaunes von dem unseren unterschied. Schwesterchen war so dünn, dass man ihre Rippen sehen konnte, und eine lange, nässende Narbe lief ihr quer über die Flanke. Ihr Atem roch nach verfaultem Fleisch, und beim Urinieren kam stinkendes Zeug aus ihrer Blase.

Der Schnelle war überglücklich, aber Schwesterchen hatte so viel Angst vor den anderen Hunden, dass sie seine Aufforderung zum Spielen ignorierte. Sie katzbuckelte vor dem Leithund und ließ sich von den anderen beschnuppern, ohne auch nur andeutungsweise ihre Intimsphäre zu verteidigen. Als alle sie hinreichend begutachtet hatten und sich desinteressiert von ihr abwandten, näherte sie sich vorsichtig dem Wassertrog und trank ein paar Schlucke, als würde sie jemandem etwas stehlen.

Das gab mir zu denken: Schwesterchen war ein abschreckendes Beispiel dafür, wie es Hunden erging, die meinten, sie könnten ohne Menschen leben! Sie wurden angegriffen, verletzten sich und waren dem Verhungern nahe. Wären der Schnelle und ich in unserem Flussbett geblieben, stünden wir jetzt genauso erbärmlich da wie unsere Schwester.

Der Schnelle wich ihr nicht von der Seite. Mir wurde klar, dass er schon immer einen Narren an ihr gefressen hatte und sie mehr liebte als Mutter. Er küsste sie sogar und verbeugte sich vor ihr. Aber das machte mich nicht neidisch, denn ich hatte ja Coco.

Eifersüchtig machte mich jedoch die Aufmerksamkeit, die Coco neuerdings von anderen Rüden bekam. Die glaubten wohl, einfach zu ihr kommen und mit ihr spielen zu können, als ob ich keine Vorrechte hätte. Im Grunde stimmte das ja auch. Ich kannte meine Position innerhalb der Meute, und im Großen und Ganzen war ich damit einverstanden, denn die Ordnung gab mir ein Gefühl der Sicherheit. Andererseits wollte ich Coco für mich allein haben und fand es nicht lustig, wenn ich einfach abgedrängt wurde.

Neuerdings schienen alle ganz wild auf das Spiel zu sein, das ich erfunden hatte, schlichen sich an Coco heran und besprangen sie dann von hinten. Mit kalter Schadenfreude registrierte ich, dass Coco dieses Spiel mit den anderen genauso wenig spielen wollte wie mit mir.

Am Morgen nach Schwesterchens Ankunft kam Bobby wieder in den Hof und holte ein paar von uns ab, um sie in einen Käfig auf seinem LKW zu stecken: den Schnellen, Schwesterchen, Coco, einen frechen jungen Rüden namens Kusch und mich. Es war eng und laut in dem Käfig, aber ich genoss den Fahrtwind – und das dumme Gesicht des Schnellen, als ich ihm aufs Fell nieste. Seltsamerweise saß eine Hündin mit langem Fell vorne im Wagen bei Bobby und Carlos. Genau wie wir hatte sie bislang ganz normal mit uns im Hof gelebt. *Was war an ihr so besonders, dass sie jetzt vorne bei den Menschen sitzen durfte?* Wenn ihr Geruch durchs offene Fenster nach hinten wehte, wurde mir ganz anders, und ich fühlte mich plötzlich so stark und männlich wie nie zuvor.

Wir parkten unter dem einzigen Baum, der auf dem stickigen Parkplatz ein bisschen Schatten spendete. Bobby ging mit der Hündin in das angrenzende Haus, und Carlos kam zu uns an den Käfig. Alle außer Schwesterchen drängten ihm entgegen.

»Komm her, Coco«, rief er. »Coco!« Seine Finger rochen nach Erdnüssen und Beeren, und es war noch ein süßliches Aroma dabei, das ich nicht identifizieren konnte.

Wir anderen bellten – zuerst weil wir beleidigt waren, dass Coco als Einzige in das Haus geführt wurde, und schließlich einfach nur aus Spaß an der Freud. Dann landete ein großer schwarzer Vogel in dem Baum über uns und sah auf uns herab, als seien wir komplette Idioten. Von diesem Augenblick an bellten wir seinetwegen.

Als Bobby wieder aus dem Haus kam, rief er: »Toby!«

Stolz trat ich vor und rührte mich nicht, als er mir ein Lederband um den Hals legte. Dann sprang ich auf den Parkplatz und verbrannte mir fast die Pfoten, weil das Pflaster unglaublich heiß war. Die Loser im LKW-Käfig würdigte ich keines Blickes mehr, sondern marschierte erhobenen Hauptes ins Haus, in dem es herrlich kühl war und nach jeder Menge Hunden und anderen Tieren roch.

Bobby führte mich durch einen langen Gang, ging dann in ein Zimmer, wo er mich hochnahm und auf ein glänzendes Tischchen setzte. Kurz darauf kam eine Frau herein, und ich klopfte mit dem Schwanz auf das Tischchen, als sie mir ihre zarten Finger in die Ohren steckte und mir den Hals abtastete. Ihre Hände rochen unangenehm chemisch, aber an ihrem Kittel saßen die Gerüche anderer Tiere, unter anderem auch der von Coco.

»Wie heißt der hier?«, fragte sie.

»Toby«, sagte Bobby, und ich klopfte stärker mit dem Schwanz.

»Wie viele sind es denn heute?«, fragte die Frau. Während sie sich mit Bobby unterhielt, schob sie mir die Lefzen auseinander, um meine Zähne zu bewundern.

»Drei Rüden, drei Mädels.«

»Sie machen Witze, Bobby! So viele?« Ich wedelte mit dem Schwanz, weil ich Bobbys Namen erkannte, obwohl ich sonst nichts verstand.

»Ich kann ja nichts dafür.«

»Ich weiß. Trotzdem kann das nicht so weitergehen«, sagte die Frau. Sie betastete mich überall, und ich überlegte, ob sie es wohl richtig verstehen würde, wenn ich vor Wonne ein bisschen grunzte.

»Wir haben ja keine Nachbarn, die sich beschweren könnten«, sagte Bobby.

»Aber es gibt Gesetze. Die Señora kann doch nicht ewig so weitermachen! Wie viele sollen es denn noch werden? Es sind doch jetzt schon zu viele, um eine angemessene Hygiene zu gewährleisten.«

»Sie sagt, sonst würden die Hunde sterben, weil sich niemand um sie kümmert.«

»Trotzdem verstößt sie gegen das Gesetz.«

»Bitte verraten Sie sie nicht, Doktor!«

»Sie bringen mich wirklich in eine unangenehme Lage,

Bobby. Ich bin verpflichtet, für das Wohlergehen der Tiere zu sorgen.«

»Wir bringen sie doch her, wenn sie krank werden.«

»Früher oder später riskiert die Señora eine Anzeige.«

»Bitte tun Sie das nicht!«

»Nein, nicht ich werde Anzeige erstatten. Bevor ich etwas unternehme, werde ich es Ihnen sagen, damit Sie im Vorfeld eine Lösung finden können.« Endlich wandte sich die Frau wieder mir zu. »Alles in Ordnung, Toby?«

Ich leckte ihr die Hand.

»Guter Junge! Jetzt geht's auf den OP-Tisch, und dann schnippeln wir dich schön zurecht, was?«

Bobby lachte.

Ich wurde in ein anderes Zimmer gebracht. Es war viel zu hell, aber noch kühler als der Rest des Hauses. Eine andere Frau stand an dem Tisch, auf den ich gelegt wurde, und roch noch chemischer als die erste, aber auch sie schien sehr nett zu sein. Bobby drückte mich auf den Tisch, und ich hielt ganz still, weil ich das Gefühl hatte, dass er das wollte. Außerdem war es schön, so viel Aufmerksamkeit zu bekommen. Ich fühlte mich so wohl, dass ich wieder mit dem Schwanz klopfte. Dann spürte ich plötzlich einen stechenden Schmerz am Hals, aber ich beschwerte mich nicht, sondern klopfte nur noch stärker mit dem Schwanz, um ihnen zu zeigen, dass ich nichts dagegen hatte.

Als Nächstes fand ich mich in unserem Hof wieder! Ich schlug die Augen auf und versuchte aufzustehen, aber meine Beine wollten mich nicht tragen. Ich hatte Durst, war aber zu müde, um an den Trog zu gehen. Also legte ich den Kopf wieder auf den Boden und schlief einfach weiter.

Als ich das nächste Mal wieder aufwachte, merkte ich, dass

ich etwas um den Hals hatte, ein kegelförmiges weißes Plastikding, mit dem ich so lächerlich aussehen musste, dass ich Angst hatte, die anderen könnten mich in der Rangordnung herabstufen. Zwischen meinen Hinterbeinen hatte ich ein stechendes Jucken, aber wegen des blöden Dings am Hals kam ich mit der Schnauze nicht da hin. Noch etwas benommen tapste ich zum Trog und trank etwas. Ich hatte ein ganz flaues Gefühl im Magen, und offenbar hatte ich so lange auf dem Bauch gelegen, dass er auch von außen ziemlich wehtat, vor allem zwischen den Hinterbeinen. Den Gerüchen nach zu urteilen, hatte ich das Abendessen verschlafen, aber in meinem gegenwärtigen Zustand machte mir das nichts aus. Ich suchte mir ein kühles Plätzchen und ließ mich stöhnend nieder. Der Schnelle lag ganz in der Nähe, und ich sah, dass auch er so einen blöden Kragen trug.

Was hatte Bobby mit uns gemacht?

Die drei Hündinnen, die mit uns zu dem Haus mit den netten Frauen gefahren waren, schienen nicht wieder mit zurückgekommen zu sein. Jedenfalls war nirgends etwas von ihnen zu sehen. Am nächsten Tag konnte ich immer noch nicht laufen, ohne zu humpeln, aber ich suchte den ganzen Hof nach Coco ab. Leider vergebens.

Das war aber nicht das Einzige, was mir zu schaffen machte. Abgesehen von diesem peinlichen Kragen musste ich auch noch die Demütigung ertragen, dass jedes männliche Mitglied des Rudels meine wunde Stelle zwischen den Hinterbeinen inspizierte. Der Leithund stieß mich unsanft zu Boden, und als ich völlig ausgeliefert dalag, beschnüffelten zuerst er selbst und dann alle anderen meine Problemzone mit unverhohlener Verachtung.

Die Hündinnen brauchten so etwas nicht über sich ergehen zu lassen, als sie einige Tage darauf zu uns zurückgebracht wurden. Ich war überglücklich, Coco wiederzusehen, obwohl auch sie jetzt so einen albernen Kragen trug. Der Schnelle freute sich mehr über die Rückkehr unserer Schwester, die das Ganze furchtbar mitgenommen zu haben schien.

Irgendwann nahm Carlos uns die Kragen ab. Ich wollte meine zurückgewonnene Freiheit nutzen und lief sofort zu Coco. Aber ich merkte, dass ich gar keine besondere Lust auf unser altes Spiel hatte, bei dem ich mich von hinten anschlich und sie besprang. Stattdessen fiel mir ein neues ein. Ich suchte mir einen Gummiknochen und kaute vor Cocos Augen darauf herum, dann warf ich ihn in die Luft und ließ ihn wieder fallen. Sie mimte Desinteresse und wandte den Kopf ab, aber als ich ihr den Knochen dann mit der Nase zuschob, warf sie immer öfter einen sehnsüchtigen Blick darauf. Schließlich konnte sie sich nicht mehr beherrschen und stürzte drauflos. Das hatte ich geahnt. Ich schnappte ihr den Knochen weg, bevor sie ihn im Maul hatte. Dann tänzelte ich schwanzwedelnd damit fort und fing wieder von vorn an. Ein herrliches Spiel! Am meisten Spaß machte es, wenn Coco anfing, mich zu jagen, und wir immer im Kreis hintereinander herrannten. Manchmal startete sie ein Täuschungsmanöver und gähnte. Dann ging ich mit dem Gummiknochen im Maul ganz nah an sie heran, bis sie es nicht mehr aushielt und sich auf mich stürzte. Ich liebte dieses Spiel so sehr, dass ich sogar im Schlaf davon träumte.

Manchmal bekamen wir aber auch richtige Knochen, und mit denen musste man anders umgehen. Wenn Carlos mit einem fettigen Beutel in den Hof kam, rief er uns einzeln beim Namen, bevor er die angekokelten Leckerbissen austeilte. Er verstand nicht, dass er dem Leithund immer zuerst etwas hätte geben müssen, aber gegen diesen Fehler hatte ich persönlich nichts einzuwenden. Ich selbst bekam nicht immer etwas ab, aber wenn doch, dann rief Carlos: »Toby, Toby«, und gab mir den Leckerbissen direkt vor der Nase der anderen Hunde. Wenn die Menschen dabei waren, herrschten im Rudel eben ganz andere Regeln.

Einmal, als der Schnelle einen Knochen bekam und ich nicht, passierte etwas ganz Erstaunliches. Mehrere Hunde stürzten sich auf ihn, und er floh, so schnell er konnte, mit seinem Knochen über den Hof. Dabei fraß und kaute er immer weiter, weil er ja nicht wusste, wie lange er die Beute verteidigen konnte. Der Knochen verströmte nämlich einen unwiderstehlichen Geruch. Neidisch rückte ich näher und beobachtete das Schauspiel, und so hatte ich gute Sicht auf das Geschehen, als der Leithund eingriff.

Majestätisch schritt er auf den Schnellen zu, der stehen blieb und die Beine spreizte, um einen sichereren Stand zu haben. Der Leithund kam näher, und der Schnelle hörte zwar auf zu fressen, ließ aber ein tiefes Knurren ertönen. Es war unfassbar. Noch nie hatte jemand gewagt, den Leithund anzuknurren. Es gehörte sich einfach nicht. Trotzdem fand ich, dass der Schnelle im Recht war. Immerhin war es *sein* Knochen. Wenn Carlos einem Hund eine Delikatesse gegeben hatte, durfte kein anderer sie haben, nicht mal der Chef.

Aber es war ein besonders köstlicher Knochen, und der Leithund schien darauf völlig versessen zu sein. Er machte eine schnelle Vorwärtsbewegung und schnappte danach, aber praktisch im selben Moment griff auch der Schnelle an. Blitzartig reckte er den Kopf vor, riss das Maul auf und klappte es – Millimeter vor der Schnauze des Leithundes – wieder zu, dass es krachte. Dann bleckte er die Zähne, die Augen zu schmalen

Schlitzen verengt. Der Leithund starrte ihn nur an und schien von der Rebellion tief beeindruckt zu sein. Doch dann hob er den Kopf wie ein wahrer Herrscher, drehte sich gelassen um und pinkelte an den Zaun, ohne den Schnellen weiter zu beachten.

Ich wusste, dass der Leithund den Knochen hätte nehmen können, wenn er wirklich gewollt hätte. Er war stark genug und hatte schon öfter bewiesen, dass er nicht umsonst der Ranghöchste unseres Rudels war. Ich musste an einen Vorfall denken, der sich einen Tag vor unserer Fahrt zu dem kühlen Haus mit den netten Frauen ereignet hatte. Ein großes Durcheinander war ausgebrochen, als einige Rüden wie auf Kommando eine ganz bestimmte Hündin belagerten, an ihr zu schnüffeln versuchten und ganz hektisch ihre Duftmarken in ihre Nähe setzten. Leider muss ich zugeben, dass auch ich mich unter den Belagerern befand. Zu meiner Verteidigung kann ich nur sagen, dass die Hündin an diesem Tag einen wirklich umwerfenden Geruch verströmte, den ich gar nicht beschreiben kann.

Immer wenn ein Rüde sie von hinten beschnuppern wollte, setzte sich die Hündin einfach hin. Die Ohren hatte sie demütig zurückgelegt, aber manchmal knurrte sie leise, und das genügte, um die Rüden auf Abstand zu halten.

Alle drängelten sich um die strategisch günstigsten Plätze und stießen andauernd miteinander zusammen. Mitten in diesem Gewusel kam es dann plötzlich zum Kampf zwischen dem Leithund und einem großen schwarz-braunen Rüden, der Rotty genannt wurde.

Der Leithund hatte eine beeindruckende Kampftechnik, effizient und kraftsparend. Er packte Rotty am Nacken und rang ihn nieder, bis seine Schultern den Boden berührten. Wir anderen standen in gebührendem Abstand im Kreis um die Gegner herum, aber alles war innerhalb weniger Sekunden vorbei, denn Rotty rollte sich freiwillig auf den Rücken und ergab sich.

Nun hatte das ganze Hin und Her aber Carlos' Aufmerksamkeit erregt. Er kam angelaufen und rief: »Hey, hey! Es reicht, ihr beiden!« Mitten im Hof blieb er stehen, aber wir Rüden ignorierten ihn. Nur Coco ging zu ihm, um sich eine Streicheleinheit abzuholen. Carlos versuchte sich einen Überblick zu verschaffen. Schließlich rief er die Hündin zu sich, die an dem ganzen Theater schuld war, und nahm sie mit, als er den Hof verließ.

Ich sah sie nicht wieder, bis wir am nächsten Vormittag auf dem Lastwagen in den Käfig gesperrt wurden. Nur dass sie nicht mit uns im Käfig hockte, sondern vorne bei den Männern saß.

Als der Schnelle seinen Knochen komplett abgekaut hatte, schien er es plötzlich zu bereuen, den Leithund angegriffen zu haben. Er ließ Kopf und Schwanz hängen und trottete zu ihm hinüber. Er katzbuckelte einige Male, was der Chef jedoch ignorierte. Also leckte mein Bruder ihm die Schnauze. Das schien als Entschuldigung zu genügen, denn danach spielten die beiden miteinander. Der Leithund rollte den Schnellen durch den Sand und ließ es sogar zu, dass er an seinem Hals knabberte, um gleich darauf abrupt davonzustolzieren.

Das war seine Art, die Ordnung aufrechtzuerhalten. Er sorgte dafür, dass wir unsere Positionen in der Rangordnung kannten und respektierten, aber er nutzte seine Stellung nicht aus, indem er beispielsweise das Futter eines anderen für sich beanspruchte. Wir waren ein glückliches Rudel – bis zu dem Tag, als Spike zu uns stieß.

Danach war nichts mehr wie vorher.

Vier

Irgendwie hatte ich langsam das Gefühl, dass meine Welt immer just dann aus den Fugen geriet, wenn ich gerade kapiert hatte, wie sie funktionierte. Mutter hatte mir beigebracht, die Menschen zu fürchten, Abfall nach Fressbarem zu durchsuchen und den Schnellen so zu behandeln, dass ich nicht völlig von ihm untergebuttert wurde. Dann waren die Männer gekommen, hatten uns in den Hof der Señora gebracht, und ich musste mich den neuen Verhältnissen anpassen.

Ich hatte gelernt, mit der Meute zurechtzukommen, Menschen waren meine Freunde geworden, und als meine Spiele mit Coco ziemlich wild, aber auch frustrierend geworden waren, hatte man uns zu den netten Frauen in dem kühlen Haus gebracht, woraufhin ich zu diesen Spielen plötzlich keine Lust mehr hatte. Immer noch verbrachte ich den größten Teil des Tages damit, Coco anzuknabbern oder mich von ihr anknabbern zu lassen, aber der Drang und die Leidenschaft von früher waren wie weggeblasen.

Zwischen den beiden mir bekannten Welten – innerhalb und außerhalb des Hofes – lag das Gatter, das Mutter einmal geöffnet hatte. Ich musste so oft an den Abend ihrer Flucht denken, dass es mir schon vorkam, als könnte ich den metallenen Türgriff in meinem eigenen Maul schmecken. Mutter hatte mir den Weg in die Freiheit gezeigt, und den konnte ich jederzeit beschreiten, wenn mir danach war. Aber ich hatte ein anderes Naturell als sie. Ich liebte den Hof. Ich wollte bei der Señora sein. Ich war ihr Toby.

Mutter dagegen war so ungesellig gewesen, dass niemand sie zu vermissen schien. Die Señora hatte ihr nicht mal einen Namen gegeben. Manchmal schnüffelten der Schnelle oder Schwesterchen an der Mulde hinter den Bahnschwellen, wo sie meist gelegen hatte, aber auch sie schienen Mutter nicht zu vermissen. Das Leben ging auch ohne sie weiter.

Und dann, als ich mich gerade an die neuen Verhältnisse gewöhnt hatte, aus dem Erwachsenennapf fressen durfte, von Carlos mit den angekokelten Knochen nicht mehr übergangen wurde und mich darauf verlassen konnte, dass die Señora ab und an in den Hof kam, um uns zu streicheln und etwas besonders Leckeres zu bringen, kam plötzlich der Neue.

Er hieß Spike.

Wir hörten die Türen des Lastwagens zuschlagen und bellten, obwohl es so heiß war, dass manche von uns, die einen schönen Schattenplatz ergattert hatten, nicht mal aufstanden. Das Gatter ging auf, und Bobby kam herein, einen sehr großen und muskulösen Rüden an der Stange. Jetzt kam trotz der Hitze Bewegung in den Hof.

Eigentlich war es ziemlich beängstigend, wenn einem die gesamte Meute entgegenstürmte, aber der Neue zuckte mit keiner Wimper. Er war so dunkel und breitschultrig wie Rotty und so groß wie der Leithund. Er hatte den größten Teil seines Schwanzes verloren, aber selbst der Stummel, der ihm noch geblieben war, bewegte sich keinen Millimeter. Er stand einfach nur da, das Gewicht gleichmäßig auf alle vier Pfoten verteilt. Ein leises Knurren grummelte gefährlich in seinem Brustkorb.

»Ruhig, Spike! Ganz ruhig!«, sagte Bobby.

Ich beschloss, den anderen bei der Begutachtung des Neuen den Vortritt zu lassen.

Der Leithund rannte nie mit der ganzen Meute los. Auch jetzt trat er ganz ruhig aus der schattigen Ecke am Wassertrog und bewegte sich langsam auf den Neuen zu.

Bobby ließ Spikes Hals aus der Schlinge und sagte noch einmal: »Ganz ruhig, Spike!«

Alle merkten, dass Bobby besorgt war, und seine Nervosität übertrug sich auf uns. Ich merkte, dass sich meine Nackenhaare aufstellten, aber ich wusste nicht, warum. Der Leithund und Spike inspizierten einander steifbeinig. Keiner von beiden war bereit, sich dem anderen unterzuordnen. Wir anderen schauten gespannt zu.

Spikes Kopf war von Narben übersät, die sich als graue Krater und Knötchen von seinem dunklen Fell absetzten. Er hatte etwas furchtbar Unsympathisches an sich, und ich bekam es mit der Angst zu tun, und das, obwohl zunächst einmal alles so verlief, wie es sollte.

Spike erlaubte dem Leithund, ihm den Kopf über den Rücken zu halten, wobei er sich aber keineswegs duckte oder einknickte. Dann ging er an den Zaun und setzte eine Duftmarke. Wir stellten uns hinter dem Leithund an, um anschließend ebenfalls an den Zaun zu pinkeln – alle an derselben Stelle, versteht sich.

Als die Señora am Gatter auftauchte, verschwand ein Großteil meiner Angst. Manche von uns brachen aus der Formation aus, die wir im Gefolge des Leithundes eingenommen hatten, liefen zum Gatter und stellten die Vorderpfoten daran auf, um der Señora den Kopf hinzustrecken und uns von ihr streicheln zu lassen.

»Na, siehst du«, sagte die Señora zu Bobby. »Er wird sich einfügen.«

»Er ist ein Kampfhund, Señora. Er ist anders als die anderen«, sagte Bobby.

»Du bist ein guter Hund, Spike, nicht wahr?«, rief die Señora ihm zu. Ich schaute eifersüchtig zu ihm hinüber, aber er schien es nicht zu würdigen, dass er so liebevoll angesprochen wurde. Was hätte ich darum gegeben, wenn die Señora gesagt hätte: *Du bist ein guter Hund, Toby!* Stattdessen sagte sie: »Es gibt keine schlechten Hunde, Bobby, nur schlechte Menschen. Wenn sie Schwierigkeiten machen, brauchen sie Liebe.«

»Aber manche haben so einen Knacks, dass ihnen nicht mehr zu helfen ist«, widersprach Bobby.

Die ganze Zeit über kraulte die Señora Coco gedankenverloren hinter den Ohren. Verzweifelt schob ich meine Nase unter ihre Hand, aber sie schien mich gar nicht zu bemerken.

Später kam Coco mit einem Gummiknochen an, setzte sich vor mich hin und kaute hingebungsvoll daran herum. Ich ignorierte sie, weil ich immer noch beleidigt war, dass die Señora mich – ihren Liebling! – so stiefmütterlich behandelt hatte. Coco warf sich auf den Rücken, spielte mit dem Knochen und ließ ihn fallen. Dann streckte sie zwar die Pfoten danach aus, hielt ihn aber nicht richtig fest, so dass ich ihn ohne Weiteres nehmen konnte. Also packte ich zu. Doch im selben Moment schnappte sich Coco den Knochen, sprang auf die Beine und rannte davon. Ich flitzte hinterher, quer durch den Hof. Es machte mich unheimlich wütend, dass sie den Spieß plötzlich umgedreht hatte.

Ich war so damit beschäftigt, Coco den blöden Knochen abzujagen, dass ich nicht mitbekam, wie alles begann. Denn eigentlich hatte der Kampf, der unweigerlich auf uns zukommen würde, bereits begonnen.

Normalerweise dauerten Kämpfe mit dem Leithund nicht lange, weil der rangniedere Hund nicht wirklich darauf aus war, die natürliche Ordnung infrage zu stellen. Aber dieser Kampf war wild und böse und schien kein Ende nehmen zu wollen.

Spike und der Leithund flogen mit gewaltigen Sätzen regelrecht aufeinander zu und versuchten, höher zu springen als der jeweils andere. Dabei bleckten sie die Zähne, dass sie in der Sonne blitzten, und jaulten so laut und aggressiv, wie ich es noch nie gehört hatte.

Der Leithund wollte seinen Gegner wie üblich am Genick packen, eine Technik, mit der er den Gegner kontrollieren konnte, ohne ihm großen Schaden zuzufügen. Aber Spike schüttelte ihn ab, schnappte und biss um sich, bis er die Schnauze seines Gegners im Maul hatte. Er hatte zwar selbst schon eine blutende Wunde unter dem Ohr, aber nun war er in einer eindeutig überlegenen Position und zwang den Kopf unseres Anführers tiefer und tiefer zu Boden.

Wir anderen konnten nichts tun, als hechelnd im Kreis um die beiden herumzustehen und ihren Kampf zu beobachten. Doch dann flog plötzlich das Gatter auf, und Bobby kam in den Hof gerannt. Er zog einen langen Gartenschlauch hinter sich her und richtete den Strahl auf die kämpfenden Hunde.

»Hey, sofort aufhören, ihr zwei!«, rief er.

Wir konnten sehen, dass der Leithund sofort locker ließ, weil er Bobbys Autorität anerkannte, aber Spike machte weiter, als sei Bobby gar nicht da.

»Spike!«, schrie Bobby und richtete den Wasserstrahl direkt auf seinen Kopf. Das Blut beider Hunde spritzte durch die

Gegend, und schließlich ließ Spike vom Leithund ab, weil er den Kopf aus dem Strahl bekommen wollte. Er schüttelte sich und warf Bobby einen Blick zu, den man nur als mörderisch bezeichnen konnte. Bobby wich ein paar Schritte zurück, den Schlauch fest in der Hand.

»Was ist passiert? Macht der Neue Ärger? *El combatiente?*«, rief Carlos, der nun ebenfalls in den Hof gerannt kam.

»*Sí. Este perro será el problema*«, antwortete Bobby.

Nun kam auch die Señora in den Hof. Die drei unterhielten sich kurz, dann riefen sie den Leithund zu sich und behandelten seine Wunden mit einer scharfen Tinktur, deren Geruch mich an die netten Frauen in dem kühlen Haus erinnerte. Er wand sich vor Schmerz, leckte sich, keuchte und legte die Ohren an, als Carlos die scharfe Flüssigkeit auf die Wunden an seinem Kopf tupfte.

Ich hätte nie gedacht, dass Spike sich auf die gleiche Weise behandeln lassen würde, aber er hielt ganz still, als Bobby und Carlos ihn hielten und die Wunde unter seinem Ohr versorgten. Er schien daran gewöhnt zu sein und zeigte auch keine Reaktion auf den scharfen Geruch. Am Ende eines Kampfes so eine Prozedur über sich ergehen zu lassen, war für ihn offenbar Routine.

Die nächsten Tage waren ein Albtraum, denn keiner von uns wusste mehr, wo er stand, insbesondere die Rüden waren verunsichert.

Spike war jetzt eindeutig der Anführer, und er ließ keine Gelegenheit aus, einen nach dem anderen zum Zweikampf herauszufordern. Der Leithund hatte das auch oft getan, aber anders als Spike. Die kleinste Nachlässigkeit war für ihn Grund genug, uns zu disziplinieren und zu bestrafen. Dann fackelte er nicht lange, sondern zwickte den Übeltäter an einer Stelle, an der es besonders wehtat. Wenn dem Leithund ein Spiel zu wild oder aufdringlich wurde, hatte er den Betreffenden lediglich einen warnenden Blick zugeworfen oder sie angeknurrt. Spike hingegen lief regelrecht Patrouille und drangsalierte uns ohne ersichtlichen Grund – er wurde von einer schwarzen Energie angetrieben, von etwas Unheimlichem und Gemeinem.

Wenn die rangniederen Rüden Positionskämpfe ausfochten und einander herausforderten, mischte Spike sich ein und machte oft sogar mit. Er schien sich niemals zurückhalten zu können. Das war ebenso unnötig wie störend und hatte zur Folge, dass wir wegen jeder Kleinigkeit in Streit gerieten. Wir kämpften um Angelegenheiten, die eigentlich vor langer Zeit geklärt worden waren, wie etwa den genauen Platz am Fressnapf oder die kühle Stelle am Leck der Wasserleitung, die in der Mittagshitze so angenehm war.

Wenn Coco und ich das Spiel mit dem Gummiknochen spielten, kam Spike zu uns herüber, knurrte und zwang mich, ihm unser Spielzeug vor die Pfoten zu legen. Manchmal nahm er es dann mit in seine Ecke, und unser Spiel war beendet, bis ich etwas anderes fand. Manchmal schnüffelte er aber auch nur verächtlich an unserem Knochen herum und ließ ihn liegen. Dann machte uns das Spiel allerdings plötzlich keinen Spaß mehr.

Wenn Carlos mit seinem Knochenbeutel in den Hof kam, machte Spike sich gar nicht erst die Mühe, hinzurennen und darauf zu lauern, dass Carlos ihm einen gab. Er wartete ab, bis Carlos den Hof wieder verlassen hatte, und nahm sich dann, was er wollte. Ein paar von uns ließ er in Ruhe, zum Beispiel Rotty, den Leithund und merkwürdigerweise auch den Schnellen, aber wenn ich das Glück hatte, einen von Carlos' köstlichen Knochen abzubekommen, nahm Spike ihn mir hinterher unweigerlich ab.

Es herrschte also eine neue Ordnung. Oft kannten wir zwar die Regeln nicht, aber wir wussten, wer sie machte, und so blieb uns gar nichts anderes übrig, als sie zu akzeptieren. Umso mehr überraschte es mich, als der Schnelle es wagte, Spike herauszufordern.

Stein des Anstoßes war natürlich Schwesterchen. Aus purem Zufall standen wir drei Geschwister der Schnelle, Schwesterchen und ich – weit ab von den anderen am Rande des Hofs und begutachteten einen Käfer, der unter dem Zaun hindurchgekrabbelt war. Es war ein schönes und wunderbar entspanntes Gefühl, mit meiner Familie zusammen zu sein, besonders nach den letzten Tagen und dem Stress mit Spike. Deshalb tat ich so, als hätte ich noch nie etwas Faszinierenderes als dieses winzige schwarze Insekt mit seinen noch viel winzigeren Fühlern gesehen, die es ausfuhr, als wollte es uns angreifen.

Wir waren also abgelenkt und bemerkten nicht, dass Spike uns im Visier hatte. Offenbar hatte er sich ganz leise herangeschlichen. Jedenfalls war er plötzlich da und stürzte sich ohne Vorwarnung von hinten auf Schwesterchen. Vor Angst und Schreck jaulte sie laut auf.

Ich warf mich sofort auf den Boden, um zu zeigen, dass ich nicht die Absicht hatte, Spike in die Quere zu kommen. Aber der Schnelle schien vom Machogehabe seines Gegenübers die Schnauze gestrichen voll zu haben und griff ihn mit gefletschten Zähnen an, während Schwesterchen das Weite suchte. Was in diesem Moment in mich fuhr, weiß ich selber nicht. Ich weiß nur, dass ich unbeschreiblich wütend wurde und dem Schnellen half, Spike eine Lektion zu erteilen. Ich sprang hoch, um Spike in den Rücken zu beißen, aber er fuhr herum und schlug mit der Vorderpfote nach mir. Ich taumelte zurück, und im nächsten Moment hieb er mir die Zähne ins Bein. Vor Schmerz heulte ich laut auf.

Auch den Schnellen streckte er kurz darauf nieder, aber ich achtete nicht weiter darauf. Meine Pfote tat höllisch weh, und wimmernd humpelte ich davon. Coco kam zu mir und leckte mich, aber ich ignorierte sie und humpelte weiter zum Gatter.

Mir war klar, dass der Lärm die Menschen alarmieren würde, und ich hatte das Gatter kaum erreicht, als Bobby es auch schon öffnete, den Gartenschlauch im Schlepptau. Da war der Kampf aber bereits beendet. Der Schnelle hatte sich ergeben, Spike stand wie unbeteiligt irgendwo herum, und Schwesterchen versteckte sich hinter den Eisenbahnschwellen. Das einzig Auffällige weit und breit war also meine Wunde.

Bobby kniete sich neben mich. »Komm her, Toby. Guter Junge«, sagte er. Ich wedelte ein wenig mit dem Schwanz, und als Bobby meine schlimme Pfote berührte, was fürchterlich wehtat, leckte ich ihm übers Gesicht, um ihm zu zeigen, dass ich ihm nicht böse war.

Dann fuhren wir zusammen mit der Señora zu der netten Frau in dem kühlen Haus.

Bobby hielt mich fest, als die Frau eine Nadel in mein Bein stach. Den chemischen Geruch kannte ich ja schon, also machte ich mir keine Sorgen, und plötzlich waren mir sogar die Schmerzen egal. Ich legte mich hin, und die Frau machte sich an meiner Pfote zu schaffen. Ich versuchte zuzuhören, als sie mit der Señora und Bobby sprach, und merkte, wie besorgt sie war. Aber worüber sie sich solche Sorgen machte, bekam ich nicht mit, denn die Señora streichelte mich die ganze

Zeit, und Bobby nahm mich in den Arm, damit ich stillhielt. Irgendwann hörte ich die nette Frau etwas von einem »bleibenden Schaden« sagen, und Señora sog erschrocken die Luft ein. Aber ich hob nicht mal den Kopf. Mir war alles egal. Am liebsten wäre ich für immer auf dem Tisch liegen geblieben. Oder wenigstens bis zum Abendessen.

Als sie mich in den Hof zurückbrachten, trug ich wieder diesen albernen Plastikkragen, und meine verletzte Pfote steckte in etwas Hartem, das ich mir am liebsten abgerissen hätte. Aber der Kragen sah nicht nur furchtbar lächerlich aus, sondern hinderte mich auch daran, mit der Schnauze meine Pfote zu erreichen. Ich konnte nur auf drei Beinen laufen, was Spike köstlich zu amüsieren schien. Sofort kam er zu mir und warf mich um. *Okay, Spike, mach dich ruhig noch unbeliebter! Du bist sowieso der hässlichste Hund, den ich kenne.*

Das ganze Bein tat mir weh, und ich war furchtbar müde. Ich kümmerte mich nicht um Spike und lag in nächster Zeit meist nur schlaff irgendwo herum. Coco besuchte mich ab und zu und legte ihren Kopf auf meinen Rücken. Zweimal am Tag kam Bobby und fütterte mich persönlich mit Fleischstückchen. Ich ließ mir nicht anmerken, dass mir das Bittere, das darin steckte, nicht schmeckte, aber manchmal schluckte ich nicht alles herunter, sondern wartete, bis Bobby wieder gegangen war, und spuckte es wieder aus. Es handelte sich um kleine weiße Dinger, ungefähr so groß wie Erbsen.

Einige Tage darauf – ich trug immer noch den albernen Kragen – kamen fremde Männer in den Hof. Wir hörten mehrere Wagentüren schlagen und brachen in das übliche Gebell aus. Manche von uns wurden aber gleich wieder still, als sie die Señora aufschreien hörten.

»Nein, nicht! Ihr dürft mir die Hunde nicht wegnehmen!«

Man konnte hören, wie entsetzt sie war, und Coco und ich kuschelten uns vor Angst eng aneinander. Was, um alles in der Welt, ging da vor sich?

Das Gatter ging auf, und die fremden Männer betraten vorsichtig den Hof. Alle hatten Stangen mit Schlingen dabei. Manche hielten sich zusätzlich noch Metallkanister vor den Bauch, als wollten sie sich damit schützen.

Wir hatten keine Ahnung, was für ein Spiel das sein sollte, aber wir waren bereit, mitzuspielen. Coco trat als eine der Ersten vor. Ein Mann fing sie mit einer Schlinge ein, und sie ließ sich widerstandslos vom Hof führen. Die meisten anderen folgten ihr und stellten sich der Rangordnung nach auf. Nur ein paar hielten sich zurück: Schwesterchen, der Schnelle, Spike, der Leithund und ich. Bei mir lag es aber nur daran, dass ich es blöd gefunden hätte, vor aller Augen über den ganzen Hof zu humpeln. Noch dazu mit dem albernen Kragen. Wenn die Männer spielen wollten, sollten sie doch mit Spike spielen!

Schwesterchen lief die ganze Zeit aufgeregt am Zaun entlang, als suche sie ein Loch. Zuerst begleitete der Schnelle sie, aber nach einer Weile blieb er stehen und beobachtete nur traurig ihren ebenso panischen wie nutzlosen Fluchtversuch. Prompt kamen zwei Männer, trieben sie in die Enge und fingen sie ein. Daraufhin ergab sich auch der Schnelle, denn er wollte wohl zusammen mit Schwesterchen abtransportiert werden. Als Nächster ließ sich der Leithund ohne große Gegenwehr einfangen.

Spike dagegen wehrte sich mit Macht gegen die Schlinge, knurrte aggressiv und biss um sich. Die Männer schrien einander Befehle zu, und einer richtete einen dünnen Strahl aus seinem Kanister auf Spikes Gesicht. Obwohl ich ziemlich weit entfernt stand, stach mir der beißende Geruch in die Nase. Spike gab sofort auf und warf sich zu Boden, die Pfoten über die Nase gelegt. Die Männer zogen ihn durchs Gatter, dann kamen sie zu mir.

»Gutes Hundchen! Hast du dich verletzt?«, fragte ein Mann. Ich klopfte mit dem Schwanz und zog den Kopf ein, damit er mir die Schlinge leichter umlegen konnte, was wegen des blöden Plastikkragens aber gar nicht so einfach war.

Als sie mich durchs Gatter führten, bekam ich einen großen Schreck, denn ich sah die Señora weinen. Sie war so außer sich vor Kummer, dass Bobby und Carlos sie festhalten mussten. Ich fühlte mit ihr und zog an der Schlinge, weil ich zu ihr gehen und sie trösten wollte.

Ein Mann reichte ihr ein Blatt Papier, aber sie warf es auf den Boden.

»Warum tun Sie das? Wir belästigen doch niemanden!«, rief Bobby und klang furchtbar wütend.

»Es sind einfach zu viele«, sagte der Mann mit dem Papier. »Es gibt Bestimmungen und Gesetze.« Auch er war wütend. Er trug dunkle Kleidung, und etwas Metallenes glänzte an seiner Brust.

»Aber ich liebe meine Hunde!«, wimmerte die Señora. »Bitte nehmen Sie sie mir nicht weg!« Sie war nicht wütend, sondern nur traurig und verzweifelt.

»Unmenschlich«, sagte der dunkel gekleidete Mann.

Ich war verwirrt. Ein Hund nach dem anderen war in die Käfige auf den Trucks geführt worden. Warum nur? Die meisten von uns hatten die Ohren angelegt und ließen die Schwänze hängen. Mein Käfig stand genau neben Rottys, und sein tiefes, empörtes Gebell klang laut und durchdringend.

Als die Lastwagen ihr Ziel erreicht hatten, begriff ich immer noch nichts. Das Gebäude roch zwar so ähnlich wie das kühle Haus mit den netten Frauen, aber es war schrecklich heiß, und es wimmelte von lärmenden, verängstigten Hunden. Widerstandslos ließ ich mich in einen Käfig führen, aber ich war schwer enttäuscht, als ich feststellte, dass ich ihn mir mit dem Schnellen und dem Leithund teilen musste. Coco wäre mir lieber gewesen, auch Schwesterchen hätte ich akzeptiert. Aber diese beiden? Wenigstens waren sie so eingeschüchtert, dass sie sich mir gegenüber nicht feindselig verhielten.

Das Gebell um mich herum war ohrenbetäubend, aber Spikes unverwechselbares, kampfbereites Knurren übertönte alles, gefolgt von dem lauten Schmerzgeheul eines anderen Hundes. Auch die Männer schrien, und kurz darauf wurde Spike an einer langen Stange an uns vorbeigeführt.

Dann kam ein Mann zu unserem Käfig und fragte: »Und was ist mit dem hier passiert?«

Der Mann, der Spike gerade abgeführt hatte, sah mich ratlos an und sagte: »Keine Ahnung.«

Der erste Mann schien fürsorglich, ja sogar ein bisschen traurig zu sein, aber der andere machte einen völlig gleichgültigen Eindruck. Der erste öffnete die Käfigtür und untersuchte mein verletztes Bein, wobei er den Kopf des Schnellen beiseiteschob.

»Das Bein ist hin«, sagte der Mann schließlich.

Ich versuchte ihm klarzumachen, dass ich ohne den blöden Kragen ein viel besserer Hund war.

»Den adoptiert keiner mehr«, sagte der erste Mann.

»Es sind sowieso zu viele«, sagte der zweite.

Der erste fasste in den Kragen und strich mir über die Ohren. Es kam mir zwar wie ein Verrat an der Señora vor, aber ich leckte ihm die Hand. Seinen Geruch konnte ich nicht recht ausmachen, weil er eigentlich nur nach anderen Hunden roch.

»Okay«, sagte er.

Der zweite Mann holte mich aus dem Käfig, legte mir eine Leine um den Hals und führte mich in ein winziges, völlig überhitztes Zimmer. Spike befand sich ebenfalls dort. Er hockte zwar in einem Käfig, aber vorsichtshalber hielt ich so viel Abstand wie möglich.

Die Männer wollten schon gehen, als der erste Mann plötzlich an der Tür stehen blieb. »Warte mal!«, sagte er. Er kam zu mir herüber und machte den Kragen los. Der Lufthauch, der an meinem Gesicht vorbeistrich, war wie ein Kuss. »Ich hasse diese Dinger«, sagte er.

»Wenn du meinst«, sagte der andere.

Beide Männer gingen aus dem Zimmer und schlossen die Tür hinter sich. Wir waren zu viert. Eine sehr alte Hündin schnupperte desinteressiert an meiner Nase, während Spike wütend bellte, was den anderen Hund, einen jungen Rüden, sehr nervös machte.

Seufzend legte ich mich hin. Dann zischte etwas durch die Luft, und der junge Rüde begann zu winseln.

Plötzlich stürzte Spike krachend zu Boden. Die Zunge hing ihm schlaff aus dem Maul. Ich betrachtete ihn neugierig und fragte mich, was er nun schon wieder vorhatte. Dann fiel auch die alte Hündin um. Ihr Kopf lag so dicht neben Spikes Käfig, dass ich mich fragte, warum er das gestattete. Der junge Rüde winselte immer noch. Ich betrachtete ihn schläfrig, dann fielen mir die Augen zu. So schwer und müde hatte ich mich nicht gefühlt, seit ich ein ganz kleiner Welpe war und unter meinen Geschwistern begraben lag. Daran musste ich denken, als ich in den dunklen, stillen Schlaf versank, und fühlte mich wieder wie ein Welpe. Ich erinnerte mich daran, wie ich mit Mutter auf die Jagd gegangen war, an die Liebkosungen der Señora und an Coco und den Hof.

Beim Gedanken an die Señora wurde ich von Trauer überwältigt, und am liebsten hätte ich die gute Frau von oben bis unten abgeschleckt, um sie wieder glücklich zu machen. Dass ich sie zum Lachen gebracht hatte, war das Wichtigste, was ich je getan hatte.

Wenn ich es recht bedachte, war es das Einzige, was meinem Leben einen Sinn gab.

Fünf

Alles war fremd und vertraut zugleich.

Ich konnte mich noch an Spikes wütendes Gebell in dem lauten, heißen Raum erinnern und dass er von einem Moment auf den anderen so tief eingeschlafen war, dass man das Gefühl hatte, er habe mit dem Maul ein Gatter geöffnet und das Weite gesucht. Ich wusste auch noch, dass ich selbst furchtbar müde geworden war. Und dann war da noch das Gefühl, dass sehr viel Zeit vergangen war, wie bei einem Mittagsschläfchen in der Sonne, bei dem man so lange vor sich hin döste, bis es plötzlich schon Zeit für die Abendfütterung war. Dieses Nickerchen jedoch brachte mich nicht nur in eine andere Zeit, sondern auch an einen anderen Ort.

Das Gefühl, mitten unter warmen, wuselnden Welpen zu liegen, kannte ich noch von früher. Auch das Drängeln um eine Zitze, die köstliche, nahrhafte Milch spendete und es wert war, sich auf das ganze Geschiebe und Geschubse einzulassen. Irgendwie schien ich wieder zum Welpen geworden zu sein, hilflos und schwach, wie damals in unserem Bau.

Aber als ich aufschaute und zum ersten Mal ganz verschwommen das Gesicht meiner Mutter sah, war es ein ganz anderer Hund. Ihr Fell war hell, und sie war größer als, nun ja, als Mutter. Meine Brüder und Schwestern – sieben an der Zahl! – waren genauso hell, und als ich meine Vorderpfoten inspizierte, konnte ich keinen Unterschied zu den anderen feststellen.

Dass meine Beine nicht mehr dunkelbraun waren, war nicht die einzige Veränderung; sie waren jetzt länger und passten perfekt zu den Proportionen meines restlichen Körpers.

Ich hörte jede Menge Gebell und roch zahllose Hunde, aber ich war nicht mehr im Hof der Señora. Als ich mich zum ersten Mal traute, unseren Bau zu verlassen, war der Boden unter meinen Pfoten rau und hart, und schon nach knapp fünf Metern versperrte mir ein Drahtzaun den Weg. Wir befanden uns in einem Gitterkäfig mit Betonboden.

Das alles konnte nichts Gutes bedeuten. Bedrückt schleppte ich mich in unser Lager zurück, kletterte über meine Geschwister und ließ mich erschöpft fallen.

Ich war also wieder ein junger Welpe, der kaum laufen gelernt hatte. Und ich hatte eine neue Familie, eine neue Mutter und ein neues Zuhause. Wir alle hatten helles Fell und dunkle Augen. Die Milch meiner neuen Mutter war viel nahrhafter als die meiner ersten.

Wir wohnten bei einem Mann, der meiner Mutter regelmäßig Futter brachte. Sie schlang es hastig herunter, ehe sie zu uns zurückkehrte und uns wärmte.

Was war aus dem Hof geworden, aus der Señora, dem Schnellen und Coco? So lebhaft ich mich auch an mein früheres Leben erinnern konnte, nichts war davon übrig geblieben! Es war, als hätte mein Leben noch einmal ganz neu begonnen. Aber war so etwas möglich?

Ich erinnerte mich an Spikes verzweifeltes Gebell und an meine letzten Gedanken, bevor ich in dem heißen Raum einschlief: Ich hatte über den *Sinn* meines Lebens nachgedacht. Eigentlich taten Hunde so etwas nicht, aber mich drängte es immer wieder dazu, meist wenn ich müde wurde und mich zu einem Nickerchen hinlegte. Warum, fragte ich mich. Warum war ich wieder zum Welpen geworden? Und warum wurde ich das Gefühl nicht los, dass ich eine ganz bestimmte *Aufgabe* hatte?

Unsere Unterkunft bot nicht viel Abwechslung, und es gab auch nichts, worauf man lustvoll herumkauen konnte, außer auf den anderen Hunden natürlich. Aber als wir mehr von unserer Umgebung mitbekamen, entdeckten wir, dass es rechts von uns noch einen Käfig voll junger Hunde gab: lauter winzige, quirlige Burschen mit dunklen Flecken und struppigen Haaren, die ihnen in alle Richtungen vom Körper abstanden. Auf der anderen Seite hatte eine träge Hündin mit dickem Bauch und geschwollenen Zitzen einen Käfig ganz für sich allein. Ihr Fell war weiß und sehr kurz und hatte lauter schwarze Flecken. Sie schien sich für nichts zu interessieren, nicht mal für uns. Die Käfige lagen knapp einen halben Meter auseinander, deswegen konnten wir die anderen Hunde lediglich riechen, dabei hätten wir so gern mit den Welpen gespielt, denn sie sahen lustig aus.

Vor uns lag eine längliche Rasenfläche, die wunderbar nach feuchter Erde und fettem Gras duftete, aber wir konnten sie nicht betreten, weil unsere Käfigtüren immer verschlossen waren. Das gesamte Terrain – der Rasen und die Hundekäfige – war von einem Holzzaun umgeben.

Der Mann, der zum Füttern zu uns kam, war ganz anders als Bobby oder Carlos. Er redete kaum mit uns, und im Gegensatz zu den Männern im Hof der Señora schien er sich überhaupt nicht für uns zu interessieren. Wenn die gefleckten Welpen im Zwinger neben uns auf ihn zusprangen, um ihn zu begrüßen, stieß er sie mit einem Grunzen vom Fressnapf fort und ließ nur die Mutter fressen. Wir waren noch nicht so fit wie die anderen und schafften es meist nicht, uns bis zur Käfigtür vorzudrängeln, wenn der Mann kam. So konnte unsere Mutter, sobald sie ihr Futter hatte, selbst dafür sorgen, dass wir ihren Napf nicht anrührten.

Manchmal sagte der Mann etwas, wenn er von einem Zwinger zum nächsten ging, aber das bedeutete nicht, dass er mit uns sprach. Vielmehr starrte er auf ein Stück Papier, das er in der Hand hielt, und murmelte leise vor sich hin.

»Yorkshire Terrier noch etwa eine Woche«, sagte er eines Tages und blickte dabei in den Käfig zu unserer Rechten. Dann blieb er vor unserem Zwinger stehen und warf einen prüfenden Blick hinein: »Golden Retriever, wahrscheinlich etwa drei Wochen, und eine Dalmatinerin, bei der es jeden Tag losgehen kann.«

Ich fand, dass ich im Hof der Señora genug gelernt hatte, um jetzt als Nummer eins unter meinen Geschwistern zu gelten, aber merkwürdigerweise schienen sie das anders zu sehen. Eines Tages, zum Beispiel, forderte ich einen von ihnen heraus, wie der Leithund es mit Rotty getan hatte. Die Folge war, dass zwei oder drei sich auf *mich* stürzten. Offenbar verstanden sie überhaupt nicht, worum es ging. Bis ich sie endlich wieder abgeschüttelt hatte, balgte sich der, den ich angegriffen hatte, längst mit einem anderen Geschwisterkind. Anscheinend hielt er das alles nur für ein Spiel! Wenn ich versuchte, ein bedrohliches Knurren von mir zu geben, kam eher ein lächerliches Gefiepe dabei heraus, und meine Brüder und Schwestern knurrten vergnügt zurück.

Eines Tages erregte die gefleckte Hündin im Zwinger nebenan unsere Aufmerksamkeit. Sie keuchte und lief nervös auf und ab, und wir drängten uns instinktiv an unsere Mutter, die unsere Nachbarin ebenfalls aufmerksam beobachtete. Die Gefleckte zerrte an einer Decke und zerfetzte sie mit dem Maul. Dann drehte sie sich mehrmals um sich selbst, japste und legte sich wieder hin. Erschrocken bemerkte ich, dass plötzlich ein winziger Welpe neben ihr lag. Er war ganz weiß und steckte in einer glatten Hülle – einer Art Sack, den die Mutter sofort wegzulecken begann. Mit der Zunge rollte sie den Kleinen über den Boden, bis er sich aufrappelte und taumelnd an eine Zitze kroch, was mich augenblicklich daran erinnerte, dass ich Hunger hatte.

Unsere Mutter seufzte und ließ uns eine Weile saugen, aber dann stand sie ganz plötzlich auf und ging fort. Dabei schleifte sie sogar einen meiner Brüder ein Stückchen mit, bis er endlich von ihr abließ. Ich stürzte mich auf ihn, um ihm eine Lektion zu erteilen, und wir balgten geraume Zeit herum.

Als ich das nächste Mal zu der gefleckten Hundin hinüberschaute, lagen da noch sechs weitere Welpen! Sie sahen spindeldürr und schwach aus, aber das schien die Mutter nicht weiter zu kümmern. Sie leckte alle ab und half ihnen, die Zitzen zu finden. Dann lag sie still und geduldig da, während ihre Jungen tranken.

Als die Neugeborenen schliefen, kam der Mann in den Zwinger, schaute sich alle an und ging dann wieder. Danach ließ er die struppigen jungen Hunde auf den Rasen!

»Nein, du nicht!«, sagte er zu der Mutter und versperrte ihr den Weg, als sie ebenfalls hinauswollte. Er schloss sie wieder ein und stellte Fressnäpfe für die jungen Hunde vor den Käfig. Sie kletterten direkt hinein und leckten sich das Fressen gegenseitig vom Fell. Im Hof der Señora hätten diese Idioten keinen Tag überlebt. Die Mutter saß an der Zwingertür und winselte, bis ihre Brut sich sattgegessen hatte, dann ließ der Mann sie zu ihnen.

Die jungen Hunde kamen an unsere Käfigtür, um uns zu beschnuppern. Nachdem wir wochenlang Nachbarn gewesen waren, lernten wir uns endlich von Nase zu Nase kennen. Ich leckte an den klebrigen Futterresten auf ihren Gesichtern, während einer meiner Brüder auf meinem Kopf herumstand.

Der Mann ließ die jungen Hunde frei herumlaufen und verschwand durch ein Gatter im Holzzaun, das genauso aussah wie das Tor, durch das Carlos und Bobby immer den Hof betreten hatten. Voller Neid schaute ich zu, wie die Welpen auf der kleinen Wiese herumtollten, die eingesperrten Hunde beschnupperten und miteinander spielten. Ich hatte es so satt, im Käfig zu hocken! Ich wollte hinaus und meine Umgebung erkunden. Welchen Sinn mein neues Leben auch haben mochte, er bestand bestimmt nicht darin, hier eingesperrt zu sein!

Ein paar Stunden später kam der Mann zurück. Er hatte einen Hund im Arm, der genauso aussah wie die Mutter der struppigen Welpen, nur dass er ein Rüde war. Der Mann schob die Mutter in ihren Käfig zurück und ließ den Rüden ebenfalls hinein, bevor er die Käfigtür wieder schloss. Der Rüde schien über den Anblick der Mutter sehr erfreut zu sein, sie jedoch knurrte ihn wütend an, als er sie von hinten besprang.

Der Mann hatte das Gatter offen gelassen, und ich war überrascht, wie stark die Sehnsucht war, die mich überkam, als ich einen kleinen Ausschnitt von der Welt vor dem Zaun sehen konnte. Ich war mir sicher: Hätte man mich jetzt auf den Rasen gelassen, sofort wäre ich durch das offene Gatter nach draußen gestürmt. Die struppigen Welpen hatten zwar die

Gelegenheit dazu, aber natürlich nutzten sie sie nicht, denn sie waren viel zu sehr mit Herumbalgen beschäftigt.

Ihre Mutter legte die Vorderpfoten an die Käfigtür und winselte leise, als der Mann anfing, ihre Welpen systematisch zusammenzutreiben und sie zum Tor hinauszutragen. Bald waren sie alle fort. Wild hechelnd wanderte die Mutter in ihrem Käfig auf und ab, während der Rüde ganz ruhig dalag und sie beobachtete. Ihre Verzweiflung machte mich ganz unruhig. Dann wurde es Nacht, und das Muttertier ließ es zu, dass der Rüde sich zu ihr legte. Fast machte es den Eindruck, als kannten sie sich schon von früher.

Der Rüde blieb aber nur ein paar Tage in ihrem Käfig. Dann wurde er wieder abgeholt.

Und dann waren endlich wir an der Reihe! Überglücklich stolperten wir ins Freie und fielen über das Futter her, das der Mann uns hinstellte. Ich fraß mich satt und beobachtete meine Brüder und Schwestern, die sich anstellten, als hätten sie noch nie so etwas Aufregendes wie ein paar Fressnäpfe gesehen.

Hier draußen war alles feucht und grün, ganz anders als in dem trockenen, staubigen Hof der Señora. Eine frische Brise wehte den verlockenden Duft des Wassers herüber.

Ich schnupperte gerade an dem saftigen Gras, als der Mann zurückkehrte, um nun auch unsere Mutter aus dem Käfig zu lassen. Meine Geschwister sprangen ihr entgegen, ich jedoch war gerade mit einem toten Regenwurm beschäftigt. Als der Mann uns wieder verließ, begann ich, ernsthaft über das Gatter nachzudenken.

Irgendwas stimmte mit dem Mann nicht. Er nannte mich nicht Toby, und er sprach nicht mit uns. Ich musste an meine erste Mutter denken und wie ich sie zum letzten Mal gesehen hatte. Sie hatte unseren Hof verlassen, weil sie nicht bei den Menschen leben konnte, nicht mal bei einer so liebevollen Person wie der Señora. Aber dieser Mann hier liebte keinen von uns.

Ich konzentrierte mich auf die Klinke des Gatters.

Neben dem Gatter stand ein Holztisch. Zunächst kletterte ich auf einen Hocker und gelangte von dort auf den Tisch. Dann reckte ich mich in die Höhe und nahm die Metallklinke ins Maul, bei der es sich nicht um einen runden Knauf handelte, sondern um ein längliches Metallstück.

Meine Zähne waren zu klein, um das Ding richtig zu packen, aber ich tat mein Bestes, um es so zu bewegen, wie Mutter es am Abend ihrer Flucht getan hatte. Doch ich verlor das Gleichgewicht und fiel auf die Erde. Das Gatter war immer noch verschlossen. Ich setzte mich davor und kläffte es frustriert an. Leider war mein Gebell nur ein klägliches Fiepen. Meine Brüder und Schwestern kamen sofort angerannt und wollten wie gewöhnlich mit mir balgen. Verärgert wandte ich mich ab. Ich war einfach nicht in der Stimmung zum Spielen.

Stattdessen versuchte ich noch einmal, das Gatter zu öffnen. Dieses Mal legte ich die Vorderpfoten an die Klinke, um mehr Halt zu haben, aber kaum hatte ich das getan, gab die Klinke nach, und ich klatschte mit dem ganzen Körper an das Gatter, ehe ich stöhnend zu Boden ging.

Als ich mich wieder aufrappelte, sah ich zu meinem größten Erstaunen, dass sich das Gatter einen Spaltbreit geöffnet hatte. Ich zwängte die Schnauze in den Spalt und drückte. Das Gatter öffnete sich noch weiter. Ich war frei!

Ich hatte es so eilig, nach draußen zu kommen, dass ich über meine eigenen Beine stolperte. Vor mir lag ein ungepflasterter Weg, auf dem sich zwei Spurrillen in den sandigen Boden gruben. Instinktiv wusste ich, dass ich diesen Spuren folgen musste.

Als ich ein paar Meter gelaufen war, blieb ich stehen, weil ich ein merkwürdiges Gefühl bekam. Ich drehte mich um und sah meine neue Mutter, die im offenen Gatter saß und mir nachschaute. Mir fiel der Blick ein, den meine alte Mutter mir zugeworfen hatte, ehe sie den Hof verließ. Aber mir war klar, dass meine neue Mutter mir nicht folgen würde. Sie zog es vor, bei ihrer Familie zu bleiben. Ich war auf mich allein gestellt.

Trotzdem zögerte ich keinen Moment. Ich wusste aus Erfahrung, dass es bessere Höfe gab als diesen, Höfe mit liebevollen Menschen, die einem das Fell streichelten. Ich wusste auch, dass es Zeit war, mit dem Saugen an Mutterzitzen aufzuhören. Es war der unvermeidliche Lauf der Dinge: Irgendwann musste jeder Hund von seiner Mutter Abschied nehmen.

Vor allem aber wusste ich, dass ich eine Chance bekommen hatte, der ich nicht widerstehen konnte. Ich musste die Welt erkunden, auf langen – wenn auch noch etwas tapsigen – Beinen.

Der Weg führte zu einer Straße, der ich weiter folgte, und zwar einfach nur, weil der Wind, der mir hier entgegenwehte, ganz wunderbare Gerüche mit sich brachte. Im Gegensatz zum Hof der Señora, wo alles staubtrocken war, roch es hier nach feucht-fauligem Laub, Bäumen und Wasser. Die Sonne schien mir ins Gesicht, und ich begann regelrecht zu hüpfen, genoss meine Freiheit und war zu jedem Abenteuer bereit.

Ich hörte den Lastwagen lange, bevor ich ihn sehen konnte, aber ich war so damit beschäftigt, einen Käfer mit ganz erstaunlichen Flügeln zu fangen, dass ich erst aufschaute, als die Tür zuschlug. Ein Mann mit sonnengegerbtem Gesicht und schmutzigen Kleidern kniete sich hin und streckte die Hände nach mir aus.

»Hallo, du Stromer!«, sagte er.

Ich sah ihn unsicher an.

»Hast du dich verlaufen? Was ist, kleiner Stromer? Verlaufen?«

Ich wedelte mit dem Schwanz und beschloss, dass der Mann in Ordnung war. Also ging ich auf ihn zu, und er hob mich hoch, bis über seinen Kopf, was mir gar nicht gefiel.

»Was für ein hübscher Bursche! Bist du ein reinrassiger Retriever? Wo kommst du her, du Stromer?«

Die Art, wie er mit mir sprach, erinnerte mich an den Moment, als die Señora mich zum ersten Mal Toby genannt hatte, und ich verstand: Genau wie meine erste Familie damals aus dem Bachbett geholt wurde, holte mich dieser Mann aus dem Gras. Von jetzt an würde er über mein Leben bestimmen.

Ja, dachte ich. *Dann heiße ich von jetzt an eben Stromer*. Ich war ganz entzückt, als er mich mit in die Fahrerkabine des LKW mitnahm und neben sich setzte. Auf den Vordersitz!

Der Mann roch nach Rauch und etwas Scharfem, das einem die Tränen in die Augen trieb und mich daran erinnerte, wie Carlos und Bobby manchmal an dem kleinen Tisch im Hof gesessen, geredet und eine Flasche hin und her gereicht hatten. Er lachte, als ich an ihm hochstieg, um ihm durchs Gesicht zu lecken, und er lachte auch, als ich den fremden starken Gerüchen in der engen Fahrerkabine nachschnüffelte.

Eine Zeit lang rumpelten wir dahin, dann hielt der Mann an. »So, hier ist etwas Schatten«, sagte er.

Ich schaute mich um. Der Wagen stand vor einem Haus mit mehreren Türen, und aus einer kam der gleiche scharfe Geruch wie der, den der Mann ausströmte.

»Ich nehme nur kurz einen Drink«, sagte der Mann. »Bin gleich zurück.« Dann kurbelte er die Fenster zu. Mir war nicht klar, dass er aussteigen wollte, bis er die Tür hinter sich schloss. Enttäuscht sah ich ihn in dem Haus verschwinden. Warum nahm er mich nicht mit?

Ich fand ein Stückchen Stoff und kaute darauf herum, bis es mir zu langweilig wurde. Dann legte ich den Kopf auf den Sitz, um ein Nickerchen zu machen.

Als ich wieder aufwachte, war es *heiß*. Die Sonne schien jetzt direkt auf den Laster, und in der Fahrerkabine war die Luft dünn und feucht geworden. Ich japste und winselte und stellte die Pfoten an die Tür, um zu sehen, wo der Mann abgeblieben war, aber ich konnte nichts von ihm sehen. Schnell nahm ich die Pfoten wieder herunter, denn an der Tür verbrannten sie fast.

Noch nie war mir so heiß gewesen. Die nächste Stunde lief ich auf den brütend heißen Vordersitzen hin und her und hechelte schneller als jemals zuvor. Irgendwann begann ich zu zittern, und ich konnte nur noch verschwommen sehen. Ich musste an den Wassertrog im Hof der Senora denken, an Mutters Milch, an den Strahl aus dem Schlauch, mit dem Bobby unsere Kämpfe beendete.

Dann tauchte unscharf ein Gesicht am Seitenfenster auf. Aber es war nicht der Mann, sondern eine Frau mit langem schwarzem Haar. Sie sah wütend aus, und ich wich ängstlich zurück.

Als ihr Gesicht wieder verschwand, legte ich mich hin und hatte das Gefühl, gleich ohnmächtig zu werden. Ich hatte nicht genug Kraft, um aufzustehen. Meine Beine waren schwer, und mir kribbelten die Pfoten.

Dann gab es einen großen Knall, und der ganze Wagen wackelte. Ein Stein schlug neben mir auf, rollte vom Sitz und fiel auf den Boden. Durchsichtige Kiesel regneten auf mich herab, und ein kühler Luftzug strich mir übers Gesicht. Ich hob die Nase, um mehr davon zu bekommen.

Ich war ganz steif und hilflos, als ich spürte, dass die Frau ihre Hände um mich legte und mich hochhob. Vor lauter Erschöpfung konnte ich nichts tun, als einfach nur schlaff in der Luft hängen.

»Armes Hundchen! Armes, armes Hundchen!«, flüsterte sie.

Wieso Hundchen, dachte ich. *Ich heiße doch Stromer!*

Sechs

Noch nie hatte sich etwas so gut angefühlt wie der kühle, frische Luftzug, der mich aus meinem traumlosen Schlaf weckte. Die Frau hielt eine Wasserflasche über mich und besprenkelte mich vorsichtig mit dem erquickenden Nass. Ich erschauderte vor Wonne, als es mir über den Rücken rieselte, und hob die Schnauze, um etwas davon aufzuschlecken, so wie früher am Wassertrog im Hof der Señora.

Neben der Frau stand ein Mann, und beide beobachteten mich besorgt.

»Meinst du, dass er es übersteht?«, fragte die Frau.

»Das Wasser scheint ihm gutzutun«, erwiderte der Mann.

Bei beiden spürte ich etwas von der unverhohlenen Bewunderung, die ich oft auch bei der Señora bemerkt hatte, wenn sie am Zaun stand und uns beim Spielen zusah. Ich rollte auf den Rücken, um mir von dem Wasser auch den überhitzten Bauch kühlen zu lassen, und die Frau lachte.

»Was für ein süßer Fratz!«, rief sie aus. »Weißt du, welche Rasse es ist?«

»Sieht aus wie ein Golden Retriever«, sagte der Mann.

»Süßer kleiner Fratz«, murmelte die Frau.

Na gut, dann hieß ich jetzt eben Fratz, auch wenn ich bis gerade eben noch Stromer hieß. Ich konnte jeden Namen annehmen. Hauptsache, er gefiel den Menschen. Als die Frau mich dann in den Arm nahm und an sich drückte, obwohl ich ihre Bluse ganz nass machte, küsste ich sie so lange, bis sie die Augen schloss und glucksend lachte.

»Ich nehme dich mit nach Hause, mein Kleiner. Da ist jemand, der dich bestimmt gern kennenlernen möchte.«

Es sah ganz so aus, als sei ich nun endgültig in den Rang eines Vordersitz-Hunds aufgestiegen. Auf der Fahrt setzte mich die Frau auf ihren Schoß, und ich schaute dankbar zu ihr auf. Aber ich war so neugierig auf meine neue Umgebung, dass ich nach einer Weile von ihr runterkroch, um den Rest des Wagens zu inspizieren. Das Erstaunlichste waren zwei Öffnungen genau vor mir, aus denen ein starker kalter Luftstrom kam. Weil mein Fell nass war, begann ich zu frösteln und schließlich zu zittern. Deswegen zog ich mich auf den Boden zurück, wo es so warm war wie an Mutters Seite, und machte erst mal ein Nickerchen.

Als der Wagen anhielt, wachte ich auf, und noch ganz verschlafen sah ich, dass sich die Frau zu mir herunterbückte und mich aufhob.

»Oh, was bist du für ein süßer Fratz!«, flüsterte sie. Sie drückte mich an ihre Brust und stieg aus. Ich hörte ihr Herz wie wild schlagen und spürte, wie aufgeregt sie war. Ich gähnte, um ganz wach zu werden, machte ein kleines Geschäft auf dem Gras, und dann war ich bereit, die Herausforderung anzunehmen, die uns offenbar bevorstand.

»Ethan!«, rief sie. »Komm mal raus! Ich möchte dir jemanden vorstellen.«

Neugierig sah ich zu ihr auf. Wir standen vor einem großen weißen Haus, und ich fragte mich, ob es dahinter wohl Zwinger gab oder vielleicht einen großen Hof für Hunde. Ich hörte aber kein Gebell. Vielleicht war ich hier der erste Hund.

Dann wurde die Haustür aufgerissen, und ein menschliches

Wesen von einer Art, die ich noch nie gesehen hatte, kam auf die Veranda gerannt, sprang die Steintreppe herab und blieb wie angewurzelt im Gras stehen.

Fasziniert sahen wir einander an. Mir wurde klar, dass es sich um ein Menschenjunges handeln musste, ein männliches. Sein Mund weitete sich zu einem breiten Grinsen, und er streckte die Arme aus. »Ein Hund!«, jubelte er, und wir stürzten aufeinander zu. Es war Liebe auf den ersten Blick. Ich konnte gar nicht wieder aufhören, ihn abzuschlecken, und er konnte nicht aufhören zu lachen. So wälzten wir uns eine ganze Weile durchs Gras.

Bislang hatte ich keine Ahnung gehabt, dass solche Jungs überhaupt existierten, aber jetzt fand ich sie einfach toll! Dieser hier roch nach Schmutz, Zucker und einem Tier, das ich nicht kannte. Seine Finger verströmten einen schwachen Fleischgeruch, so dass ich sie ableckte.

Am Ende dieses Tages würde ich ihn nicht nur an seinem Geruch, sondern auch an seinem Aussehen, seiner Stimme und seinen Bewegungen erkennen. Er hatte dunkles Haar, wie Bobby, nur kürzer, und seine Augen waren viel heller. Er hatte die Eigenart, mir den Kopf so zuzuwenden, als wollte er mich nicht sehen, sondern hören, und seine Stimme überschlug sich vor Freude, wenn er mit mir redete.

Aber mehr als alles andere gefiel mir sein Geruch, und ich konnte ihm gar nicht oft genug über Gesicht und Hände lecken.

»Können wir ihn behalten, Mom? Bitte, bitte, bitte!«, fragte er, als er gerade einmal nicht lachte.

Die Frau kniete sich zu mir und streichelte meinen Kopf. »Nun ja, Ethan, du kennst ja deinen Vater. Er will sicher von dir hören, dass du dich gut um ihn kümmerst und …«

»Das mache ich ganz bestimmt, Mom! Ganz bestimmt!«

»Und dass du mit ihm Gassi gehst und ihn regelmäßig …«

»Jeden Tag! Ich gehe mit ihm raus, füttere ihn, bürste sein Fell, gebe ihm frisches Wasser …«

»Und wenn er im Hof ein Häufchen macht, musst du es wegmachen.«

Darauf sagte der Junge nichts.

»Ich habe von unterwegs Hundefutter mitgebracht. Gib ihm erst mal etwas zu fressen. Du kannst dir gar nicht vorstellen, in was für einem Zustand ich ihn gefunden habe. Ich musste zur Tankstelle fahren, um Wasser für ihn zu holen. Der arme Kerl hätte beinahe einen Hitzschlag bekommen«, sagte die Frau.

»Willst du etwas zu fressen? Hm? Fressen?«, fragte der Junge.

Das hörte sich gut an.

Ich staunte, als der Junge mich hochhob und ins Haus trug. Nie im Leben hätte ich so etwas für möglich gehalten.

Hier konnte man es aushalten.

Manche Fußböden waren weich und rochen nach demselben Tier, das ich auch schon an dem Jungen erschnüffelt hatte, andere waren so glatt und hart, dass ich ins Rutschen kam, als ich dem Jungen durchs Haus folgte. Wenn er mich hochhob, konnte ich seine Liebe so intensiv spüren, dass mir im Magen ganz flau wurde – es fühlte sich fast an wie Hunger.

Ich lag mit dem Jungen auf dem Boden, und wir balgten uns um ein Tuch, als plötzlich ein tiefes Rumpeln das Haus erschütterte. Kurz darauf hörte ich das Geräusch einer zuschlagenden Autotür.

»Dein Vater ist da«, sagte die Frau namens Mom zu dem Jungen, der Ethan hieß.

Ethan stand auf und drehte sich zur Tür. Mom kam und stellte sich neben ihn. Ich schnappte mir das Tuch und wedelte es triumphierend durch die Luft, aber wenn Ethan nicht am anderen Ende zog, war es nicht halb so interessant.

Eine Tür ging auf. »Hi, Dad!«, schrie der Junge.

Ein Mann betrat das Zimmer und schaute Mom und Ethan abwechselnd an. »Okay, was ist es diesmal?«, fragte er.

»Dad, Mom hat einen kleinen Hund gefunden und...«, sagte Ethan.

»Er war in einem Lastwagen eingesperrt und stand kurz vorm Hitzschlag«, sagte Mom.

»Können wir ihn behalten, Dad? Er ist der beste Hund der ganzen Welt!«

Da Ethan momentan anderweitig beschäftigt war, beschloss ich, die Gelegenheit zu nutzen, um mich auf seine Schuhe zu stürzen und an den Schnürsenkeln zu kauen.

»Ach, ich weiß nicht. Eigentlich ist es kein guter Zeitpunkt«, sagte Ethans Vater. »Ist euch klar, wie viel Arbeit so ein Welpe macht? Du bist erst acht, Ethan. So ein Hund ist zu viel Verantwortung für dich.«

Ich zog an einem Schnürsenkel, und er gab nach. Ich wollte damit weglaufen, aber er hatte sich nicht ganz vom Schuh gelöst, deshalb zog es mich mit aller Macht zurück, so dass ich mit einem Purzelbaum wieder vor Ethans Füßen landete. Ich knurrte und machte mich erneut über den Schnürsenkel her, packte ihn und zerrte ihn wütend hin und her.

»Ich kümmere mich um ihn, ich gehe mit ihm Gassi, füttere und bade ihn«, sagte der Junge. »Er ist der beste Hund der ganzen Welt, Dad. Er ist sogar schon stubenrein!«

Ich hatte den Schnürsenkel endlich losbekommen und brauchte eine Pause. Der rechte Moment, mich ein wenig zu erleichtern, und da ich nun schon mal dabei war, setzte ich gleich noch ein Häufchen neben meinen Urin.

Wow, die sind fast ausgerastet!

Bald darauf saßen der Junge und ich auf einem weichen Fußboden. Mom sagte: »George?«, und Ethan sagte: »George? Komm her, George! Hallo, George«, und dann sagte Dad: »Skippy?«, und Ethan sagte: »Skippy? Heißt du Skippy? Komm her, Skippy!«

Es war furchtbar anstrengend.

Später, als wir im Hof spielten, nannte der Junge mich Bailey. »Hierher, Bailey! Komm, Bailey!«, rief er und klatschte sich auf die Knie. Wenn ich dann zu ihm ging, rannte er weg, und wir jagten hintereinander her, immer und immer wieder im Kreis herum. Mir kam es vor wie die Fortsetzung des Spiels, das wir im Haus gespielt hatten. Ich hätte genauso auf die anderen Namen gehört, die sie mir zwischenzeitlich gegeben hatten, Hornet, Ike und Butch, aber es schien, als hätten sie sich nun auf Bailey geeinigt.

Ich bekam noch einmal etwas zu fressen, dann trug mich der Junge wieder ins Haus. »So, Bailey, jetzt lernst du Smokey kennen, unseren Kater.«

Ethan drückte mich an sich und drehte sich um, damit ich etwas sehen konnte, das mitten im Zimmer auf dem Boden saß: ein grau-braunes Tier, dessen Augen sich weiteten, als es mich sah. Das war also der Geruch, der mir schon die ganze Zeit über in die Nase gestiegen war! Das Tier war größer als ich und hatte winzige Ohren, an denen man bestimmt gut herumkauen konnte. Ich versuchte mich aus Ethans Armen zu befreien und herunterzuspringen, um mit dem neuen Freund zu spielen, aber Ethan hielt mich fest.

»Smokey, das ist Bailey«, sagte er.

Schließlich ließ er mich doch runter, und ich lief zu dem Kater hin, um ihn zu küssen, aber er zog die Lippen auseinander, entblößte ein paar spitze Zähne und spuckte mich an. Gleichzeitig machte er einen Buckel und stellte seinen fluffigen Schwanz auf. Verwundert blieb ich stehen. Wollte er etwa nicht spielen? Der muffige Geruch unter seinem Schwanz war köstlich. Ich kam näher und schnupperte freundlich an Smokeys Hinterteil, aber er fauchte, spuckte wieder aus und hob drohend eine Pfote mit ausgefahrenen Krallen.

»Na, na, Smokey! Sei lieb! Sei ein guter Kater!«

Smokey warf Ethan einen vernichtenden Blick zu, während ich mir an dem ermutigenden Ton des Jungen ein Beispiel nahm und einen Willkommensgruß bellte. Aber der Kater blieb unnahbar und schlug mir sogar auf die Nase, als ich ihm übers Gesicht lecken wollte.

Dann eben nicht, dachte ich. Irgendwann würde Smokey schon noch Lust zum Spielen bekommen, aber in der Zwischenzeit hatte ich etwas Besseres zu tun, als mich über einen hochnäsigen Kater zu ärgern. In den darauffolgenden Tagen lernte ich mein neues Zuhause genauer kennen.

Der Junge hatte ein kleines Zimmer voller wunderbarer Spielsachen, während Mom und Dad sich ein Zimmer teilten, in dem es überhaupt kein Spielzeug gab. In einem Zimmer befand sich ein Wasserbecken, aus dem ich nur trinken konnte, wenn ich praktisch hineinkletterte. Auch da gab es kein Spielzeug – es sei denn, man betrachtete das weiße Papier als solches, das ich von einer Halterung an der Wand endlos lang abrollen konnte. Zimmer zum Schlafen befanden sich oberhalb einer Treppe, die ich trotz meiner langen Beine nicht erklimmen konnte. Alles Essbare wurde in einem speziellen Bereich des Hauses versteckt.

Jedes Mal, wenn ich mich erleichtern musste, spielten alle verrückt, nahmen mich schnell hoch und rannten mit mir ins Freie. Dann setzten sie mich ins Gras und beobachteten mich, bis ich mich von dem Schrecken genug erholt hatte, um weiter mein Geschäft zu machen. Anschließend wurde ich so überschwänglich gelobt, dass ich mich fragte, ob dies meine Hauptaufgabe in dieser Familie war. Aber das Lob fiel unterschiedlich aus. Es wurde nämlich Papier ausgelegt, das zu zerreißen ziemlich viel Spaß machte, und wenn ich darauf mein Geschäft machte, sagten meine Leute zwar auch »Guter Hund!«, aber es klang nicht wirklich begeistert, sondern nur erleichtert. Und manchmal, wenn ich irgendwo im Haus mein Geschäft verrichtete, wurden sie regelrecht böse, obwohl ich doch *genau das Gleiche* getan hatte.

»Nein!«, riefen Mom oder Ethan, wenn ich den Fußboden nass machte. »Guter Junge!«, jubelten sie, wenn ich ins Gras urinierte. »Okay«, sagten sie, wenn ich auf das Papier machte. Ich kam einfach nicht dahinter, was ihr Problem war.

Dad ignorierte mich meistens, aber ich merkte, dass es ihm gefiel, wenn ich morgens mit ihm aufstand und ihm beim Essen Gesellschaft leistete. In seinem Blick lag dann so etwas wie Zuneigung – kein Vergleich mit der ungestümen Bewunderung, die Ethan mir entgegenbrachte, aber ich glaube, der Junge konnte nur deshalb so viel Gefühl zeigen, weil Mom und Dad ihn sehr liebten. Manchmal saß Dad abends mit ihm am Tisch, und sie unterhielten sich leise und konzentriert, während scharfer, durchdringender Rauch die Luft erfüllte. Dad ließ mich auf seinen Füßen liegen, weil die Füße des Jungen noch nicht bis auf den Boden reichten.

»Schau her, Bailey, wir haben ein Flugzeug gebaut«, sagte der Junge an einem dieser Abende und hielt mir ein Spielzeug unter die Nase. Es stank dermaßen nach chemischen Substanzen, dass mir die Augen tränten, weshalb ich gar nicht erst versuchte, danach zu schnappen. Dann rannte Ethan damit durchs ganze Haus und machte merkwürdige Geräusche dazu, ich jagte hinter ihm her und versuchte, an ihm hochzuspringen. Später stellte er das Ding in ein Regal zu anderen Spielsachen, die schwach nach den gleichen Chemikalien rochen. Das war's dann auch schon, bis er und Dad beschlossen, ein weiteres zu bauen.

»Das hier wird eine Rakete, Bailey«, sagte Ethan und hielt mir ein Spielzeug hin, das wie ein schlichter Stock aussah. Ich hob den Kopf, um es anzusehen. »Eines Tages schicken wir eine zum Mond, und dann können dort Menschen leben. Wäre das was für dich? Bist du ein Weltall-Hund?«

Ich verstand das Wort »Hund« und schloss daraus, dass Ethan mich etwas gefragt hatte, also wedelte ich mit dem Schwanz. *Klar*, dachte ich. *Natürlich helfe ich gerne beim Geschirrspülen.*

Ich half oft beim Geschirrspülen. Ethan stellte dann seinen Teller mit Essen auf den Boden, und ich leckte ihn ab. Es war einer meiner Jobs – aber nur, wenn Mom nicht hinschaute.

Meist bestand mein Job aber darin, mit dem Jungen zu spielen. Abends legte er mich in ein Körbchen mit einem Kissen, und mit der Zeit begriff ich, dass ich darin bleiben sollte, bis Mom und Dad kamen und dem Jungen »Gute Nacht« sagten. Danach ließ Ethan mich dann in sein Bett. Wenn es mir nachts zu langweilig wurde, konnte ich immerhin ein wenig an ihm herumkauen.

Mein eigentliches Revier lag hinter dem Haus, aber nach einigen Tagen machte ich mit einer ganz neuen Welt Bekanntschaft, der sogenannten Nachbarschaft. Ethan flitzte aus der

Haustür, ich hinterher, und wir trafen uns mit anderen Jungen und Mädchen, die mich umarmten, mit mir herumbalgten, um Spielzeug kämpften und Sachen wegwarfen, damit ich sie zurückbrachte.

»Das ist mein Hund, er heißt Bailey«, sagte Ethan stolz und hielt mich hoch. »Guck mal, Chelsea.« Er überreichte mich einem Mädchen, das genauso groß war wie er. »Es ist ein Golden Retriever. Meine Mutter hat ihn gerettet, sonst wäre er in einem Lastwagen an einer Hitzeschlägerei gestorben. Wenn er größer ist, nehme ich ihn mit auf die Jagd, auf der Farm meines Grandpas.«

Chelsea drückte mich an die Brust und sah mir in die Augen. Ihr Haar war lang und sogar noch heller als meines. Sie roch nach Blumen, Schokolade und einem anderen Hund. »Oh, bist du süß, Bailey! Du bist ja so süß! Zum Verlieben!«, sagte sie, und es klang, als ob sie sang.

Ich mochte Chelsea sehr. Immer wenn sie mich sah, kniete sie sich hin und ließ mich an ihren langen blonden Haaren ziehen. Ihr Hundegeruch stammte von Marshmallow, einem langhaarigen braun-weißen Hund, der älter war als ich, aber immer noch jung. Wenn Chelsea ihn hinausließ, balgten wir stundenlang herum, und manchmal machte Ethan mit. Wir spielten und spielten und spielten und spielten.

In meinem früheren Leben hatte die Señora mich geliebt, aber jetzt wurde mir klar, dass es keine spezielle Liebe zu mir gewesen war, sondern dass sie die ganze Meute liebte. Und obwohl sie mich Toby nannte, sagte sie meinen Namen nie auf die Art, wie Ethan nachts »Bailey, Bailey, Bailey« in mein Ohr flüsterte. Die Liebe des Jungen galt wirklich *mir*, und wir waren füreinander der Mittelpunkt der Welt.

Im Hof der Señora hatte ich gelernt, ein Gatter zu öffnen

und zu fliehen. Diese Fähigkeit hatte mich letzten Endes zu dem Jungen geführt. Mit diesem Jungen zusammen zu sein und ihn zu lieben, war der wahre Sinn meines Lebens. Vom Aufwachen bis zum Schlafengehen waren wir unzertrennlich.

Aber dann änderte sich natürlich wieder alles.

Sieben

Eine meiner Lieblingsbeschäftigungen war »Kunststücke lernen«, wie der Junge sagte. Dabei redete er ermunternd auf mich ein, und dann gab er mir eine Leckerei. Eines dieser Kunststücke hieß »Sitz«. Der Junge sagte: »Sitz, Bailey, sitz!«, dann kletterte er auf mein Hinterteil, drückte es auf den Boden und gab mir zur Belohnung ein Stück Hundekuchen.

»Hundeklappe! Hundeklappe!« hieß ein weiteres Kunststück, bei dem wir zur sogenannten Garage gingen, wo Dad sein Auto aufbewahrte. Dort schob mich der Junge durch eine Plastikklappe in der Seitentür, die zum Garten führte. Dann rief er mich, ich steckte den Kopf durch die Klappe und bekam schon wieder ein Stück Hundekuchen!

Ich wuchs zu einem großen Hund heran, und meine Beine wurden – wie ich mit Freuden feststellte – immer länger. Als die Abende kühler wurden, war ich bereits in der Lage, mit dem Jungen mitzuhalten, sogar wenn er rannte.

Eines Morgens bekam das Kunststück mit der Hundeklappe eine völlig neue Bedeutung. Der Junge war früh aufgestanden, die Sonne war gerade erst aufgegangen, und Mom lief geschäftig im Haus hin und her.

»Kümmere dich um Bailey!«, rief sie. Ich blickte von dem Kauspielzeug auf, das ich gerade bearbeitete. Smokey, der Kater, hockte auf der Küchentheke und sah mit unerträglicher

Arroganz auf mich herab. Ich nahm das Kauspielzeug zwischen die Zähne und schüttelte es, um Smokey zu zeigen, was für einen Riesenspaß man haben konnte, wenn man nicht so hochnäsig war wie er.

»Bailey!«, rief der Junge. Er hatte mein Hundekörbchen unterm Arm, und völlig fasziniert folgte ich ihm in die Garage. Was war das jetzt wieder für ein neues Spiel?

»Hundeklappe!«, sagte der Junge. Ich schnupperte an seinen Hosentaschen, konnte aber keinen Leckerbissen riechen. Da der einzige Sinn des Kunststücks »Hundeklappe« für mich darin bestand, ein Stück Hundekuchen zu bekommen, drehte ich mich um und hob das Bein an einem Fahrrad.

»Bailey!« Der Junge klang gereizt, und ich sah ihn überrascht an. »Du schläfst von jetzt an hier, okay, Bailey? Sei ein guter Hund! Wenn du mal musst, gehst du durch die Hundeklappe in den Garten, okay? Guter Hund, guter Bailey! Ich muss jetzt zur Schule, okay? Ich hab dich so lieb, Bailey.«

Der Junge umarmte und drückte mich, und ich schleckte sein Ohr ab. Als er wegging, folgte ich ihm natürlich, aber an der Tür, die ins Haus führte, versperrte er mir den Weg, so dass ich nicht mit hineinkonnte. »Nein, Bailey, bleib in der Garage, bis ich wieder nach Hause komme! Hundeklappe, okay, Bailey? Sei ein guter Hund.«

Dann schlug er mir die Tür vor der Nase zu.

»Bleib?« – »Hundeklappe?« – »Guter Hund?« Ich hatte das alles schon oft gehört, aber ich verstand den Zusammenhang nicht. Vor allem das Wort »bleib« leuchtete mir nicht ein.

Das Ganze ergab einfach keinen Sinn. Ich schnupperte ein wenig in der Garage herum, wo es viele wunderbare Gerüche gab, aber ich war jetzt nicht in der Stimmung, auf Entdeckungstour zu gehen. Viel lieber wollte ich bei meinem

Jungen sein. Ich bellte, aber die Tür zum Haus blieb zu. Also kratzte ich daran. Immer noch nichts.

Ich hörte Kinderstimmen auf der Straße und rannte zum Garagentor, in der Hoffnung, es würde geöffnet. Das passierte nämlich manchmal, wenn der Junge davorstand. Doch es blieb verschlossen. Ein lauter Lastwagen, der sehr groß zu sein schien, übertönte die Kinderstimmen und trug sie fort. Ein paar Minuten darauf hörte ich Moms Auto wegfahren, und dann wurde die Welt, die so voller Leben und Geräusche gewesen war, unerträglich ruhig.

Ich bellte eine Zeit lang, aber das änderte nichts. Ich konnte Smokey riechen, wie er hinter der Tür zum Haus lauerte und schadenfroh auf mein verzweifeltes Gebell horchte. Wieder kratzte ich an der Tür. Dann kaute ich auf ein paar Schuhen herum. Schließlich zerfetzte ich mein Hundekörbchen. Später machte ich mich über einen Müllsack mit alten Kleidern her. Ich riss ihn auf, so wie früher, wenn wir mit Mutter im Müll Nahrung suchten, und verteilte die Kleider über die ganze Garage. Dann pinkelte ich in eine Ecke und setzte ein Häufchen in eine andere. Ich kippte eine Mülltonne um und fraß ein paar Stückchen Hühnerfleisch, Spaghetti und eine Waffel. Anschließend schleckte ich eine Fischdose aus, die wie Smokeys Atem roch. Ein paar Blätter Papier fraß ich auch noch, und dann kippte ich meinen Wassernapf um und kaute darauf herum.

Es gab einfach nichts, womit ich mich beschäftigen konnte.

Am Ende des längsten Tages, den ich je erlebt hatte, hörte ich Moms Wagen die Einfahrt heraufkommen. Die Autotür schlug zu, und ich hörte, wie jemand durchs Haus rannte.

»Bailey!«, rief der Junge und riss die Tür auf.

Ich sprang an ihm hoch, überglücklich, dass der Irrsinn für

immer vorbei war. Aber der Junge blieb stehen und sah sich entsetzt in der Garage um.

»Oh, Bailey«, sagte er und klang plötzlich ganz traurig.

Ich platzte beinahe vor Energie, schoss an ihm vorbei ins Haus und sprang über die Möbel. Als ich Smokey entdeckte, stürzte ich mich auf ihn und jagte ihn die Treppe hinauf. Er suchte unter Moms und Dads Bett Zuflucht, und ich postierte mich davor und bellte, was das Zeug hielt.

»Bailey!«, rief Mom streng.

»Böser Hund!«, sagte der Junge verärgert.

Ich verstand gar nichts mehr. Wieso »Böser Hund«? Was hatte ich denn getan? Ich war versehentlich in der Garage eingeschlossen worden, aber ich war bereit, meinen Leuten zu verzeihen. Warum schimpften sie mich jetzt aus und fuchtelten mit dem Finger vor mir herum?

Kurz darauf fand ich mich in der Garage wieder und half dem Jungen alles aufzuheben, womit ich gespielt hatte, und alles zu der Mülltonne zu bringen, die ich umgekippt hatte. Mom kam und besah sich die Kleider und nahm einige mit ins Haus, aber niemand lobte mich dafür, dass ich sie wiedergefunden hatte.

»Hundeklappe!«, sagte der Junge gereizt, gab mir aber keinen Leckerbissen. Konnte es sein, dass »Hundeklappe« dasselbe bedeutete wie »Böser Hund«? Das wäre, gelinde gesagt, eine herbe Enttäuschung gewesen.

Offenbar war es für alle ein anstrengender Tag gewesen, und ich war bereit, die ganze Sache zu vergessen. Aber als Dad nach Hause kam und Mom und der Junge ihm alles erzählten, schrie er plötzlich los, und da wusste ich, dass auch er böse auf mich war. Ich zog mich unauffällig ins Wohnzimmer zurück und ignorierte Smokeys höhnische Blicke.

Dad und der Junge verließen das Haus gleich nach dem Abendessen. Mom blieb am Tisch sitzen und schaute in irgendwelche Papiere, und als ich zu ihr ging und ihr einen wunderbar nassen Ball auf den Schoß legte, schimpfte sie: »Igitt, pfui, Bailey!«

Als Dad und der Junge zurückkehrten, rief mich der Junge in die Garage und zeigte mir eine große Holzkiste. Er kroch hinein, und ich folgte ihm, obwohl es da drinnen eigentlich zu eng für uns beide war. »Hundehütte, Bailey. Das ist jetzt deine Hundehütte.«

Ich begriff nicht, was diese Holzkiste mit mir zu tun haben sollte, aber es sprach nichts dagegen, »Hundehütte« zu spielen, zumal ich jetzt auch wieder einen Hundekuchen bekam. »Hundehütte!« bedeutete nämlich: »Geh in die Hundehütte und friss den Hundekuchen!« Das spielten wir, dazu noch »Hundeklappe«, während Dad die Garage aufräumte, alles in die oberen Regale legte und die Mülltonne mit einem Tau zuband. Ich freute mich, dass es auch bei »Hundeklappe« jetzt wieder etwas Leckeres gab.

Als der Junge genug hatte, gingen wir ins Haus und balgten uns auf dem Fußboden, bis Mom sagte: »Zeit, schlafen zu gehen.«

»Ach, bitte, Mom, kann ich nicht noch ein bisschen aufbleiben?«

»Wir müssen morgen beide zur Schule, Ethan. Sag Bailey gute Nacht!«

Gespräche wie dieses gab es andauernd, und meist hörte ich gar nicht hin, aber als ich meinen Namen hörte, hob ich den Kopf, denn ich merkte, dass der Junge plötzlich ganz traurig wurde. Er stand auf und ließ die Schultern hängen.

»Okay, Bailey. Bettzeit.«

Ich wusste, was das bedeutete, aber dieses Mal schienen wir einen Umweg zu nehmen, denn der Junge ging mit mir zur Garage, um noch einmal »Hundehütte« mit mir zu spielen. Dagegen hatte ich natürlich nichts einzuwenden, aber als Ethan mich gleich darauf in der Garage einschloss, war ich völlig schockiert.

Ich bellte und versuchte zu begreifen, was los war. Ging es um das Hundekörbchen, das ich zerkaut hatte? Ich hatte in dem Ding ohnehin nie geschlafen, sondern mich nur zum Schein kurz hineingelegt. Erwartete man von mir etwa, die ganze Nacht allein in der Garage zu verbringen? Nein, das konnte nicht sein.

Oder doch?

Ich war so verzweifelt, dass ich leise vor mich hin winselte. Der Gedanke an den Jungen, der ohne mich im Bett lag, machte mich so traurig, dass ich jetzt dringend ein paar Schuhe hätte gebrauchen können, um daran herumzukauen und mich abzureagieren. Dann heulte ich laut auf und ließ meinem Kummer freien Lauf.

Nachdem ich zehn, fünfzehn Minuten unaufhörlich gejault hatte, ging die Garagentür einen Spaltbreit auf. »Bailey«, flüsterte der Junge.

Erleichtert lief ich zu ihm. Er beruhigte mich und kam mit einer Decke und einem Kissen herein. »Okay, Hundehütte. Hundehütte!« Er kroch in die Hundehütte und legte Decke und Kissen hinein. Ich folgte ihm. Es war so eng, dass wir beide je zwei Füße heraushängen ließen. Ich legte meinen Kopf auf Ethans Brust und seufzte, als er mir die Ohren kraulte.

»Guter Hund«, murmelte er.

Kurz darauf öffneten Mom und Dad die Tür, die zum Haus

führte, blieben stehen und betrachteten uns. Ich wedelte mit dem Schwanz, stand aber nicht auf, weil ich den Jungen nicht aufwecken wollte. Schließlich kam Dad und nahm Ethan auf den Arm. Mom machte eine auffordernde Handbewegung in meine Richtung, und ich folgte ihr ins Haus.

Am nächsten Tag musste ich feststellen, dass meine Leute aus den Fehlern des Vortags nichts gelernt hatten, denn sie steckten mich wieder in die Garage! Dieses Mal gab es für mich noch weniger zu tun, aber ich gab mir Mühe, etwas zu finden, riss den weichen Fußboden aus der Hundehütte und zerfetzte ihn. Auch die Mülltonne stieß ich wieder um, aber ich konnte den Deckel nicht aufkriegen. Auf den Regalen gab es nichts, was ich hätte zerkauen können, jedenfalls nicht in Reichweite.

Irgendwann attackierte ich die Abdeckung der Hundeklappe und roch, dass Sturm und Regen aufzogen. Im Vergleich zum Hof der Señora, wo wir immer staubtrockenen Sand auf der Zunge hatten, wohnte der Junge in einer Gegend, die feuchter und kühler war. Ich fand es wunderbar, wenn bei Regen die verschiedenen Gerüche ineinander übergingen und ganz neue entstanden. Große Bäume mit Unmengen von Blättern bildeten ein schützendes Dach über unseren Wegen und fingen die Regentropfen auf, die später herunterfielen, wenn der Wind in die Baumkronen fuhr. Die Feuchtigkeit war einfach köstlich, und selbst an den heißesten Tagen brachte die erfrischende Nachtluft meist Abkühlung.

Jetzt wehte der Wind so verlockende Gerüche in die Garage, dass ich den Kopf immer weiter aus der Hundeklappe steckte, bis ich – quasi aus Versehen – ganz im Freien stand.

Ganz entzückt flitzte ich durch den Garten und bellte. Es war, als sei die Hundeklappe dazu da, mich aus der Garage direkt in den Garten zu lassen. Ich hockte mich hin und erleichterte mich. Es im Freien statt im Haus zu tun, gefiel mir viel besser – und das nicht nur, weil draußen nicht so ein Theater darum gemacht wurde. Es war schön, die Pfoten am Rasen abzuwischen und später meiner eigenen Fährte nachzuschnüffeln. Außerdem war es viel befriedigender, das Bein zu heben und eine Ecke des Gartens zu markieren statt … sagen wir die Ecke der Couch.

Als aus dem Nieselregen große, schwere Tropfen wurden, stellte ich fest, dass die Hundeklappe in beide Richtungen schwang! Ich wünschte, der Junge wäre zu Hause, damit ich ihm zeigen könnte, was ich mir ganz allein beigebracht hatte.

Nach dem Regen buddelte ich ein Loch, kaute am Gartenschlauch und bellte Smokey an, der am Fenster saß und so tat, als könne er mich nicht hören. Als ein großer gelber Bus vor dem Haus hielt und den Jungen, Chelsea und noch ein paar andere Nachbarskinder ausspuckte, rannte ich zum Gartenzaun und stellte die Vorderpfoten darauf. Der Junge lachte, als er mich sah, und lief auf mich zu.

Danach betrat ich die Hundehütte kaum noch, außer wenn Mom und Dad sich gegenseitig anschrien. Dann kam Ethan in die Garage, und wir krochen zusammen hinein. Er nahm mich in die Arme, und ich lag ganz still, so lange er wollte. Schließlich war das der neue Sinn meines Lebens: den Jungen zu trösten und für ihn da zu sein, wenn er mich brauchte.

Manchmal zogen Nachbarn aus, und neue zogen ein. Deswegen machte ich mir keine Gedanken, als Drake und Todd ein paar Häuser weiter einzogen – und das nicht nur, weil Mom ganz köstliche Kekse backte, um die neuen Nachbarn zu begrüßen, und mir welche abgab, weil sie dankbar war, dass ich ihr in der Küche Gesellschaft geleistet hatte. Wenn neue Jungen einzogen, so bedeutete das in der Regel nur, dass es noch mehr Kinder gab, mit denen ich spielen konnte.

Drake war größer und älter als Ethan, aber Todd war im gleichen Alter, und Ethan und er wurden bald Freunde. Todd und Drake hatten eine jüngere Schwester namens Linda, die mich mit Süßigkeiten fütterte, wenn niemand zusah.

Todd war ganz anders als Ethan. Er spielte gern mit Streichhölzern am Bach und verbrannte Spielzeug, wie zum Beispiel Lindas Puppen. Ethan machte zwar mit, aber er lachte dabei nicht so viel wie Todd, und er schaute eigentlich immer nur zu.

Eines Tages sagte Todd, er hätte sich Knallkörper besorgt, und Ethan war ganz aufgeregt. Ich hatte so etwas noch nie gesehen und erschrak fürchterlich, als ich den Blitz sah und den Krach hörte. Die Plastikpuppe roch sofort nach Rauch, jedenfalls das Stück von ihr, das ich nach der Explosion wiederfand. Todd überredete Ethan, eins der Spielzeuge aus dem Haus zu holen, die er mit seinem Vater gebastelt hatte. Todd legte einen Knallkörper hinein und warf das Ganze in die Luft, wo es krachend zerfetzte.

»Cool!«, rief Todd, aber Ethan wurde ganz still und schaute den Plastikstückchen hinterher, die den Bach hinuntertrieben. Ich merkte, dass er ganz durcheinander war und nicht wusste, was er davon halten sollte. Todd warf immer mehr Kracher in die Luft, und als einer ganz in meiner Nähe herunterkam und mir an die Flanke sprang, suchte ich bei Ethan Schutz. Er umarmte mich und brachte mich nach Hause.

Mein direkter Zugang zum Garten hatte Vorteile. Ethan achtete nicht immer darauf, die Gartenpforte zu schließen, so dass ich oft Gelegenheit hatte, durch die Nachbarschaft zu streifen. Ich besuchte dann die braun-weiße Hündin namens Marshmallow, die in einem großen Gitterkäfig neben dem Haus ihrer Familie wohnte. Ich markierte alle Bäume in ihrer Nähe, und manchmal stieg mir dabei ein Geruch in die Nase, der mir bekannt und fremd zugleich vorkam. Dann reckte ich die Nase in die Luft und lief immer weiter, auf der Suche nach einem Abenteuer. Auf diesen Wanderungen vergaß ich den Jungen manchmal nach einer Weile und fühlte mich an die Zeit erinnert, als einige von uns aus dem Hof der Señora abgeholt und im Lastwagen zu dem kühlen Haus mit der netten Frau gebracht worden waren. Denn der Geruch, dem ich folgte, war ganz ähnlich wie der des Hundes auf dem Vordersitz.

Meist verlor sich die Spur irgendwann, und mir wurde wieder klar, wer und wo ich war. Dann kehrte ich wieder nach Hause zurück. Wenn Ethan nachmittags mit dem gelben Bus zurückkehrte, gingen wir oft zu Chelsea und Marshmallow. Chelseas Mutter gab Ethan etwas zu essen, und er teilte alles mit mir. Manchmal kam er aber auch in Moms Auto nach Hause. Dann wieder gab es Tage, an denen niemand früh genug aufstand, um zur Schule zu gehen, und ich musste bellen, um alle aufzuwecken.

Zum Glück verbannte mich niemand mehr zum Schlafen in die Garage. Ich hätte es doch sehr bedauert, wenn morgens jemand verschlafen hätte!

Eines Tages wanderte ich weiter als sonst, und als ich mich auf den Heimweg machte, war es bereits später Nachmittag. Ich war ganz bestürzt, denn meine innere Uhr sagte mir, dass ich Ethans Rückkehr aus der Schule verpasst hatte.

Ich nahm eine Abkürzung durch den Bach und landete hinter Todds Garten. Er spielte am sandigen Ufer, und als er mich sah, rief er mich zu sich.

»Hey, Bailey! Hierher, Bailey!« Er streckte mir eine Hand entgegen.

Ich sah ihn misstrauisch an. Er verhielt sich anders als sonst und irgendetwas an seinem Verhalten machte mich stutzig.

»Komm her, alter Junge!«, sagte er und schlug sich mit der Hand aufs Bein. Dann drehte er sich um und ging auf sein Haus zu.

Was blieb mir anderes übrig, als ihm zu folgen? Ich war es gewohnt zu tun, was man mir sagte. Also senkte ich den Kopf und setzte mich in Bewegung.

Acht

Todd ließ mich durch die Hintertür ins Haus und schloss die Tür geräuschlos. An einigen Fenstern waren die Vorhänge zugezogen, so dass alles düster und unheimlich wirkte. Todd führte mich an der Küche vorbei, wo seine Mutter vor dem Fernseher saß. Nach Todds Verhalten zu schließen, sollte ich leise sein, aber ich klopfte mit dem Schwanz auf den Boden, als ich den Geruch seiner Mutter wahrnahm. Er erinnerte mich an den Mann, der mich von der Straße aufgelesen und Stromer genannt hatte. Todds Mutter bemerkte uns nicht, aber Linda schon. Sie saß im Wohnzimmer, ebenfalls vor dem Fernseher, aber sie stand von der Couch auf und wollte uns in den Flur folgen.

»Nein«, herrschte Todd sie an.

Dieses Wort kannte ich nur zu gut, aber die Art, wie Todd es sagte, war so giftig, dass ich zusammenzuckte.

Linda hielt mir die Hand hin, und ich schleckte sie ab, bis Todd sie fortstieß. »Hau ab!«, sagte er und öffnete eine Tür. Ich ging hinein und beschnüffelte die Kleider, die überall auf dem Boden herumlagen. Es war ein kleines Zimmer mit einem Bett. Todd schloss die Tür hinter uns.

Ich fand einen Kanten Brot in dem Durcheinander auf dem Fußboden und fraß ihn, um schon mal ein bisschen aufzuräumen. Todd steckte die Hände in die Taschen. »Okay«, sagte er. »Dann mal los …«

Er setzte sich an seinen Schreibtisch und öffnete eine Schublade. Ich konnte riechen, dass er Knallkörper darin aufbewahrte, denn ihr strenger Geruch war unverwechselbar. »Keine Ahnung, wo Bailey steckt«, sagte er leise. »Bailey? Nein den habe ich nicht gesehen.«

Ich wedelte mit dem Schwanz, als ich meinen Namen hörte. Dann musste ich gähnen und ließ mich auf einem weichen Kleiderhaufen nieder. Die lange Wanderung hatte mich müde gemacht.

Plötzlich klopfte es leise an die Tür, und Todd sprang erschrocken auf. Ich tat es ihm gleich und stellte mich hinter ihn, als er wütend durch den Türspalt auf Linda einredete, die ich im dunklen Flur mehr riechen als sehen konnte. Sie schien vor irgendwas Angst zu haben und steckte mich mit ihrer Angst an. Ich hechelte, gähnte vor Anspannung und war zu nervös, um mich wieder hinzulegen.

Das Gespräch unter den Geschwistern endete damit, dass Todd die Tür zuschlug und wieder verschloss. Dann ging er an die Schreibtischschublade zurück, kramte darin herum und holte eine kleine Tube heraus. Mit freudiger Erregung schraubte er den Deckel von der Tube und hielt sie sich an die Nase. Sofort zogen widerliche chemische Dämpfe durchs Zimmer. Ich kannte diesen beißenden Geruch von den Abenden, bei denen Dad und der Junge ihre Spielzeugflieger zusammenbastelten.

Todd hielt mir die Tube hin, aber ich wollte nicht daran riechen und drehte den Kopf weg. Ich merkte, dass Todd wütend wurde, und das machte mir noch mehr Angst. Er griff nach einem Tuch und drückte eine klare Masse aus der Tube auf das Tuch. Dann knüllte er es so lange zusammen, bis es ganz klebrig war.

In dem Moment hörte ich Ethan ganz verzweifelt vor dem Fenster rufen. »Baiiiiiley!«, schrie er. Ich rannte zum Fenster und sprang daran hoch, aber es lag so weit oben, dass ich nicht hinaussehen konnte. Also bellte ich frustriert.

Todd schlug mir so heftig aufs Hinterteil, dass es wehtat. »Nein! Böser Hund! Nicht bellen!«

Er war so wütend, dass ich die Hitze spürte, die er verströmte. Der Geruch, den das Tuch in seiner Hand verbreitete, wurde immer schärfer.

»Todd?«, rief eine Frau. Ihre Stimme kam aus dem Haus.

Todd warf mir einen bösen Blick zu. »Du bleibst hier! Bleib!«, zischte er. Dann verließ er das Zimmer und schloss die Tür hinter sich.

Mir tränten die Augen von dem beißenden Geruch, der sich im ganzen Zimmer ausbreitete. Ängstlich trottete ich auf und ab. Ethan rief nach mir, und ich konnte nicht begreifen, wieso Todd das Recht hatte, mich hier einzusperren, als sei es die Garage.

In diesem Augenblick hörte ich ein leises Geräusch: Linda öffnete die Tür und hielt mir einen saftigen Keks hin. »Hallo, Bailey«, flüsterte sie. »Guter Hund.«

Eigentlich wollte ich nur raus hier, aber ich war kein Idiot, sondern fraß erst mal den Keks. Linda zog die Tür weiter auf. »Komm her«, sagte sie. Das war mein Stichwort. Ich sprang hinter ihr her durch den Flur, die Treppe hinab und auf die Haustür zu. Linda öffnete sie, und die frische Luft erlöste mich von dem schrecklichen Geruch, der mir schon zu Kopf gestiegen war.

Moms Auto fuhr langsam die Straße entlang, und der Junge beugte sich aus dem Fenster und rief: »Bailey!« Ich rannte los, so schnell ich konnte. Die Rücklichter des Autos leuchteten rot auf, Ethan sprang aus dem Wagen und lief auf mich zu. »Oh, Bailey, wo hast du bloß gesteckt?« Er vergrub das Gesicht in meinem Fell. »Böser, böser Hund!«

Ich wusste, dass es schlecht war, ein böser Hund zu sein, aber Ethan umfing mich mit so viel Liebe, dass es mir vorkam, als bedeutete es in diesem Fall etwas ganz besonders Gutes.

Nicht lange nach meinem Abenteuer in Todds Haus wurde ich mit dem Auto zu einem Mann in einem sauberen, kühlen Zimmer gebracht, das mich an einen Ort erinnerte, den ich von früher kannte. Dad hatte Ethan und mich gefahren, und aus seinem Verhalten schloss ich, dass ich irgendwie bestraft werden sollte, obwohl das natürlich ziemlich unfair war. Wenn jemand in das kühle Zimmer gehörte, war es meiner Meinung nach Todd. Er war gemein zu Linda, und er hatte mich von meinem Jungen ferngehalten. Es war also nicht meine Schuld, dass ich ein böser Hund gewesen war. Trotzdem wedelte ich mit dem Schwanz und lag ganz still, als mir hinterm Ohr eine Nadel ins Fell gestochen wurde.

Als ich aufwachte, war ich ganz steif. Alles juckte und kratzte, und unter dem Bauch spürte ich einen vertrauten Schmerz. Ich trug auch wieder einen albernen Plastikkragen, so dass meine Schnauze auf der Unterseite des Trichters lag. Smokey schien das sehr komisch zu finden, aber ich versuchte ihn zu ignorieren. Am wohlsten fühlte ich mich die nächsten paar Tage, wenn ich mit gespreizten Hinterbeinen auf dem kalten Betonboden der Garage lag.

Als mir der Kragen abgenommen wurde und ich wieder ganz der Alte war, stellte ich fest, dass die exotischen Gerüche, die über den Gartenzaun wehten, mich nicht mehr sonderlich interessierten. Aber wenn die Pforte offen stand, durchstreifte ich immer noch gern die Nachbarschaft und verschaffte mir einen Überblick, was die anderen Hunde so trieben. Nur von der Gegend um Todds Haus hielt ich mich fern, und wenn ich ihn oder seinen Bruder Drake am Bach spielen sah, wich ich ihnen aus und verkroch mich im Gebüsch, so wie Mutter es mir beigebracht hatte.

Täglich lernte ich neue Wörter. Abgesehen davon, dass ich manchmal als guter und manchmal als böser Hund bezeichnet wurde, hörte ich jetzt immer öfter, ich sei ein »großer« Hund, was für mich hauptsächlich bedeutete, dass es nachts immer schwieriger wurde, mich bequem in Ethans Bett zurechtzulegen. Ich lernte, dass »Schnee«, was so ähnlich klang wie »nee«, aber viel freudiger ausgesprochen wurde, eine kalte, weiße Welt bedeutete. Manchmal fuhren wir mit einem Schlitten eine lange, steile Straße hinunter, und ich versuchte, mich so lange mit Ethan auf dem Schlitten zu halten, bis wir in irgendein Hindernis krachten. »Frühling« bedeutete warmes Wetter und längere Tage, und Mom verbrachte das ganze Wochenende damit, im Garten zu buddeln und Blumen zu pflanzen. Die frische Erde roch so wunderbar, dass ich die Blumen später wieder ausbuddelte, als alle in der Schule waren, und die bitter-süßen Blüten fraß. Damit wollte ich Mom zeigen, dass mir ihre Blumen genauso viel bedeuteten wie ihr, obwohl sie nicht schmeckten und ich sie nach einer Weile wieder ausspuckte.

An dem Tag war ich aus irgendeinem Grund wieder ein böser Hund, und den Abend musste ich sogar in der Garage verbringen, statt Ethan zu Füßen zu liegen, während er seine »Hausaufgaben« erledigte.

Dann kam ein Tag, als die Kinder in dem großen gelben Bus so ein Geschrei machten, dass ich sie schon hörte, bevor er vor dem Haus anhielt. Ganz ausgelassen kam der Junge auf mich zugerast und freute sich so sehr, dass ich ihn in einem fort umkreiste und laut bellte. Dann gingen wir zu Chelsea und spielten mit Marshmallow, und als Mom abends nach Hause kam, war auch sie sehr froh. Von da an ging der Junge nicht mehr zur Schule, und wir konnten im Bett bleiben, statt mit Dad zu frühstücken. Endlich hatte sich das Leben wieder normalisiert!

Ich war sehr glücklich. Eines Tages machten wir eine sehr lange Fahrt mit dem Auto, und am Ende erreichten wir eine »Farm«. So etwas kannte ich noch nicht. Dort gab es Tiere und Gerüche, denen ich noch nie begegnet war.

Zwei ältere Leute kamen aus einem großen weißen Haus, als wir die Einfahrt hinauffuhren. Ethan nannte sie Grandma und Grandpa, genau wie Mom, obwohl ich später mitbekam, dass sie die beiden irrtümlich auch Mom und Dad nannte.

Auf der Farm gab es so viel zu tun, dass der Junge und ich die ersten paar Tage gar nicht wussten, was wir zuerst machen sollten. Hinter einem Zaun stand ein riesiges Pferd und glotzte mich an, wenn ich zu ihm ging. Es war eine Stute, die sich weigerte, mit mir zu spielen oder sonst was zu tun. Sie starrte mich einfach nur an, sogar wenn ich unter dem Zaun durchkroch und sie anbellte. Anstelle eines Bachs gab es einen Teich, der so groß und tief war, dass Ethan und ich darin schwimmen konnten. An seinem Ufer lebte eine Entenfamilie, die mich ganz verrückt machte, wenn sie vor mir Reißaus nahm und sich aufs Wasser flüchtete. Ich bellte ihnen nach, bis es mir zu langweilig wurde, aber dann kam die Entenmutter ans Ufer zurück, und ich musste sie wieder ankläffen.

In meiner persönlichen Rangordnung der nützlichen Tiere standen die Enten auf einer Stufe mit Smokey, dem Kater, denn der Junge und ich konnten rein gar nichts mit ihnen anfangen.

Dad fuhr nach einigen Tagen wieder ab, aber Mom verbrachte den ganzen Sommer mit uns auf der Farm und machte einen sehr glücklichen Eindruck. Ethan schlief mit mir auf der Veranda vorm Haus, und kein Mensch kam je auf die Idee, uns das zu verbieten. Grandpa saß gern in einem Sessel und kraulte mir die Ohren, und Grandma steckte mir immer wieder kleine Leckerbissen zu. Beide liebten mich so sehr, dass mir vor Freude ganz schwindelig wurde. Der Hof sah ganz anders aus als bei der Señora. Gegenüber vom Wohnhaus lag ein großes offenes Feld mit einem Drahtzaun, durch den ich jederzeit hinein- und hinauskonnte. Flare, das Pferd, musste immer hinter dem Zaun bleiben und fraß den ganzen Tag Gras und Blumen, aber ich habe nie gesehen, dass sie das Zeug hinterher wieder ausspuckte. Die Häufchen, die sie hinterließ, dufteten verlockend, schmeckten jedoch trocken und fade, weshalb ich nur selten davon kostete.

Ich konnte den ganzen Tag frei umherstreifen und den Wald hinter dem Feld erkunden, unten am Teich spielen und auch ansonsten alles tun, was mir Spaß machte. Meist blieb ich aber in der Nähe des Hauses, weil Grandma immerzu die köstlichsten Gerichte kochte. Sie hatte es gern, wenn ich ihr Gesellschaft leistete und ihre Kreationen vorkostete. Das war mein Beitrag zur Gemeinschaft – eine Aufgabe, die ich gern übernahm.

Der Junge setzte mich manchmal in ein Ruderboot und schob es auf den Teich hinaus, bevor er selbst hineinkletterte, einen Wurm ins Wasser hängte und kleine, zappelige Fische herauszog, damit ich sie anbellen konnte. Danach warf er die Fische ins Wasser zurück.

»Der ist zu klein, Bailey«, sagte er. »Aber eines Tages erwischen wir einen großen, wart's nur ab!«

Sehr zu meinem Leidwesen entdeckte ich auf der Farm irgendwann auch eine Katze, eine schwarze, die in einem alten, verfallenen Gebäude namens »Scheune« wohnte. Sie beobachtete mich immer verstohlen aus einer dunklen Ecke heraus, wenn ich versuchte, sie dort aufzustöbern. Sie schien Angst vor mir zu haben, deswegen hatte ich sie viel lieber als Smokey, aber das galt im Grunde für alles auf der Farm.

Eines Tages glaubte ich, die schwarze Katze im Wald entdeckt zu haben, und jagte ihr nach. Je näher ich kam, umso mehr wunderte ich mich, wie langsam sie dahinwatschelte. Schließlich wurde mir klar, dass es sich um ein ganz anderes Tier handelte. So eins hatte ich noch nie gesehen: Sein schwarzes Fell war über und über von weißen Streifen durchzogen. Erfreut, seine Bekanntschaft zu machen, bellte ich es an. Es drehte sich zu mir um und sah mich ernst an, den flauschigen Schwanz hoch in die Luft gereckt. Da es nicht weglief, ging ich davon aus dass es mit mir spielen wollte, aber als ich mich draufstürzte, um mit ihm herumzubalgen, tat es etwas Merkwürdiges. Es wandte sich ab, ließ dabei aber den Schwanz in der Luft stehen.

Im nächsten Moment zog mir ein grauenhafter Gestank in die Nase, und meine Augen und Lefzen begannen zu brennen. Wie geblendet jaulte ich auf, ergriff die Flucht und fragte mich, was, um alle Welt, passiert war.

»Ein Stinktier«, sagte Grandpa, als ich an der Tür kratzte, um ins Haus gelassen zu werden. »Nein, Bailey, du darfst nicht hinein.«

»Was ist los, Bailey? Bist du einem Stinktier in die Quere gekommen?«, fragte Mom durchs Fliegengitter. »Igitt! Jetzt rieche ich es auch.«

Das Wort »Stinktier« hatte ich noch nie gehört, aber ich

wusste, dass mir draußen im Wald etwas sehr Merkwürdiges passiert war. Noch seltsamer aber war das, was nun folgte: Der Junge rümpfte die Nase und führte mich in den Garten, um mich mit dem Gartenschlauch abzuspritzen. Dann hielt er meinen Kopf, während Grandma einen Korb Gartentomaten mit der Schubkarre herbeiholte und den sauren Saft auf meinem Fell ausquetschte, bis ich ganz rot war.

Ich hatte nicht den Eindruck, dass dadurch irgendwas besser wurde, auch nicht, als Ethan dann noch etwas besonders Entwürdigendes mit mir anstellte, das er »baden« nannte. Er rieb mir parfümierte Seife ins nasse Fell, bis ich wie eine Mischung aus Mom und Tomaten roch.

Noch nie war ich so gedemütigt worden. Als ich wieder trocken war, wurde ich auf die Veranda verbannt, und obwohl Ethan dort draußen mit mir schlief, warf er mich aus seinem Bett.

»Du stinkst, Bailey«, sagte er.

Damit war die Beleidigung vollkommen. Ich legte mich auf den Boden und versuchte trotz des Geruchschaos um mich herum einzuschlafen. Als es endlich Morgen wurde, lief ich zum Teich und wälzte mich in einem toten Fisch, der ans Ufer gespült worden war, aber selbst das konnte den Parfümgestank nicht vertreiben.

Um zu begreifen, was überhaupt geschehen war, ging ich noch einmal in den Wald und suchte nach dem katzenähnlichen Tier, um eine Erklärung von ihm zu verlangen. Da ich jetzt wusste, wie es roch, war es nicht schwer zu finden. Aber kaum hatte ich angefangen, es zu beschnuppern, passierte das Gleiche wie am Tag zuvor. Wieder besprühte es mich mit der beißenden Flüssigkeit, die ausgerechnet aus seinem Hinterteil kam!

Es musste mich wohl für einen Feind halten, und ich wusste nicht, wie ich dieses Missverständnis aus der Welt schaffen sollte. Vielleicht war es ratsamer, das Tier zu ignorieren und ihm auf diese Weise die Schmach heimzuzahlen, die es mir bereitet hatte.

Genau das beschloss ich, als ich nach Hause trottete und die ganze Prozedur mit Gartenschlauch und Tomatensaft zum zweiten Mal über mich ergehen lassen musste. Sollte das jetzt mein Leben sein? Jeden Tag mit Gemüse und stinkender Seife eingerieben und aus dem Haus verbannt werden, sogar wenn Grandma kochte?

»Du bist so dumm, Bailey!«, schimpfte der Junge, als er mich einseifte.

»Sag das nicht! ›Dumm‹ ist ein hässliches Wort«, sagte Grandma. »Sag ihm lieber, dass er ein Schussel ist. Das hat meine Mutter immer zu mir gesagt, wenn ich als kleines Mädchen etwas falsch gemacht hatte.«

Der Junge sah mich streng an. »Bailey, du bist ein Schussel, ein riesengroßer Schussel.« Dann lachte er, und Grandma lachte auch, aber ich fühlte mich so erbärmlich, dass ich kaum noch mit dem Schwanz wedeln konnte.

Glücklicherweise behandelte mich die Familie bald wieder freundlicher und ließ mich auch wieder ins Haus. Das war ungefähr zur selben Zeit, als der ekelhafte Gestank nachließ. Der Junge nannte mich noch manchmal einen Schussel, aber es klang nicht mehr tadelnd, sondern eher wie ein neuer Name, den er sich für mich ausgedacht hatte.

»Wollen wir angeln gehen, Schussel-Hund?«, fragte er zum Beispiel, und dann schoben wir das Ruderboot in den Teich und fingen ein paar Stunden lang winzige Fische.

Als der Sommer zu Ende ging, kam ein ungewöhnlich kalter Tag. Wir waren wieder auf dem Teich, und Ethan trug ein Sweatshirt mit Kapuze. Plötzlich sprang er auf. »Ich habe einen großen, Bailey, einen ganz großen!«

Ich reagierte sofort, sprang auf und bellte. Der Junge kämpfte minutenlang mit der Angel, grinste und lachte, und dann sah ich es: Ein Fisch von der Größe einer Katze kam direkt neben unserem Boot an die Wasseroberfläche. Ethan und ich beugten uns vor, um ihn besser sehen zu können, das Boot schaukelte, und dann fiel der Junge mit einem Schrei über Bord!

Ich starrte in das tiefgrüne Wasser, aber der Junge war schon bald nicht mehr zu sehen. Die Luftblasen, die an die Wasseroberfläche stiegen, rochen nach ihm, aber er selbst tauchte nicht wieder auf.

Ohne zu zögern, sprang ich ihm hinterher. Mit offenen Augen tauchte ich in die Tiefe und versuchte der Spur der Luftblasen in der kalten Dunkelheit zu folgen.

Neun

Ich konnte kaum noch etwas sehen. Das Wasser drückte mir auf die Ohren, und es wurde immer schwerer voranzukommen. Ich spürte, dass der Junge nicht weit weg war und langsam vor mir in die Tiefe sank. Ich strengte mich an und schwamm immer schneller, bis ich ihn undeutlich erkennen konnte. Es war wie das erste Mal, als ich meine Mutter sah, denn das Bild war genauso verschwommen und unklar. Mit offenem Maul stieß ich weiter in die Tiefe vor, und als ich meinen Jungen endlich erreichte, bekam ich die Kapuze seines Sweatshirts mit den Zähnen zu fassen. Ich legte den Kopf in den Nacken und zog Ethan mit mir, so schnell ich konnte, zur sonnenbeschienenen Wasseroberfläche empor.

Endlich war es geschafft. Wir schnappten nach Luft. »Bailey!«, rief der Junge und lachte. »Wolltest du mich retten?« Er zog die Arme aus dem Wasser und griff nach dem Boot. Ich kletterte über seinen Körper, um ebenfalls das Boot zu packen und den Jungen ans sichere Ufer zu ziehen.

Er lachte immer noch. »Nicht, Bailey, lass das, du Schussel!« Er stieß mich fort, und ich schwamm um ihn herum.

»Ich muss die Angel raufholen, Bailey, ich habe sie fallen lassen. Mit mir ist alles in Ordnung. Hör auf! Ich bin okay. Aus!« Wild gestikulierend zeigte er aufs Ufer, als wollte er einen Ball in die Richtung werfen. Offenbar sollte es aber bedeuten, dass ich an Land schwimmen sollte. Ich zögerte noch ein wenig, aber dann schwamm ich auf den kleinen Sandstrand neben dem Bootsanleger zu.

»Guter Hund«, sagte der Junge ermutigend.

Als ich mich noch einmal umschaute, sah ich nur noch seine Füße aus dem Wasser ragen, dann waren auch sie verschwunden. Ich jaulte auf, drehte wieder um und schwamm, so schnell ich konnte. Als ich die Luftblasen erreichte, tauchte ich ab und folgte dem Geruch. Dieses Mal war es noch schwerer, in die Tiefe zu stoßen, weil ich ja nicht den Schwung ausnutzen konnte, den ich das erste Mal hatte, als ich vom Boot abgesprungen war. Ich war noch am Abtauchen, als ich den Jungen wieder hochkommen sah, also wechselte auch ich die Richtung.

»Bailey!«, rief er voller Freude, als er die Wasseroberfläche erreichte und seine Angel ins Boot warf. »Was bist du doch für ein guter Hund!«

Ich schwamm neben ihm her, als er das Boot zum Strand zog, und war so erleichtert, dass ich sein Gesicht abschleckte, als er sich am Ufer bückte, um das Boot auf den Sand zu ziehen.

»Du wolltest mich wirklich retten!« Ich setzte mich hechelnd in den Sand, und der Junge streichelte meinen Kopf. Seine zärtliche Berührung wärmte mich genauso wie die Sonne.

Am nächsten Tag nahm der Junge Grandpa mit zum Anleger. Es war viel wärmer als am Vortag, und ich rannte voraus, um sicherzustellen, dass die Entenfamilie weit draußen auf dem Teich war, wo sie hingehörte. Der Junge trug wieder ein Shirt mit Kapuze. Zu dritt gingen wir ans Ende des Anlegers und schauten auf das grüne Wasser hinaus. Die Enten kamen angeschwommen, weil sie wissen wollten, was es da zu sehen gab, und ich gab vor, genau Bescheid zu wissen, obwohl ich ebenso wenig Ahnung hatte wie sie.

»Glaub mir, Grandpa, gleich taucht er wieder«, sagte der Junge.

»Das glaube ich erst, wenn ich es sehe«, sagte Grandpa.

Wir gingen in Richtung Strand, und Grandpa hielt mich am Halsband fest. »Also los«, rief er.

Der Junge rannte los, und Grandpa ließ mich los, damit ich hinterherlaufen konnte. Ethan sprang mit so viel Schwung vom Anleger, dass das Wasser hoch aufspritzte. Die Enten beschwerten sich laut schnatternd und schaukelten auf den Wellen, die Ethans Sprung verursachte. Ich lief bis zum Rand des Anlegers und bellte, dann drehte ich mich zu Grandpa um.

»Hol ihn zurück, Bailey!«, rief er.

Ich schaute auf die schäumende Stelle, an der Ethan eingetaucht war, dann wieder auf Grandpa. Er war alt und langsam, aber ich konnte mir nicht vorstellen, dass er zu begriffsstutzig war, um auf diese Notsituation zu reagieren. Also bellte ich weiter.

»Los, Bailey!«, sagte er.

Plötzlich verstand ich und sah ihn ungläubig an. Blieb in dieser Familie eigentlich alles an mir hängen? Ich bellte noch einmal, dann sprang ich ins Wasser und tauchte auf den Grund des Sees, wo Ethan ganz reglos dalag. Ich schnappte nach seiner Kapuze und zog ihn an die Luft zurück.

»Siehst du? Er hat mich gerettet!«, rief er, als wir auftauchten.

»Guter Hund!«, riefen Grandpa und Ethan. Ihr Lob freute mich dermaßen, dass ich mich voller Enthusiasmus auf die blöden Enten stürzte, die schnatternd vor mir Reißaus nahmen. Dieses Mal kam ich ihnen so nahe, dass ich sogar ein paar Schwanzfedern zu fassen bekam. Einige Enten begannen mit den Flügeln zu schlagen und flogen ein paar Meter übers Wasser. Ich hatte also gewonnen.

Den restlichen Nachmittag verbrachten wir damit, »Rette mich« zu spielen. Immer wieder bekam ich es mit der Angst zu tun, bis mir klar wurde, dass der Junge im Teich ganz gut selbst zurechtkam. Aber es machte ihm große Freude, von mir an die Wasseroberfläche gezogen zu werden, und so tauchte ich ihm immer wieder nach. Die Enten räumten nach einer Weile das Feld und beobachteten uns vom Ufer aus. Warum sie da hockenblieben und nicht zu den anderen Vögeln auf die Bäume flogen, blieb mir ein Rätsel.

Für mich gab es keinen Grund, die Farm je wieder zu verlassen, aber als Dad ein paar Tage später kam und Mom von Zimmer zu Zimmer ging, alle Schranktüren und Schubladen öffnete und unsere Kleider herausholte, dämmerte es mir, dass wir wieder umziehen würden. Ruhelos wanderte ich auf und ab, weil ich befürchtete, zurückgelassen zu werden. Erst als der Junge »Komm, Bailey, Auto fahren!« rief, durfte ich einsteigen und den Kopf aus dem Fenster strecken. Flare starrte mir eifersüchtig hinterher, insbesondere als Grandma und Grandpa mich vor der Abfahrt auch noch umarmten.

Tatsächlich fuhren wir nach Hause zurück, und ich freute mich, die anderen Kinder und Hunde aus der Nachbarschaft wiederzusehen – außer Smokey natürlich. Wir spielten miteinander, jagten Bällen hinterher, und ich balgte mich mit Marshmallow. Das alles machte so viel Spaß, dass es mich ein paar Tage darauf wie ein Blitz aus heiterem Himmel traf, als alle früh aufstanden und ich ohne viel Federlesens in die Garage geführt wurde. Sofort quetschte ich mich durch die

Hundeklappe und stellte fest, dass Ethan und Mom tatsächlich wegfuhren, Ethan wie üblich mit den anderen Kindern in dem großen gelben Bus.

Das war wirklich unerträglich! Ich bellte empört, und Marshmallow antwortete vom anderen Ende der Straße, aber das war auch nicht besonders hilfreich. Missmutig ging ich in die Garage zurück und schnüffelte verächtlich an der Hundehütte. *Niemals* würde ich meinen Tag dort verbringen, auch wenn es der weichste Platz weit und breit war.

Ich sah Smokeys Pfoten unter der Tür, die ins Haus führte, legte die Nase an den Spalt und sog seinen Geruch ein. Doch dann seufzte ich frustriert. Es hatte keinen Zweck, er konnte mich nun einmal nicht leiden.

Da ich nun ein großer Hund war, kam ich leicht an den Türknauf heran, und mir wurde klar, dass ich die Möglichkeit hatte, meine Misere zu beenden. Ich legte die Pfoten an die Tür, nahm den Knauf ins Maul und drehte ihn.

Nichts passierte, aber ich machte immer weiter, bis die Tür schließlich mit einem leisen Klick aufging.

Smokey hatte auf der anderen Seite gehockt und sich wahrscheinlich über meine Gefangenschaft gefreut, aber als er mich sah, verging ihm die Schadenfreude. Seine Pupillen verdunkelten sich, und er ergriff die Flucht. Natürlich nahm ich sofort die Verfolgung auf, schlidderte um die Kurven und bellte ihn an, als er in der Küche auf die Arbeitsplatte sprang.

Im Haus war es viel angenehmer als in der Garage. Am Vorabend war Pizza angeliefert worden, in einer großen, flachen Schachtel, die immer noch auf der Arbeitsplatte lag und daher gut zugänglich war. Ich fischte sie herunter und fraß die köstliche Pappe. Die weniger schmackhaften Teile zerfetzte ich, und Smokey sah mir mit geheucheltem Widerwillen zu.

Dann fraß ich noch den Rest seines Katzenfutters und leckte den Napf blitzblank aus.

Normalerweise durfte ich nicht auf der Couch schlafen, aber ich ging davon aus, dass die üblichen Regeln nicht galten, solange ich ganz allein im Haus war. Also rollte ich mich zu einem Nickerchen ein, legte den Kopf auf ein weiches Kissen und ließ mir die Sonnenstrahlen auf den Rücken scheinen.

Nach einer Weile merkte ich, dass die Sonne weitergewandert war, was mir gar nicht behagte. Stöhnend verlagerte ich meine Position auf der Couch.

Kurz darauf hörte ich, dass in der Küche eine Schranktür geöffnet wurde, und lief los, um nachzusehen, was das zu bedeuten hatte. Smokey stand auf der Arbeitsplatte, machte sich lang und öffnete bereits die nächste Schranktür. So unternehmungslustig und selbstständig kannte ich ihn sonst gar nicht. Ich beobachtete ihn, als er in den Schrank sprang und an den Köstlichkeiten schnupperte, die er dort fand. Dann warf er mir einen berechnenden Blick zu.

Um nicht untätig herumzustehen, knabberte ich ein wenig an meiner Schwanzspitze herum, und als ich den Kopf wieder nach vorne wandte, sah ich verwundert, dass Smokey auf eine Tüte mit Essbarem einschlug. Nach zwei weiteren Versuchen kippte die Tüte aus dem Schrank und fiel zu Boden!

Ich zerbiss die Plastikhülle und hatte lauter salzige, knusprige Dinger im Maul, die ich in Windeseile verschlang, ehe Smokey Gelegenheit hatte, seinen Anteil von mir zu verlangen. Aber der schaute nur ruhig von oben herab zu, und als ich fertig war, warf er mir noch eine Tüte herunter, in der sich süße Teigstückchen befanden.

Anscheinend hatte ich mich in Smokey getäuscht. Fast bekam ich ein schlechtes Gewissen, dass ich ihm sein ganzes

Futter weggefressen hatte, obwohl es natürlich nicht meine Schuld war, wenn er seinen Napf nicht leerte.

Ich konnte die Schränke nicht selber öffnen; das Geheimnis des Mechanismus war mir immer verborgen geblieben. Aber es war kein Problem, einen Laib Brot von der Arbeitsplatte zu fischen und die Verpackung abzufetzen, so dass ich beides separat verspeisen konnte. Der Mülleimer in der Küche hatte keinen Deckel und war leicht zugänglich. Ein paar Sachen darin waren allerdings ungenießbar – bittere schwarze Körnchen, die sich auf meine Zunge legten, als ich daran leckte, Eierschalen und Plastikbehälter, auf denen ich aber zumindest herumkauen konnte.

Ich saß schon draußen im Garten und wartete, als der Bus endlich kam. Todd und Chelsea stiegen aus, aber von meinem Jungen war nichts zu sehen. Er würde also später mit Mom kommen. Ich ging ins Haus zurück und zerrte ein paar Schuhe aus Moms Schuhregal. Nachdem Smokey mich so reichlich mit Futter versorgt hatte, war ich aber zu müde, um sie gründlich zu zerkauen. Dann ging ich ins Wohnzimmer zurück und überlegte, ob ich mich wieder auf die Couch legen sollte, die aber nicht mehr in der Sonne stand, oder mich auf dem Teppich niederlassen sollte, wo noch ein schöner großer Sonnenfleck zu sehen war. Es war eine schwierige Wahl, und als ich mich schließlich für den sonnigen Teppich entschieden hatte, ließ ich mich mit gemischten Gefühlen nieder, denn ich war mir keineswegs sicher, ob ich die richtige Wahl getroffen hatte.

Als Moms Autotür zuschlug, raste ich in die Garage, dann sofort durch die Hundeklappe in den Garten und stellte mich schwanzwedelnd an den Zaun, so dass niemand merkte, woher ich kam. Ethan lief direkt auf mich zu und fing gleich an, mit mir im Garten herumzutollen, während Mom mit ihren klackernden Schuhen ins Haus ging.

»Ich habe dich so vermisst, Bailey! Hattest du einen schönen Tag?«, fragte der Junge und kraulte mich unterm Kinn. Dabei sahen wir einander liebevoll an.

»Ethan! Komm rein und schau dir an, was Bailey getan hat!«

Als ich meinen Namen in diesem Tonfall hörte, ließ ich die Ohren hängen. Offenbar hatte Mom irgendwie rausgekriegt, was Smokey und ich getan hatten.

Ethan und ich gingen ins Haus. Schwanzwedelnd trat ich auf Mom zu, damit sie mir verzieh. Sie hielt eine der zerfetzten Tüten in der Hand.

»Die Tür zur Garage war offen. Schau, was er angerichtet hat!«, sagte Mom. »Bu bist ein böser Hund, Bailey, ein ganz böser Hund!«

Ich senkte den Kopf. Im Grunde hatte ich ja nichts falsch gemacht, aber ich begriff, dass Mom mir böse war. Sogar Ethan war mir böse, vor allem, als er anfing, die Reste aus der Plastiktüte vom Boden aufzusammeln.

»Wie, um alles in der Welt, ist er auf die Arbeitsplatte gelangt?«, fragte Mom. »Er muss raufgesprungen sein.«

»Du bist ein böser Hund, ein böser, böser Hund, Bailey!«, sagte Ethan wieder und wieder.

Smokey kam hereinspaziert und sprang mühelos auf die Arbeitsplatte. Ich warf ihm einen vernichtenden Blick zu: Er war ein böser Kater, ein böser, böser Kater!

Erstaunlicherweise schimpfte niemand mit Smokey, obwohl er mit der ganzen Sache angefangen hatte. Stattdessen stellten sie ihm sogar noch frisches Futter hin! Ich hockte mich erwartungsvoll daneben und dachte, ich würde wenigstens einen Hundekuchen bekommen, aber stattdessen erntete ich nur ärgerliche Blicke.

Mom wischte den Fußboden, und der Junge brachte den Müll in die Garage.

»Du warst böse, Bailey«, flüsterte der Junge mir noch einmal zu. Offenbar nahmen die anderen den Zwischenfall deutlich ernster als ich.

Ich befand mich noch in der Küche, als ich Mom plötzlich hinten im Haus schreien hörte: »Bailey!«

Wahrscheinlich hatte sie die angekauten Schuhe gefunden.

Zehn

Im Laufe der nächsten ein, zwei Jahre sah ich immer wieder, dass Todd ausgeschlossen wurde, wenn die Kinder miteinander spielten. Sobald er auftauchte, wurde den anderen unbehaglich zumute. Marshmallow und ich spürten diesen Stimmungsumschwung so klar und deutlich, als hätten die Kinder es laut herausgeschrien. Die Mädchen zeigten Todd meist die kalte Schulter, und die Jungen ließen ihn nur widerwillig mitspielen. Zu Hause besuchte Ethan ihn gar nicht mehr.

Todds älterer Bruder, Drake, kam eigentlich nur noch aus dem Haus, um in seinen Wagen zu steigen und wegzufahren. Aber Linda lernte Fahrradfahren und kam fast täglich angeradelt, um mit den anderen Mädchen ihres Alters zu spielen.

Ich machte es wie Ethan und hielt mich von Todd fern. Eines Abends, als es schneite und ich vorm Zubettgehen im Garten mein Geschäft erledigte, konnte ich riechen, dass er sich auf der anderen Seite des Zauns hinter einem Baum versteckte. Ich bellte drohend und war sehr mit mir zufrieden, als ich hörte, dass er sich trollte.

Die Sache mit der Schule war gar nicht nach meinem Geschmack, aber fast jeden Morgen bestimmte sie unser Leben. Deswegen liebte ich den Sommer, wenn Mom und Ethan nicht zur Schule mussten und wir zu Grandma und Grandpa auf die Farm fuhren.

Sobald wir dort ankamen, machte ich einen Streifzug, um zu sehen, was so geblieben war wie immer und was sich verändert hatte. Ich markierte mein Revier und begrüßte Flare, das Pferd, die ominöse schwarze Katze in der Scheune und die Enten, die so verantwortungslos waren, dass sie andauernd Küken bekamen. Auch das Stinktier im Wald konnte ich manchmal riechen, aber die Erinnerung an unsere ersten Begegnungen war so unschön, dass ich lieber darauf verzichtete, es zu jagen. Wenn es doch einmal mit mir spielen wollte, wusste es ja, wo es mich finden konnte.

Eines schönen Sommerabends saß ich mit der ganzen Familie noch lange nach der üblichen Schlafenszeit im Wohnzimmer, und alle waren ganz aufgeregt, Mom und Grandma schienen sogar Angst zu haben. Dann schrien alle plötzlich los und applaudierten, Grandpa weinte, ich bellte, und alles war ein einziges Gefühlschaos. Menschen sind viel komplizierter als Hunde und haben lauter gegensätzliche Gefühle. Obwohl ich mich manchmal nach dem Hof der Señora zurücksehnte, hatte ich es jetzt viel besser, nur dass ich manchmal nicht verstand, was eigentlich los war. So wie an diesem Abend. Ethan ging mit mir nach draußen und schaute in den Nachthimmel. »Genau in diesem Moment betritt ein Mann den Mond, Bailey. Siehst du den Mond? Eines Tages fliege ich auch hin.«

Er war so glücklich, dass ich ihm schnell einen Stock brachte, den er für mich werfen konnte. Er lachte.

»Keine Sorge, Bailey. Wenn es so weit ist, nehme ich dich mit.«

Manchmal fuhr Grandpa mit seinem Wagen in die Stadt, und der Junge und ich begleiteten ihn. Es dauerte nicht lange, bis ich den Geruch der Strecke auswendig kannte. Erst roch die feuchte Luft nach dummen Enten und köstlichen toten Fischen, wenige Minuten später machte sich dann im ganzen Auto ein strenger, durchdringender Geruch breit.

»Puh!«, sagte Ethan oft, wenn dieser Geruch zum Fenster hereinwehte.

»Das ist der Ziegenhof«, sagte Grandpa dann.

Da ich den Kopf aus dem Fenster hielt, konnte ich die Ziegen sehen, die diesen herrlichen Geruch verströmten. Ich bellte sie an, aber sie waren so dumm, dass sie nicht die Flucht ergriffen, sondern einfach nur dastanden und in die Gegend glotzten, wie Flare, das Pferd.

Kurz nach dem Ziegenhof wurde der ganze Wagen durchgerüttelt, wenn wir über eine Holzbrücke fuhren. Das war die Stelle, an der ich anfing, mit dem Schwanz zu wedeln, denn ich liebte die Stadtbesuche, und das Gerumpel bedeutete, dass es nicht mehr weit war.

Grandpa ging dort gern in einen Laden, nahm dort in einem Sessel Platz und ließ einen anderen Mann an seinen Haaren spielen. Ethan musste so lange warten, und wenn es ihm zu langweilig wurde, streifte er mit mir durch die Straßen, wir schauten in fremde Fenster und hofften, andere Hunde zu treffen, was vermutlich der Zweck dieser Stadtbesuche war. Die meisten Hunde waren im sogenannten Park zu finden, der hauptsächlich aus einem großen Rasen bestand, auf dem die Leute Decken ausbreiteten, um darauf herumzusitzen. Dort gab es auch einen Teich, aber der Junge wollte mich nicht darin schwimmen lassen.

Den Ziegenhof konnte man bis hierhin riechen. Sollte ich mich je verlaufen, brauchte ich meine Nase nur in die Richtung zu halten, wo der Geruch am stärksten war: Dort ging es nach Hause.

Eines Tages sahen wir einen älteren Junge mit seiner Hündin im Park spielen. Immer wieder warf er ihr ein Plastikspielzeug zu. Als ich zu der kleinen schwarzen Hündin lief, um ihre Bekanntschaft zu machen, ignorierte sie mich vollkommen. Sie hatte nur Augen für das Plastikspielzeug, eine dünne, bunte Scheibe. Wenn die durch die Luft sauste, raste die Hündin los und fing sie mit dem Maul auf, ehe sie den Boden berührte – ein ziemlich beeindruckendes Kunststück, wenn man für derlei Spielchen etwas übrighatte. »Was meinst du, Bailey? Willst du das auch mal versuchen?«, fragte Ethan. Seine Augen strahlten, als er beobachtete, wie der kleine Hund die Plastikscheibe auffing. Zurück auf der Farm ging er gleich auf sein Zimmer und fing an, selber einen »Flip« zu bauen, wie er sagte.

»Es ist eine Mischung aus Bumerang, Frisbee und Baseball«, sagte er zu Grandpa. »Aber der Flip fliegt doppelt so weit, weil der Ball ihn schwerer macht, verstehst du?«

Ich schnupperte an dem Ding, das mal ein sehr brauchbarer Football gewesen war, ehe Ethan ihn aufschnitt und Grandma bat, ihn anders zusammenzunähen. »Komm mit, Bailey!«, sagte er.

Wir gingen auf die Veranda. »Wie viel Geld kann man mit so einer Erfindung verdienen?«, fragte er Grandpa.

»Lass mich erst mal sehen, wie das Ding fliegt«, antwortete der.

»Okay. Bist du bereit, Bailey? Dann los!«, rief Ethan.

Ich machte mich bereit. Der Junge holte mit dem Arm aus und schleuderte den Flip in die Luft. Er drehte sich und fiel dann vom Himmel, als sei er gegen etwas gestoßen.

Ich trottete von der Veranda auf den Rasen und beschnupperte den Flip.

»Bring den Flip, Bailey!«, rief der Junge.

Vorsichtig nahm ich das Ding ins Maul. Als ich an die kleine Hündin dachte, die der elegant durch die Luft segelnden dünnen Scheibe nachgejagt war, wurde ich ganz neidisch. Ich brachte den Flip zu meinem Jungen zurück und spuckte ihn vor seinen Füßen aus.

»Keine Aerodynamik«, sagte Grandpa. »Zu viel Luftwiderstand.«

»Nein, ich muss nur richtig werfen«, sagte der Junge.

Grandpa ging ins Haus zurück, und der Junge machte die folgende Stunde Wurfübungen. Ich brachte den Flip jedes Mal zu ihm zurück, aber ich merkte, dass der Junge langsam verzweifelte. Als er den Flip wieder einmal geworfen hatte und das Ding auf den Boden geplumpst war, ließ ich es liegen und brachte stattdessen einen Stock zurück. »Nein, Bailey«, sagte er traurig. »Der Flip! Bring den Flip!«

Ich bellte und wedelte mit dem Schwanz, um den Jungen davon zu überzeugen, dass Stöcke-Werfen viel mehr Spaß machte.

»Bailey, der Flip!«

Und dann sagte plötzlich jemand: »Hi!«

Es war ein Mädchen in Ethans Alter. Schwanzwedelnd ging ich auf sie zu, und sie tätschelte meinen Kopf. In einer Hand trug sie einen zugedeckten Korb, aus dem der Duft süßen Gebäcks emporstieg. Das fesselte meine ganze Aufmerksamkeit. Ich setzte mich und versuchte, einen guten Eindruck zu machen, damit sie mir etwas aus ihrem Korb anbot. »Wie heißt du denn, mein Mädchen?«, fragte sie mich.

»Es ist ein Junge«, sagte Ethan. »Er heißt Bailey.«

Ich sah ihn an, weil er meinen Namen gesagt hatte, und fand, dass er sich irgendwie merkwürdig benahm. Beinahe ängstlich war er einen halben Schritt zurückgewichen, als er das Mädchen sah. Ich betrachtete sie genauer, und sie gefiel mir, nicht zuletzt wegen des köstlich duftenden Gebäcks in ihrem Korb.

»Ich wohne ein Stück die Straße runter. Meine Mom hat Brownies für euch gebacken«, sagte das Mädchen und deutete auf ihr Fahrrad, das sie am Zaun abgestellt hatte.

»Ach«, sagte der Junge.

Ich ließ den Korb nicht aus den Augen.

»Ja«, sagte das Mädchen.

»Ich hole meine Grandma«, sagte der Junge, drehte sich um und ging ins Haus, doch ich beschloss, bei dem Mädchen zu bleiben.

»Na, Bailey, bist du ein guter Hund? Ja, du bist ein guter Hund«, sagte sie.

Gut, aber anscheinend nicht gut genug für ein Leckerchen. Trotzdem stupste ich kurz darauf den Korb mit der Nase an, um ihr das Naheliegende vor Augen zu führen. Sie hatte helle Haare, die sie glatt strich, während sie auf Ethans Rückkehr wartete. Auch sie machte einen etwas ängstlichen Eindruck, obwohl überhaupt kein Grund dafür vorlag, wenn man von dem armen, verhungernden Hund absah, der dringend etwas zum Beißen brauchte.

»Hannah!«, rief Grandma von der Haustür her. »Schön, dich zu sehen!«

»Hi, Mrs Morgan.«

»Komm rein! Was hast du da mitgebracht?«

»Meine Mom hat Brownies gebacken«, sagte das Mädchen und ging ins Haus. Ich folgte ihr.

»Ach, das ist aber nett!«, sagte Grandma. »Du kannst dich wahrscheinlich nicht mehr daran erinnern, Ethan, aber als ihr

Babys wart, hast du mit Hannah oft gespielt. Sie ist ein gutes Jahr jünger als du.«

»Weiß ich nicht mehr«, sagte Ethan und trat gegen den Teppich.

Er benahm sich immer noch komisch, aber ich konnte mich nicht um ihn kümmern, denn ich hielt es für meine Pflicht, den Korb zu bewachen, den Grandma auf ein niedriges Tischchen gestellt hatte. Grandpa saß mit einem Buch in seinem Sessel, schaute über seine Brillengläser in den Korb und griff hinein.

»Nicht vor dem Abendbrot«, zischte Grandma. Er zog die Hand zurück, und wir tauschten einen enttäuschten Blick.

In Punkto Brownies passierte im Laufe der nächsten Minuten nicht allzu viel. Grandma redete, Ethan stand mit den Händen in den Hosentaschen da, und Hannah saß auf der Couch und mied seinen Blick. Schließlich fragte er Hannah, ob sie sich mal seinen Flip ansehen wolle. Als ich dieses verhasste Wort hörte, hob ich den Kopf und warf dem Jungen einen fassungslosen Blick zu. Ich hatte geglaubt, dieses Kapitel sei ein für alle Mal beendet.

Zu dritt gingen wir in den Hof. Ethan zeigte Hannah das Ding, aber als er es warf, fiel es immer noch wie ein toter Vogel vom Himmel.

»Ich muss noch etwas an der Form ändern«, sagte Ethan.

Ich ging zu der Stelle, wo der Flip gelandet war, hob ihn aber nicht auf, denn ich hoffte, dass der Junge von diesem peinlichen Spiel ein für alle Mal genug hatte.

Hannah blieb noch eine Weile, schaute am Teich den dummen Enten zu, streichelte Flare die Nüstern und versuchte ein paarmal, den Flip zu werfen. Als sie auf ihr Fahrrad stieg, begleitete ich sie ein Stück die Einfahrt hinunter und raste wie der Blitz zu dem Jungen zurück, als er nach mir pfiff.

Irgendetwas sagte mir, dass wir das Mädchen noch öfter zu Gesicht bekommen würden.

Einige Zeit später – ich hatte noch nicht das Gefühl, dass es Zeit für die Heimfahrt oder die Schule war – belud Mom eines Morgens den Wagen. Ethan und ich standen daneben, als Grandma und Grandpa umständlich einstiegen.

»Ich zeige dir den Weg«, sagte Grandpa zu Mom.

»Du schläfst doch sofort ein«, sagte Grandma.

»Ethan, du bist groß genug, um allein zurechtzukommen. Mach keinen Unsinn, und ruf an, wenn du Probleme hast!«, sagte Mom.

Ethan wand sich aus ihrer Umarmung. »Alles klar«, sagte er.

»Wir sind in zwei Tagen zurück. Wenn du etwas brauchst, wende dich an Mr Huntley vom Nachbarhof. Fürs Erste habe ich dir einen Auflauf gekocht.«

»Alles klar«, sagte Ethan wieder.

»Bailey, du passt gut auf Ethan auf, okay?«

Ich verstand kein Wort, wedelte aber freudig mit dem Schwanz. Machten wir jetzt einen Ausflug, oder was?

»Als ich in seinem Alter war, war ich oft allein«, sagte Grandpa. »Es wird ihm guttun.«

Ich spürte, dass Mom sich Sorgen machte, und sie ließ sich Zeit mit dem Einsteigen, aber schließlich setzte sie sich ans Steuer und sagte: »Ich hab dich lieb, Ethan.«

Ethan murmelte etwas und stocherte mit dem Fuß in der Erde herum.

Der Wagen fuhr los, und Ethan und ich schauten ihm nach. Als er nicht mehr zu sehen war, rief der Junge: »Komm mit, Bailey!« Wir rannten ins Haus.

Jetzt wurde alles anders und machte viel mehr Spaß. Nachdem der Junge sein Mittagessen beendet hatte, stellte er den Teller auf den Boden, damit ich ihn abschlecken konnte! Dann gingen wir in die Scheune, und er kletterte in den hohen Balken umher, während ich ausgiebig bellte, und als er in einen Heuhaufen sprang, stürzte ich mich auf ihn, um mit ihm herumzubalgen. Ein dunkler Schatten in einer Ecke der Scheune verriet mir, dass die Katze uns beobachtete, aber als ich auf sie zuging, um sie mir näher anzusehen, zog sie sich zurück und verschwand.

Als Ethan später den Waffenschrank öffnete, wurde mir mulmig zumute, denn das hatte er noch nie ohne Grandpa getan. Waffen machten mich nervös, sie erinnerten mich immer daran, wie Todd einen Knallkörper in meine Richtung geworfen und ich die Druckwelle schmerzhaft gespürt hatte, als das Ding dicht neben mir explodierte. Aber Ethan war so aufgeregt, dass ich bei ihm blieb und ihm um die Füße strich. Er stellte ein paar Dosen auf einen Zaun, zielte, und die Dosen flogen herunter. Ich verstand nicht, welcher Zusammenhang zwischen den Dosen und dem lauten Knall des Gewehrs bestand, aber es musste einen geben, und aus dem Benehmen des Jungen schloss ich, dass ihm das Ganze großen Spaß bereitete. Flare machte »Brrrr« und verzog sich ans andere Ende ihrer Weide.

Danach bereitete der Junge das Abendessen zu, indem er saftiges Hähnchenfleisch aufwärmte. Wir setzten uns ins Wohnzimmer, er schaltete den Fernseher ein und stellte sich den Teller auf den Schoß. Ab und an warf er mir ein Stück Haut zu. Das war genau die Art von Spaß, von der ich etwas verstand.

In diesem Augenblick war es mir völlig egal, ob Mom je zurückkehren würde.

Nachdem ich den Teller abgeschleckt hatte, den der Junge mir hinstellte, beschloss ich auszuprobieren, was nach den neuen Regeln, die nun galten, noch alles möglich war, und sprang auf Grandpas weichen Sessel. Ich sah mich nach dem Jungen um und war gespannt, ob der Befehl »Runter da!« ertönen würde. Aber Ethan starrte nur gebannt auf den Fernseher, und ich rollte mich zu einem Nickerchen zusammen.

Schlaftrunken registrierte ich, dass das Telefon klingelte und der Junge etwas von »Bett« sagte, aber als er wieder auflegte, ging er nicht zu Bett, sondern setzte sich wieder hin, um weiter fernzusehen.

Ich schlief tief und fest, als ich plötzlich mit dem Gefühl aufschreckte, dass etwas ganz und gar nicht stimmte. Der Junge hatte sich erschrocken aufgerichtet und horchend den Kopf geneigt.

»Hast du das auch gehört?«, flüsterte er mir zu.

Ich überlegte, ob die Besorgnis, die in seiner Stimme lag, wohl bedeutete, dass ich mein Nickerchen beenden sollte, und ich kam zu dem Schluss, dass es dem Jungen guttun würde, wenn erst mal Ruhe einkehrte. Also legte ich den Kopf wieder auf das weiche Polster.

Irgendwo im Haus klopfte etwas.

»Bailey!«, sagte der Junge scharf.

Na gut, dann war es wohl doch ernst. Ich sprang vom Sessel und sah Ethan erwartungsvoll an. Er legte mir die Hand auf den Kopf, und ich konnte seine Angst spüren. »Hallo?«, rief er. »Ist da jemand?«

Der Junge war wie erstarrt, und auch ich blieb stocksteif stehen, aufs Äußerste alarmiert. Ich hatte keine Ahnung, was hier vorging, aber ich begriff, dass wir in Gefahr waren. Dann klopfte es wieder, und unwillkürlich machte der Junge vor

Schreck einen Satz rückwärts. Ich war darauf gefasst, gleich etwas Schreckliches zu erleben, und wild entschlossen, dieser Sache oder Person mutig die Stirn zu bieten. Ich merkte, wie sich meine Nackenhaare aufstellten, und ich knurrte drohend.

Gleichzeitig bewegte sich der Junge geräuschlos durch das Zimmer. In höchster Alarmbereitschaft schlich ich ihm nach und sah, wie er den Waffenschrank zum zweiten Mal an diesem Tag öffnete.

Elf

Der Junge hielt Grandpas Gewehr in den zitternden Händen und ging leise die Treppe rauf, den Flur entlang und dann in Moms Zimmer. Ich folgte ihm dicht auf den Fersen. Ethan schaute in Moms Badezimmer und unter dem Bett nach, und als er die Tür des Wandschranks aufriss, brüllte er: »Ha!«, und erschreckte mich fast zu Tode. Danach untersuchten wir Ethans Zimmer, das von Grandma und Grandpa und das kleine Zimmer mit der Couch, in dem Grandma schlief, wenn Grandpa nachts laute Geräusche von sich gab. Bevor sie abgefahren waren, hatte Grandma in diesem Zimmer an dem Flip gearbeitet und ihn nach Ethans Anweisungen zusammengenäht. Vielleicht hieß es deswegen das Nähzimmer.

Der Junge durchsuchte das ganze Haus und trug dabei Grandpas Gewehr vor sich her. Er rüttelte an jedem Türknauf und prüfte jedes Fenster. Als wir wieder ins Wohnzimmer kamen, sprang ich hoffnungsvoll aufs Grandpas Sessel, aber der Junge wollte das Haus noch einmal durchsuchen. Also stand ich seufzend wieder auf und begleitete ihn. Als Nächstes prüfte er die Duschvorhänge.

Schließlich kehrten wir in Moms Zimmer zurück. Ethan drehte den Türknauf und schob die Frisierkommode vor die Tür. Er stellte das Gewehr neben das Bett und befahl mir, mich zu ihm zu legen. Er kuschelte sich eng an mich, und ich musste daran denken, wie er manchmal zu mir in die Hundehütte gekrochen war, wenn Mom und Dad im Haus herumgeschrien hatten. Jetzt fühlte er sich genauso ängstlich und einsam. Um ihm Mut zu machen, leckte ich ihn unermüdlich ab. Wir zwei waren zusammen – und das war die Hauptsache.

Am nächsten Morgen schliefen wir lange und nahmen dann ein köstliches Frühstück zu uns. Ich fraß die Toastrinden, schleckte die Reste eines Rühreis auf und trank Ethans Milch, als er genug hatte. Was für eine herrliche Art, den Tag zu beginnen! Ethan packte Essen und eine Flasche Wasser in einen Stoffbeutel und steckte das Ganze in seinen Rucksack. Wollten wir einen Spaziergang machen? Das taten wir nämlich manchmal, und Ethan nahm dann immer Sandwiches für uns beide mit. In letzter Zeit hatte unser Weg uns immer zum Haus des Mädchens geführt. Schon am Briefkasten konnte ich ihren Geruch wahrnehmen. Ethan blieb dann stehen und schaute eine Weile zu dem Haus hinüber, dann kehrten wir um und gingen wieder nach Hause zurück.

Die nächtliche Angst war vollkommen vergessen. Der Junge pfiff fröhlich vor sich hin und ging zu Flare auf die Weide. Sie kam angetrottet und fraß die trockenen, geschmacklosen Samen – oder was immer es war, das Ethan ihr in einem Eimer brachte. Ich verstand nicht, was sie daran fand, aber sie fraß diese Dinger oft. Wahrscheinlich war dieses Zeug immer noch besser als Gras, denn davon wurde einem auf die Dauer sowieso nur schlecht, das wusste ich aus Erfahrung.

Dann versetzte der Junge mich in Erstaunen: Er holte eine Decke und einen blanken Ledersattel aus der Scheune und befestigte beides auf Flares Rücken. Er war zwar schon früher ein paarmal auf das Pferd geklettert und hatte sich auf seinen Rücken gesetzt, aber Grandpa war immer dabei und das Gatter an Flares Weidezaun immer fest geschlossen gewesen. Jetzt aber hatte der Junge das Gatter geöffnet, bevor er grinsend aufs Pferd stieg.

»Komm, Bailey, los geht's!«, rief er zu mir herunter.

Ich folgte ihm mürrisch. Es gefiel mir ganz und gar nicht, dass er Flare plötzlich so viel Aufmerksamkeit schenkte, dass so ein großer Abstand zwischen uns war und dass ich neben dem riesigen Tier herlaufen musste, das genauso dumm war wie die Enten. Noch weniger gefiel mir, dass Flare den Schwanz hob und einen stinkenden Haufen auf die Straße fallen ließ, der mich nur knapp verfehlte. Ich hob das Bein darüber, denn jetzt gehörte der Haufen mir, aber ich war mir ziemlich sicher, dass das Pferd mich damit hatte beleidigen wollen.

Bald verließen wir die Straße und folgten einem Waldweg. Ich jagte einen Hasen und hätte ihn bestimmt gefangen, wäre er nicht so unfair gewesen, plötzlich die Richtung zu ändern. Ich roch mehrere Stinktiere, aber ich verzichtete darauf, ihrer Spur zu folgen. Irgendwann machten wir an einem kleinen See Rast, aus dem Flare und ich tranken. Der Junge aß seine Sandwiches und warf mir die Rinden zu.

»Ist es hier nicht schön, Bailey? Amüsierst du dich gut?«

Ich beobachtete seine Hände und dachte, sein fragender Ton bedeutete, dass er sich erkundigte, ob ich mehr von den Sandwiches haben wollte.

Abgesehen davon, dass Flare dabei war, amüsierte ich mich blendend, schließlich war schon die Abwesenheit des blöden Flips ein Grund zur Freude. Nach einigen Stunden waren wir so weit von zu Hause entfernt, dass ich nicht mehr die geringste Spur davon riechen konnte.

Ich merkte, dass Flare langsam müde wurde, aber das Verhalten des Jungen ließ darauf schließen, dass wir unser Ziel noch lange nicht erreicht hatten. Irgendwann fragte er: »Müssen wir hier entlang oder in diese Richtung? Weißt du noch, woher wir gekommen sind, Bailey?«

Ich schaute erwartungsvoll zu ihm auf, und dann ritten wir weiter. Wir wählten einen Weg, auf dem es vor Tierspuren nur so wimmelte.

Inzwischen hatte ich so oft mein Revier markiert, dass mir schon das Bein wehtat, das ich zu diesem Zweck immer hob. Dann blieb Flare plötzlich stehen und ließ einen gewaltigen Strahl Urin ab, was ich furchtbar respektlos fand, da ihr Geruch meinen überlagerte, dabei war *ich* doch der Hund. Ich wartete nicht ab, bis sie fertig war, sondern lief voraus, um den Geruch aus der Nase zu bekommen.

Ich erklomm eine kleine Anhöhe, und da lag sie plötzlich vor mir: eine Schlange. Zusammengerollt ruhte sie auf einem sonnigen Grasflecken und streckte in regelmäßigen Abständen die Zunge heraus. Wie angewurzelt blieb ich stehen, ganz fasziniert, denn so etwas hatte ich noch nie gesehen.

Ich bellte sie an, aber sie zeigte keinerlei Reaktion. Dann lief ich zu Ethan zurück, der Flare inzwischen wieder in Gang bekommen hatte.

»Was ist denn, Bailey? Was hast du entdeckt?«

Ich wusste nicht genau, was der Junge meinte, aber es war ganz bestimmt nicht: *Geh, und beiß die Schlange.* Ich trottete wieder neben Flare her, die ausdruckslos einen Fuß vor den anderen setzte, und fragte mich, wie sie wohl reagieren würde, wenn sie die Schlange sah.

Doch zuerst sah sie sie *gar nicht.* Als wir ganz dicht bei ihr waren, hob die Schlange den Kopf und Flare wieherte laut auf. Sie schwang die Vorderbeine hoch in die Luft und wirbelte herum, schlug aus und warf den Jungen ab. Ich rannte sofort zu ihm, aber ihm war nichts passiert. Er sprang gleich wieder auf und rief: »Flare!«

Missmutig sah ich, wie sie davongaloppierte und mit den Hufen die staubige Erde aufwirbelte. Der Junge rannte ihr hinterher. Ich verstand und nahm ebenfalls die Verfolgung auf. Aber das Pferd war zu schnell für mich, und bald hatte ich mich so weit von meinem Jungen entfernt, dass ich aufgab und zu ihm zurückkehrte.

»O nein!«, sagte er, aber damit meinte er nicht mich. »Gott, o Gott, Bailey, was sollen wir jetzt bloß tun?«

Ich litt mit ihm, als er zu weinen begann. Je älter er wurde, desto seltener tat er das. Umso schlimmer war es jetzt. Ich spürte seine Verzweiflung, und ich drückte meinen Kopf in seine Hände, um ihn zu trösten. Meiner Meinung nach wäre es das Beste für uns gewesen, nach Hause zurückzukehren und noch etwas Hähnchen zu essen.

Als er aufhörte zu weinen, schaute er sich ratlos im Wald um. »Wir haben uns verirrt, Bailey.« Er trank einen Schluck Wasser. »Aber was soll's? Wir müssen weiter. Komm schon!«

Offenbar war der Ausflug immer noch nicht zu Ende, denn wir gingen in eine Richtung weiter, aus der wir garantiert nicht gekommen waren.

Stattdessen gingen wir weiter in den Wald hinein und kreuzten irgendwann unsere eigene Fährte, aber der Junge gab einfach nicht auf. Ich war so erschöpft, dass ich noch nicht einmal dem Eichhörnchen hinterherjagte, das plötzlich genau vor meiner Nase auftauchte. Ich begnügte mich damit, dem Jungen zu folgen, dem man seine Müdigkeit ebenfalls anmerkte. Als der Himmel langsam dunkler wurde, setzten wir uns auf einen Baumstumpf und aßen die letzten Sandwiches. »Mehr gibt's nicht, Bailey. Tut mir leid.«

Kurz bevor es richtig dunkel wurde, begann sich der Junge plötzlich für Stöcke zu interessieren. Er sammelte welche ein, schleppte sie zu einem umgestürzten Baum und lehnte sie an einen Wall aus Waldboden und Wurzelwerk. Den Boden bestreute er mit Tannennadeln, und dann benutzte er weitere Stöcke, um ein Dach zu bauen. So entstand nach und nach eine Höhle. Neugierig schaute ich zu, und trotz meiner Müdigkeit wäre ich jederzeit bereit gewesen, einem Stock hinterherzujagen, wenn der Junge einen für mich geworfen hätte. Aber der konzentrierte sich voll und ganz auf seine Arbeit.

Als man vor Dunkelheit die Hand vor Augen nicht mehr erkennen konnte, kroch er in die Höhle und legte sich auf die Tannennadeln. »Hierher, Bailey, komm rein!«

Ich kroch neben ihn. Die Höhle erinnerte mich an die Hundehütte. Sehnsüchtig dachte ich an Grandpas Sessel und fragte mich, warum wir nicht einfach nach Hause gehen und dort schlafen konnten. Bald fing der Junge an zu zittern, und ich legte meinen Kopf auf ihn und drückte meinen Bauch an seinen Rücken. So hatten wir uns immer als Welpen im Bau zusammengekuschelt, wenn uns kalt war.

»Guter Hund!«

Nach einer Weile atmete er ruhiger und tiefer, und er hörte auf zu zittern. Ich lag zwar nicht besonders bequem, blieb aber so liegen, um meinen Jungen möglichst warm durch die Nacht zu bringen.

Als die ersten Vögel zu zwitschern begannen, standen wir auf, und wir waren schon wieder unterwegs, als es noch gar nicht richtig hell war. Hoffnungsvoll schnupperte ich am Proviantbeutel, denn er roch immer noch nach Essen, aber als der Junge mich den Kopf hineinstecken ließ, sah ich, dass er leer war.

»Wir nehmen ihn trotzdem mit. Vielleicht können wir ihn gebrauchen, wenn wir ein Feuer machen müssen«, sagte der Junge. Aha, anscheinend brauchten wir mehr Sandwiches – so hatte ich den Jungen jedenfalls verstanden. Zustimmend klopfte ich mit dem Schwanz auf den Boden.

Unser Abenteuer machte nun keinen Spaß mehr. Vor Hunger bekam ich bald Bauchschmerzen, und der Junge fing sogar wieder an zu weinen und schniefte eine Stunde lang vor sich hin. Ich spürte, wie die Angst ihn überwältigte und nach einer Weile in trübsinnige Lethargie umschlug, die ich genauso alarmierend fand. Als er sich hinsetzte und mich mit glasigen Augen ansah, leckte ich ihm ermutigend übers ganze Gesicht.

Ich machte mir Sorgen um ihn. Es war allerhöchste Zeit, nach Hause zurückzukehren!

Kurz darauf kamen wir an einen kleinen Bach, und der Junge legte sich flach auf den Boden, um gierig daraus zu trinken, genau wie ich. Das Wasser gab ihm wieder Kraft, und als wir unseren Weg fortsetzten, schien er plötzlich die Richtung zu kennen. Wir folgten dem Bach, der sich zwischen den Bäumen hindurchschlängelte und uns sogar über eine Wiese führte, auf der es von summenden Insekten nur so wimmelte. Der Junge schaute zur Sonne hinauf und beschleunigte seine Schritte. Er hatte Hoffnung geschöpft. Doch als der Bach etwa eine Stunde später wieder in den dunklen Wald hineinfloss, ließ er erneut mutlos die Schultern hängen.

Auch in dieser Nacht schmiegten wir uns eng aneinander. Ich roch einen Kadaver in der Nähe, sicher schon älter, aber wahrscheinlich noch essbar. Trotzdem ließ ich den Jungen nicht allein. Er brauchte meine Wärme mehr denn je. Ich spürte, wie seine Kräfte langsam nachließen.

Noch nie im Leben hatte ich so viel Angst gehabt.

Am nächsten Tag geriet der Junge beim Gehen mehr als einmal ins Stolpern. Ich konnte sein Blut riechen, nachdem ein Zweig sein Gesicht zerkratzt hatte, und schnupperte daran.

»Verschwinde, Bailey!«, rief er.

Ich spürte seine Wut, seine Angst und seinen Schmerz, aber ich wich nicht zurück, sondern blieb, wo ich war. Als er seinen Kopf in meinem Fell vergrub und wieder weinte, wusste ich, dass ich das Richtige getan hatte.

»Wir haben uns verlaufen, Bailey. Es tut mir so leid«, flüsterte er. Ich wedelte mit dem Schwanz, als er meinen Namen aussprach.

Die Gegend wurde jetzt immer morastiger, und man konnte keine Wege mehr erkennen. Der Junge versank bis zu den Knöcheln im feuchten Boden, und wenn er die Füße hob, machten sie schmatzende Geräusche. Insekten umschwirrten uns, setzten sich auf unsere Augen und Ohren.

Mitten in diesem Sumpf blieb der Junge einfach stehen und ließ Kopf und Schultern hängen. Als er ausatmete, entfuhr ihm ein tiefer Seufzer. So schnell der rutschige Boden es zuließ, lief ich zu ihm und legte ihm eine Pfote aufs Bein.

Er resignierte. Er fühlte sich geschlagen und war bereit, sich zu ergeben. Sogar sein Lebenswille schien zu schwinden. Er erinnerte mich an meinen Bruder, den Hungrigen, der sich einfach in die Röhre gelegt hatte, um nie wieder aufzustehen.

Ich bellte, was nicht nur den Jungen, sondern auch mich selbst aufschreckte. Seine glanzlosen Augen blinzelten irritiert. Ich bellte erneut.

»Okay«, murmelte er. Lustlos zog er einen Fuß aus dem Sumpf und setzte ihn vorsichtig wieder auf, aber er sank wieder ein.

Wir brauchten über einen halben Tag, um den Sumpf zu

durchqueren. Als wir den Bach auf der anderen Seite wiederfanden, floss er schneller, war breiter und tiefer. Bald gesellte sich ein anderer Bach hinzu, kurz darauf noch einer. Der Wasserlauf wurde so breit, dass der Junge Anlauf nehmen musste, wenn er hinüberspringen wollte, weil umgeknickte Bäume unseren Weg mal auf der einen, mal auf der anderen Seite blockierten. Das Springen machte ihn müde, und irgendwann rollte er sich für mehrere Stunden zum Schlafen zusammen. Ich legte mich zu ihm und hatte fürchterliche Angst, dass er nicht wieder aufwachen würde, aber das passierte dann doch nicht. Allerdings dauerte es eine Weile, bis er ganz zu sich kam.

»Du bist ein guter Hund, Bailey«, sagte er mit heiserer Stimme.

Am späten Nachmittag mündete der Bach in einen großen Fluss. Der Junge blieb stehen und starrte lange auf das dunkle Wasser. Dann ging er mit der Strömung weiter. Hohes Gras und üppige Bäume bestimmten jetzt die Landschaft.

Es begann Nacht zu werden, als ich Menschen witterte. Inzwischen schlurfte Ethan nur noch ziellos weiter und hob kaum die Füße vom Boden. Er fiel immer wieder hin, und jedes Mal dauerte es länger, bis er sich wieder aufrappelte. So verstand er auch nicht, warum ich voranpreschte und mit der Nase am Boden der Witterung folgte. »Bleib hier, Bailey«, murmelte er. »Wo willst du denn hin?«

Ihm fiel auch nicht auf, dass wir einen Trampelpfad erreicht hatten. Er blinzelte nur in die Dämmerung und versuchte nicht zu stolpern. Ich konnte ihm auch keine Veränderung anmerken, als wir statt Gras einen richtigen Weg unter den Füßen hatten. Inzwischen roch es nicht mehr diffus nach Mensch, vielmehr konnte ich jetzt den Geruch verschiedener

Menschen identifizieren. Es waren keine frischen Spuren, aber sie lagen genauso klar und deutlich vor mir wie die Spuren der Kinder, die in unserer Straße wohnten. Plötzlich richtete sich der Junge auf und atmete tief durch. »Hey!«, sagte er leise, als er den Weg erkannte.

Ich wusste jetzt, wo es langging, und lief voraus. Ich merkte, dass der Junge Mut schöpfte, und das gab auch mir wieder Kraft. Bald bogen der Weg und der Fluss nach rechts ab. Die Nase am Boden lief ich weiter. Der Menschengeruch wurde stärker, und es kamen frischere Spuren hinzu. Erst vor Kurzem war jemand hier gewesen.

Ethan blieb stehen, und ich lief zu ihm zurück. Mit offenem Mund stand er da und starrte auf etwas.

»Wow!«, sagte er.

Da entdeckte ich es ebenfalls. Über den Fluss führte eine Brücke, und als ich genauer hinsah, bemerkte ich einen Mann, der sich in der Dunkelheit am Brückengeländer entlangbewegte und suchend ins Wasser schaute. Ethans Puls beschleunigte sich, und ich konnte sein Herz klopfen hören. Doch gleich darauf schlug seine freudige Erregung in Angst um. Er wich zurück, eine Reaktion, die mich an die meiner ersten Mutter erinnerte, wenn wir bei der Jagd auf Menschen stießen.

»Ganz ruhig, Bailey!«, flüsterte er.

Ich war völlig verwirrt, aber ich spürte genau, wie Ethan sich fühlte, nämlich genauso wie an dem Abend, als er sich die Waffe geholt und alle Zimmer durchsucht hatte. Gespannt sah ich ihn an.

»Hey!«, rief der Mann auf der Brücke. Ethan erstarrte, bereit, sofort davonzulaufen.

»Hey!«, rief der Mann noch einmal. »Bist du Ethan?«

Zwölf

Der Mann von der Brücke nahm uns im Auto mit. »Wir haben ganz Michigan nach dir abgesucht«, sagte er.

Ethan senkte den Blick. Ich spürte seine Traurigkeit, seine Scham und immer noch etwas Angst.

Wir fuhren zu einem großen Haus, und als wir ankamen, machte Dad uns gleich die Wagentür auf, und Mom umarmte Ethan. Auch Grandma und Grandpa waren da, und alle waren glücklich. Aber niemand hatte ein Leckerchen für mich dabei. Der Junge wurde in einen Stuhl mit Rädern gesetzt, und ein Mann schob ihn ins Haus. An der Tür schaute er sich um und winkte mir zu. Er würde wieder auf die Beine kommen, aber mir war trotzdem ganz mulmig zumute, weil ich von ihm getrennt wurde. Doch Grandpa hielt mich am Halsband fest, ich hatte also keine Wahl.

Grandpa setzte mich ins Auto – endlich mal auf den Vordersitz! Wir fuhren zu einem Haus, wo jemand eine Tüte durchs Fenster reichte, die ganz köstlich duftete. Grandpa wickelte die heißen Sandwiches noch im Auto aus und gab mir eines nach dem anderen zu fressen. Er selbst gönnte sich ebenfalls eines.

»Das darfst du aber nicht Grandma verraten!«, sagte er.

Als wir nach Hause kamen, wunderte ich mich, dass Flare an ihrem üblichen Platz hinterm Zaun stand und mich seelenruhig anglotzte. Ich bellte sie durch das Autofenster an, bis Grandpa mir befahl, aufzuhören.

Der Junge blieb nur eine Nacht weg, aber es war das erste Mal, seit wir uns kannten, dass ich ohne ihn schlafen musste. Ich lief im Hausflur auf und ab, bis Dad rief: »Leg dich hin, Bailey!« Da rollte ich mich in Ethans Bett zusammen und schlief mit dem Kopf auf dem Kopfkissen ein, denn da war sein Geruch am stärksten.

Als Mom ihn am nächsten Tag nach Hause holte, war ich überglücklich, aber er war ganz ernst. Dad sagte, er sei ein böser Junge, und Grandpa sprach vor dem Waffenschrank ein ernstes Wörtchen mit ihm. Überhaupt waren alle sehr ernst, nur Flares Verhalten erwähnte niemand, dabei war sie es doch gewesen, die Schuld an der ganzen Misere hatte! Doch dann wurde mir klar, dass außer uns keiner mitbekommen hatte, wie die Sache wirklich abgelaufen war, so dass alle auf den Jungen wütend waren und nicht auf das Pferd.

Trotzdem war ich so wütend, dass ich Flare am liebsten kräftig ins Bein gebissen hätte, aber ich beherrschte mich, denn sie war wirklich ein Riesenvieh.

Das Mädchen kam den Jungen besuchen. Die beiden setzten sich auf die Veranda, ohne viel miteinander zu reden. Ab und an murmelte einer was vor sich hin, ohne den anderen dabei anzusehen.

»Hattest du Angst?«, fragte das Mädchen.

»Nein«, erwiderte der Junge.

»Ich hätte schreckliche Angst gehabt.«

»Aber ich hatte keine.«

»War es nachts nicht furchtbar kalt?«

»Doch, ziemlich.«

»Aha.«

»Ja.«

Aufmerksam verfolgte ich dieses Gespräch und achtete darauf, ob Worte wie »Bailey«, »Auto fahren« oder »Fressen« fallen würden. Da das aber nicht der Fall war, legte ich mich hin und seufzte. Das Mädchen beugte sich zu mir herunter und kraulte mich, und ich rollte mich auf den Rücken, damit sie mir den Bauch streicheln konnte.

Ich beschloss, sie zu mögen, und wünschte mir, dass sie öfter vorbeikommen und mir Brownies mitbringen würde.

Kurz darauf – ich war eigentlich noch lange nicht bereit – packte Mom unsere Sachen, und wir machten die lange Autofahrt, die bedeutete, dass die Schule wieder anfing. Als wir zu Hause die Einfahrt hinauffuhren, rannten uns schon mehrere Kinder entgegen. Marshmallow und ich beschnupperten uns auf dem Rasen und nahmen dann übergangslos unsere Rauferei wieder auf, die unser Lieblingsspiel war.

In der Nachbarschaft wohnten auch noch andere Hunde, aber Marshmallow hatte ich besonders gern. Vielleicht lag es daran, dass ich sie fast jeden Tag sah, wenn der Junge nach der Schule zu Chelseas Mutter ging. Wenn ich durchs offene Gartentor entwischte und auf Abenteuersuche ging, war Marshmallow auch oft draußen und begleitete mich. Gemeinsam durchsuchten wir dann die Mülltonnen der Nachbarn.

Entsprechend erschrocken war ich, als Chelsea sich eines Tages ganz außer sich vor Angst und Sorge aus dem Autofenster ihrer Mutter lehnte und laut ihren Namen rief: »Marshmallow! Marshmallow! Hierher, Marshmallow!« Chelsea stieg aus und berichtete Ethan, was geschehen war. Kurze Zeit später beteiligten sich auch die anderen Nachbarskinder an der Suche nach Marshmallow. Ich wusste sofort, dass sie ein böser Hund gewesen war und auf eigene Faust ihr Glück gesucht hatte.

Am frischesten war ihre Spur am Bach, aber dort wimmelte es von Kinder- und Hundespuren, so dass ich kaum ausmachen konnte, in welche Richtung sie gegangen war. Chelsea war traurig und weinte, und sie tat mir so leid, dass ich ihr meinen Kopf auf den Schoß legte, so dass sie mich in den Arm nehmen konnte.

Auch Todd half bei der Suche nach Marshmallow, und komischerweise befand sich ihr Geruch an seiner Hose. Ich beschnupperte ihn ausgiebig, aber das ärgerte ihn, und er stieß meinen Kopf weg. Seine Schuhe waren voller Matsch, und dort war Marshmallows Duft am stärksten. An seinen Schuhen befanden sich noch andere Gerüche, die ich nicht identifizieren konnte.

»Komm her, Bailey«, sagte Ethan, als er sah, wie Todd auf meine Bemühungen reagierte.

Marshmallow kehrte nie wieder nach Hause zurück. Ich musste an meine erste Mutter denken, die durch das Gatter im Hof der Señora in die Welt hinausgezogen war, ohne sich noch einmal umzuschauen. Manche Hunde zogen es wohl vor, frei und ungebunden umherzustreifen, weil sie keinen Jungen hatten, der sie liebte.

Mit der Zeit wurde Marshmallows Geruch in der Nachbarschaft immer schwächer, aber ich hörte nie auf, ihrer Fährte nachzugehen. Als ich an unsere gemeinsamen Spiele dachte, fiel mir auch meine alte Spielkameradin Coco wieder ein. Zu gern hätte ich sie einmal wiedergesehen, genau wie Marshmallow, aber langsam begriff ich, dass das Leben viel komplizierter war, als ich es mir damals bei der Señora hätte träumen lassen. Auch dass es letzten Endes von Menschen bestimmt wurde und nicht von Hunden, hatte ich inzwischen verstanden. Meine eigenen Wünsche waren unwichtig. Vielmehr war es meine Pflicht, da zu sein, wenn Ethan sich im Wald verirrte, Hunger hatte und fror. Dann musste ich ihn wärmen und ihm ein guter Gefährte sein.

In diesem Winter, ungefähr zu der Zeit, als Dad einen Baum im Wohnzimmer aufstellte, damit wir »Fröhliche Weihnachten« spielen konnten, bekam Chelsea einen Welpen, ein Mädchen, das sie Duchess nannte. Sie war ganz versessen aufs Spielen und trieb es manchmal so wild, dass es mir zu viel wurde, wenn sie mir beispielsweise ihre spitzen kleinen Zähne in die Ohren bohrte. Dann knurrte ich sie kurz an, damit sie aufhörte. Darauf blinzelte sie mich unschuldig an und gab ein paar Sekunden Ruhe, in denen sie wohl zu dem Schluss kam, dass ich es sicher nicht so gemeint hatte, woraufhin sie wieder auf mich losging. Sie war wirklich anstrengend.

Im nächsten Frühling war das Wort »Gokart« in aller Munde. Überall auf der Straße sägten und hämmerten die Kinder an Holzbrettern herum und ignorierten ihre Hunde. Jeden Abend kam Dad in die Garage, um sich mit dem Jungen über das Ding zu unterhalten, das er da baute. Irgendwann ging ich sogar freiwillig an den Schrank des Jungen und holte den elenden Flip heraus. Ich hoffte, ihn damit zum Spielen bewegen zu können, aber er konzentrierte sich weiterhin auf seine Holzteile, ohne sie auch nur ein einziges Mal zu werfen und von mir zurückbringen zu lassen.

»Schau, Bailey, mein Gokart!«, sagte er. »Damit kann ich superschnell fahren.«

Schließlich öffnete der Junge das Garagentor, setzte sich auf das Gokart und fuhr es wie einen Schlitten die Einfahrt hinunter. Ich trottete neben ihm her und fragte mich, warum wir uns so lange mit dem Ding herumgeplagt hatten, wenn nicht mehr dabei herauskam als diese lahme Fahrt zum Gartentor. Doch als der Junge dort angekommen war, stieg er ab, hob das Ding hoch, trug es zur Garage zurück und bastelte weiter daran herum!

Auf dem Flip konnte man wenigstens herumkauen.

An einem sonnigen Tag, als keine Schule war, gingen alle Nachbarskinder mit ihren Gokarts zu einer langen, steil abfallenden Straße, die ein paar Blocks entfernt lag. Duchess war noch zu klein, um mitzukommen, aber ich begleitete meinen Jungen natürlich. Allerdings hielt ich nichts von seinem ursprünglichen Plan: Er wollte sich ins Gokart setzen, und ich sollte ihn an der Hundeleine hinter mir herziehen.

Todd und sein älterer Bruder Drake waren auch dabei. Sie lachten und lästerten über Chelseas Gokart, was sie sehr kränkte. Die Kinder stellten ihre Gokarts am oberen Ende der Straße in einer Reihe nebeneinander, und Todd stand mit seinem genau neben Ethans.

Und dann folgte die Überraschung. Jemand schrie: »Los!«, und die Gefährte setzten sich in Bewegung und rollten immer schneller die abschüssige Straße hinunter. Drake rannte hinter Todd her und gab ihm einen gewaltigen Stoß, so dass es nach vorne schoss.

»Ihr schummelt!«, schrie Chelsea. Ihr Gokart fuhr ziemlich langsam, aber Ethans wurde immer schneller. Bald musste ich richtig rennen, um noch mithalten zu können. Fast alle Gokarts blieben über kurz oder lang zurück, bis auf Ethans, der Todd dicht auf den Fersen war.

Ich mobilisierte all meine Kräfte, genoss die zügellose Freiheit und raste meinem Jungen hügelabwärts hinterher. Unten stand ein Junge namens Billy mit einer Fahne; anscheinend hatte auch er mit dem neuen Spiel etwas zu tun. Ethan hing mit gebeugtem Kopf über dem Steuerknüppel, und er schien so viel Spaß zu haben, dass ich bei ihm im Gokart sein wollte. Ich legte einen Sprint ein und sprang mit einem gewaltigen Satz hinter ihm auf. Ich hatte so viel Schwung, dass ich auf der anderen Seite beinahe wieder heruntergefallen wäre.

Mein Sprung hatte dem Gefährt einen solchen Schub gegeben, dass wir Todd überholten. Billy schwenkte seine Fahne, und dann hörte ich, dass hinter uns alles applaudierte und jubelte, während unser Gokart auf dem flachen Teil der Straße langsam ausrollte.

»Guter Hund!«, sagte der Junge und lachte.

Nach und nach rollten die anderen Gokarts heran, alle Kinder lachten und schrien durcheinander. Billy kam zu uns, nahm Ethans Hand, hielt sie hoch und ließ den Stock mit der Fahne fallen. Ich schnappte mir das Ding und stolzierte damit herum. So schnell sollte es mir keiner mehr abnehmen!

»Das ist unfair, total unfair!«, schrie Todd.

Die anderen Kinder wurden ganz still. Todd brodelte vor Zorn, als er sich nun vor Ethan aufbaute.

»Dieser verdammte Köter ist auf das Kart gesprungen, nur deshalb hast du gewonnen. Du bist disqualifiziert!«, sagte Drake, der sich neben seinen Bruder stellte.

»Und du hast deinen Bruder angeschoben!«, rief Chelsea.

»Na und?«

»Ich hätte Todd sowieso eingeholt«, sagte Ethan.

»Wer findet, dass Todd Recht hat, soll ›Okay‹ sagen!«, rief Billy.

»Okay!«, riefen Todd und sein Bruder.

»Wer findet, dass Ethan gewonnen hat, soll ›Nein‹ sagen.«

»Nein!«, schrien alle anderen. Es war so laut, dass ich erschrocken den Stock mit der Fahne fallen ließ.

Todd trat einen Schritt vor und schlug Ethan. Der duckte

sich und setzte seinerseits zum Angriff an. Beide gingen zu Boden.

»Eine Prügelei!«, schrie Billy.

Ich setzte mich in Bewegung, um meinen Jungen zu beschützen, aber Chelsea hielt mich am Halsband fest und sagte: »Nein, Bailey, bleib!«

Ineinander verkeilt wälzten sich die Jungen über den Boden. Ich zerrte am Halsband und versuchte es abzustreifen, aber Chelsea hielt mich mit aller Kraft fest. Frustriert begann ich zu bellen.

Bald gewann Ethan die Oberhand und setzte sich auf Todds Brust. Beide Jungen keuchten vor Anstrengung. »Gibst du auf?«, fragte Ethan.

Todd wandte den Blick ab und schloss die Augen. Er fühlte sich erniedrigt und hasste seinen Gegner bis aufs Blut. Doch schließlich nickte er. Erschöpft standen die Jungen auf und klopften sich den Schmutz aus den Hosen.

Ich spürte Drakes plötzliche Wut im selben Moment, als er auch schon losstürzte und mit beiden Händen auf Ethan einschlug. Ethan geriet ins Wanken, fiel aber nicht hin.

»Los, Ethan, wehr dich!«, stieß er zornig hervor.

Unschlüssig sah Ethan zu dem älteren Jungen auf, bis Billy vortrat. »Tu's nicht!«, sagte er.

»Tu's nicht!«, sagte auch Chelsea.

»Tu's nicht!«, sagten nun auch andere Kinder.

Drake schaute in die Runde, dann spuckte er auf den Boden und hob Todds Gokart hoch. Ohne noch ein Wort zu sagen, zogen die Brüder ab.

»Denen haben wir's aber gezeigt, was, Bailey?«, sagte Ethan. Alle zogen ihre Gokarts den Hügel hinauf, und dann fuhren sie den ganzen Tag damit herum. Nachdem Chelseas Gefährt ein Rad verloren hatte, ließ Ethan sie manchmal mit seinem fahren, und sie ließ mich jedes Mal hinten aufsteigen.

An diesem Abend war Ethan beim Essen ganz aufgeregt und redete pausenlos auf Mom und Dad ein, die lächelnd zuhörten. Als er zu Bett ging, konnte er noch lange nicht einschlafen. Später schlief er so unruhig, dass ich mich lieber auf den Boden legte. Deswegen war ich noch wach, als ich unten im Haus einen fürchterlichen Lärm hörte.

»Was war das?«, fragte der Junge und setzte sich kerzengerade auf. Dann sprang er aus dem Bett, und im selben Moment ging im Hausflur das Licht an.

»Bleib in deinem Zimmer, Ethan«, sagte Dad. Er klang angespannt, verärgert und ängstlich. »Komm mit, Bailey!«

Gehorsam folgte ich Dad die Treppe hinunter. Er bewegte sich vorsichtig und knipste das Licht im Wohnzimmer an. »Wer da?«, rief er laut.

Der Wind bauschte die Vorhänge am Fenster, das zur Straße hinausging. Normalerweise stand dieses Fenster nie offen. »Kommt nicht barfuß herunter!«, rief Dad durchs Haus.

»Was ist passiert?«, fragte Mom.

»Jemand hat einen Stein durchs Fenster geworfen. Bleib stehen, Bailey!«

Ich spürte, dass Dad sich Sorgen machte, und schnüffelte an den Glasscherben, die überall im Zimmer herumlagen. Auch ein Stein lag auf dem Boden. Als ich mit der Nase näher kam, erkannte ich den Geruch sofort.

Todd.

Dreizehn

Im darauffolgenden Frühling wurde Smokey krank. Er lag nur noch herum und stöhnte und protestierte nicht mal, wenn ich meine Nase in sein Fell steckte, um herauszufinden, warum er sich plötzlich so merkwürdig benahm. Mom machte sich große Sorgen und fuhr mit ihm im Auto davon. Als sie zurückkehrten, war Mom ziemlich bedrückt. Wahrscheinlich lag es daran, dass Katzen keine besonders unterhaltsamen Beifahrer sind.

Etwa eine Woche darauf starb Smokey. Nach dem Abendessen ging die ganze Familie in den Garten, wo Ethan ein großes Loch ausgehoben hatte. Sie wickelten Smokey in eine Decke, legten ihn in das Loch und bedeckten ihn mit Erde. Neben dem frischen Erdhäufchen hämmerte Ethan ein Stück Holz in den Boden, und Mom und er weinten. Ich stupste sie mit der Nase an, um ihnen klarzumachen, dass es keinen Grund zur Trauer gab, solange es mir gut ging. Außerdem war ich immer ein viel besseres Haustier als Smokey gewesen.

Nachdem Mom und der Junge am nächsten Tag zur Schule gefahren waren, ging ich in den Garten und buddelte Smokey wieder aus, denn ich konnte mir nicht vorstellen, dass meine Leute etwas so Wertvolles wie eine tote Katze in dem Erdloch verrotten lassen wollten.

In diesem Sommer fuhren wir nicht auf die Farm. Ethan

und ein paar Freunde aus der Nachbarschaft gingen morgens von Haus zu Haus und mähten dort mit lauten Geräten den Rasen. Er nahm mich zwar immer mit, aber während er in den Gärten arbeitete, band er mich an einem Baum fest. Ich liebte den Geruch des frisch geschnittenen Grases, aber die Arbeit als solche war nicht nach meinem Geschmack – schon gar nicht als Alternative zur Farm. Grandma und Grandpa kamen uns besuchen und blieben eine Woche, aber das war nicht so schön wie unsere Besuche bei ihnen, erst recht nicht, als Dad und Grandpa eines Tages im Garten Maiskolben schälten und dabei ärgerlich miteinander sprachen. Ich spürte, wie wütend sie waren, und vermutete, dass es an dem ungenießbaren Abfall lag, den sie von den Pflanzen zupften. Ich hatte mich selbst davon überzeugt, dass man das Zeug nicht fressen konnte. Jedenfalls fühlten Dad und Grandpa sich von da an nicht mehr wohl, wenn sie beieinander waren.

Als die Schule wieder anfing, änderte sich manches. Wenn der Junge aus der Schule kam, ging er nicht mehr zu Chelsea. Meist kam er sogar als Letzter aus der Schule. Wenn er dann die Auffahrt entlangrannte, nachdem er von einem Auto an der Straße abgesetzt worden war, roch er nach Schweiß, Gras und Erde. Manchmal fuhren wir abends zu einer großen Menschenansammlung, die sich, wie ich lernte, ein sogenanntes Footballspiel ansah. Da musste ich dann an der Leine neben Mom am Rand eines großen Feldes sitzen. Aus unerfindlichen Gründen brachen die Zuschauer alle paar Minuten in ein fürchterliches Gebrüll aus. Auf dem Feld balgten Jungen miteinander herum und warfen einander Bälle zu. Mal rannten sie ganz dicht an mir vorbei, dann wieder spielten sie am anderen Ende des Feldes.

Manchmal konnte ich Ethan unter all den Spielern wenigstens riechen, aber alles in allem war es ziemlich frustrierend, einfach nur dazusitzen und nichts tun zu können, um das Spiel zu beleben. Zu Hause hatte ich gelernt, einen Football ins Maul zu nehmen, aber hier nützte mir das gar nichts. Einmal, als ich mit dem Jungen in unserem Garten Football gespielt hatte, hatte ich zu fest zugebissen, und der Ball war zu einem flachen Leder zusammengeschrumpft, bis er dem Flip ähnelte. Seitdem durfte ich nicht mehr auf solchen Bällen herumkauen, aber wenn ich vorsichtig war, durfte ich weiterhin mitspielen. Mom schien das allerdings nicht zu wissen, denn sie hielt meine Leine ganz fest. Dabei hätten die Jungen sicher viel mehr Spaß gehabt, wenn sie mich hätten jagen können, statt hintereinander herzurennen, denn ich war schneller als sie.

Chelseas Welpenmädchen, Duchess, wurde größer, und nachdem ich ihr klargemacht hatte, wie sie sich mir gegenüber zu benehmen hatte, wurden wir dicke Freunde. Eines Tages stand unsere Gartenpforte offen, und ich ging sie besuchen. Sie trug einen Plastikkragen um den Hals, und es schien ihr gar nicht gut zu gehen. Ganz schlapp klopfte sie ein wenig mit dem Schwanz, als sie mich vor ihrem Käfig sah, aber sie stand nicht mal auf. Der Anblick gefiel mir gar nicht, und ich konnte nur hoffen, dass niemand auf die Idee kommen würde, auch mir noch einmal so ein Ding überzustreifen.

Dann schneite es, und ich ging mit Ethan Schlitten fahren. Nachdem der Schnee geschmolzen war, spielten wir mit hüpfenden Gummibällen. Manchmal holte der Junge noch den Flip aus dem Schrank und sah ihn nachdenklich an, aber dann wandte ich mich ab und wollte nichts mehr davon wissen. Der Junge hielt das Ding hoch, betrachtete es von allen Seiten und prüfte sein Gewicht, aber dann seufzte er nur und legte es glücklicherweise wieder weg.

Auch im darauffolgenden Sommer fuhren wir nicht auf die Farm. Wieder gingen der Junge und seine Freunde in der Nachbarschaft Rasen mähen, obwohl ich gedacht hatte, es sei ihm längst zu langweilig geworden. Dad verschwand für ein paar Tage, und in der Zeit besuchten uns Grandma und Grandpa. Ihr Wagen roch nach Flare und Heu und dem Teich, und ich schnüffelte ausgiebig daran herum, ehe ich das Bein hob und an die Reifen urinierte.

»Mein Gott, bist du groß geworden!«, sagte Grandma zu Ethan.

Als das Wetter etwas kühler wurde, spielten die Jungen wieder Football. Und dann hatte Ethan eine wunderbare Überraschung für mich parat: Er konnte jetzt selbst Auto fahren! Das änderte natürlich alles, denn jetzt nahm er mich fast überall mit hin. Ich stand auf dem Vordersitz, hielt die Nase aus dem Fenster und half ihm beim Fahren. Es stellte sich heraus, dass er in letzter Zeit immer erst so spät nach Hause gekommen war, weil er nach der Schule noch Football gespielt hatte. Wenn er mich dazu jetzt mitnahm, band er mich am Zaun fest und stellte mir eine Schüssel Wasser hin. Das war zwar ziemlich langweilig, aber wenigstens war ich bei meinem Jungen.

Manchmal vergaß er allerdings, mich mitzunehmen, wenn er mit dem Auto wegfuhr. Dann saß ich im Garten und jaulte, bis er zurückkehrte. Meist kam Mom dann heraus, um nach mir zu sehen.

»Na, Bailey, sollen wir spazieren gehen?«, fragte sie so lange, bis ich sie aufgeregt umkreiste. Sie befestigte die Leine an meinem Halsband, und dann patrouillierten wir die Straße entlang und blieben alle paar Meter stehen, damit ich mein Revier markieren konnte. Oft kamen wir an Kindern vorbei, die miteinander spielten, und ich fragte mich, warum Ethan das kaum noch tat. Manchmal ließ Mom mich von der Leine, und ich rannte mit den Kindern um die Wette.

Ich mochte Mom sehr. Allerdings gefiel mir gar nicht, dass sie immer den Deckel der großen Wasserschüssel zuklappte, wenn sie im Badezimmer war. Ethan dagegen ließ ihn immer für mich offen.

Als Ethan und Mom im nächsten Sommer nicht mehr zur Schule gingen, fuhren sie mit mir zur Farm. Ich war überglücklich, endlich wieder dort zu sein. Flare tat so, als würde sie mich nicht kennen, und ich war mir nicht sicher, ob die Enten noch dieselben waren, aber alles andere war genau wie früher.

Ethan arbeitete fast jeden Tag mit Grandpa und ein paar Männern. Sie hämmerten und zersägten Bretter, und zuerst dachte ich, sie wollten ein neues Gokart bauen, aber nach etwa einem Monat wurde klar, dass es sich um eine neue Scheune handelte, genau neben der alten, die ein großes Loch im Dach hatte.

Ich war der Erste, der die Frau bemerkte, die aufs Haus zukam, und ich rannte los, denn unter anderem war ich ja auch so etwas wie ein Wachhund. Als ich nahe genug war, um ihren Geruch aufzunehmen, merkte ich, dass es das Mädchen war, das viel größer geworden war. Sie erinnerte sich an mich, und ich wand mich vor Freude, als sie mich hinter den Ohren kraulte.

»Hallo, Bailey! Hast du mich vermisst? Guter Hund, Bailey, guter Hund!«

Als die anderen das Mädchen bemerkten, hörten sie auf zu arbeiten. Ethan kam gerade aus der alten Scheune und blieb überrascht stehen.

»O. Hi. Hannah?«

»Hi, Ethan.«

Grandpa und die anderen Männer grinsten einander an. Ethan schaute sich über die Schulter zu ihnen um und wurde rot. Dann kam er zu Hannah und mir herüber.

»Ja, also … hi«, sagte er.

»Hi.«

Die beiden sahen einander nicht an. Hannah hörte auf, mich zu kraulen, und ich stupste sie mit der Nase an, um ihr zu verstehen zu geben, dass sie weitermachen sollte.

»Kommst du mit ins Haus?«, fragte Ethan.

Wenn ich in diesem Sommer mit meinem Jungen Auto fuhr, konnte ich immer riechen, dass das Mädchen vorher auf meinem Sitz gesessen hatte. Manchmal kam sie uns besuchen und aß bei uns. Danach setzten Ethan und sie sich auf die Veranda und redeten. Ich machte es mir zu ihren Füßen bequem, um ihnen zu einem interessanten Gesprächsthema zu verhelfen.

Einmal wurde ich aus einem wohlverdienten Nickerchen geweckt, weil die beiden merkwürdige Geräusche machten. Sie saßen auf der Couch, die Köpfe ganz nah beieinander, und ihre Herzen klopften wie wild. Ich spürte, dass sie Angst hatten und furchtbar aufgeregt waren. Es hörte sich an, als würden sie essen, aber ich konnte kein Essen riechen. Da ich nicht wusste, was los war, kletterte ich auf die Couch und drückte meinen Kopf zwischen ihre Köpfe. Da brachen sie in Gelächter aus.

An dem Tag, als Mom und Ethan nach Hause fuhren, weil die Schule wieder losging, roch die Luft nach der frischen Farbe, mit der die Scheune gestrichen worden war. Das Mädchen kam zu uns herüber, und Ethan und sie setzten sich auf den Anleger, ließen die Füße in den Teich hängen und unterhielten sich. Das Mädchen weinte, und die beiden umarmten einander immer wieder, aber sie warfen keine Stöckchen ins Wasser und taten auch sonst nichts von alledem, was die Leute normalerweise am Teich taten. Das irritierte mich, und ich konnte es nicht verstehen. Vor der Abfahrt umarmten sie sich erneut. Als wir davonfuhren, hupte Ethan zum Gruß.

Zu Hause gab es einige Veränderungen. Zum einen hatte Dad jetzt ein eigenes Schlafzimmer mit einem neuen Bett. Das Badezimmer teilte er mit Ethan, und ich ging, ehrlich gesagt, nicht gern hinein, nachdem Dad es benutzt hatte. Zum anderen verbrachte Ethan, wenn er nicht gerade mit seinen Freunden Football spielte, viel Zeit mit Telefonieren in seinem Zimmer. Dabei sagte er immer wieder Hannahs Namen.

Die Blätter fielen schon von den Bäumen, als Ethan mich zu einer Autofahrt mitnahm. Am Ziel standen große silberne Schulbusse, in denen viele Leute saßen, und aus einem stieg plötzlich das Mädchen aus. Ich weiß nicht, wer sich mehr freute: ich oder der Junge. Ich wollte gleich mit dem Mädchen spielen, aber das ging nicht, weil Ethan sie die ganze Zeit umarmte. Trotzdem freute ich mich so sehr, dass es mir nichts ausmachte, für die Rückfahrt auf den Rücksitz verbannt zu werden.

»Unser Trainer sagt, dass Talentscouts von der University of Michigan und der Michigan State University heute Abend zum Spiel kommen, um mich zu sehen, Hannah«, sagte der Junge. Natürlich verstand ich nur das Wort »Hannah«, aber ich merkte auch, dass der Junge gleichzeitig ängstlich und aufgeregt war. Hannah dagegen war voller Freude und Stolz. Ich schaute aus dem Fenster, um den Grund für ihre Gefühle zu ergründen, aber ich konnte nichts Ungewöhnliches entdecken.

An diesem Abend war ich stolz darauf, neben Hannah stehen zu können, als der Junge mit seinen Freunden Football spielte. Ich war mir ganz sicher, dass sie noch nie an einem so wunderbaren Ort wie diesem riesigen Feld gewesen war, und ich führte sie dahin, wo Mom sonst immer mit mir hinging, und zeigte ihr, wo sie sich hinsetzen konnte.

Kaum waren wir dort angekommen, als Todd plötzlich auftauchte. In letzter Zeit hatte ich nicht viel von ihm gesehen. Nur seine Schwester, Linda, fuhr oft mit ihrem Fahrrad durch die Straße. »Hi, Bailey«, sagte er freundlich, aber das änderte nichts daran, dass mit ihm etwas nicht stimmte. Als er mir die Hand hinstreckte, roch ich nur kurz daran.

»Du kennst Bailey?«, fragte das Mädchen. Ich wedelte mit dem Schwanz, als sie meinen Namen sagte.

»Wir sind gute Kumpel, stimmt's, Bailey? Du bist ein guter Hund.«

Ich legte keinen Wert darauf, von jemandem wie Todd »guter Hund« genannt zu werden.

»Du gehst nicht auf unsere Schule. Gehörst du zum gegnerischen Team?«, fragte Todd.

»Nein, ich besuche Ethans Familie.«

»Bist du Ethans Cousine?«

Die Zuschauer schrien und applaudierten, und ich schaute aufs Spielfeld, aber da wurde nur gebalgt, so wie immer. So ging es mir beim Football immer: Andauernd regten die Leute sich über irgendwas auf, und wenn ich nachschaute, was es war, passierte auf dem Spielfeld das Gleiche wie sonst.

»Nein, nur … eine Freundin.«

»Hast du Lust auf eine Party?«, fragte Todd.

»Wie bitte?«

»Ob du Lust auf eine Party hast? Ich treffe mich mit ein paar Freunden. Das Spiel ist doch langweilig.«

»Nein, ich … Ich warte lieber auf Ethan.«

Ich schaute zu dem Mädchen auf und spürte, dass sie aus irgendeinem Grund nervös war, wahrend Todd wütend wurde – wie so oft.

»Ethan!«, sagte Todd und spuckte aufs Gras. »Dann seid ihr also ein Paar, was?«

»Also …«

»Dann solltest du wissen, dass er die ganze Zeit mit Michele Underwood rumhängt.«

»Was?«

»Ja, das weiß hier jeder.«

»Ach ja?«

»Ja, klar. Wenn du dachtest, das mit euch beiden sei für ihn etwas Besonderes … Vergiss es!« Todd kam näher. Hannah machte sich ganz steif, als er ihr die Hand auf die Schulter legte. Sie wurde immer nervöser, und ich stand auf, um ihr beizustehen. Todd schaute auf mich herab, und als unsere Blicke sich trafen, standen mir die Nackenhaare zu Berge. Unwillkürlich knurrte ich drohend.

»Bailey!« Das Mädchen sprang auf. »Was hast du denn plötzlich?«

»Ja, was ist los, Bailey? Ich bin's doch, dein Freund.« Todd schaute das Mädchen an. »Ich heiße übrigens Todd.«

»Und ich Hannah.«

»Warum bindest du den Hund nicht irgendwo an und kommst mit? Es wird bestimmt lustig.«

»Das kann ich doch nicht machen!«

»Warum nicht? Komm schon!«

»Nein, ich muss auf Bailey aufpassen.«

Todd zuckte mit den Schultern und starrte Hannah an. »Tja dann … auch egal.« Seine Wut war so groß, dass ich noch einmal knurrte, und dieses Mal wies mich das Mädchen nicht zurecht. »Frag Ethan mal nach Michele.«

»Ja, mach ich.«

»Alles klar. Aber vergiss es nicht!« Todd rammte die Hände in die Hosentaschen und ging weg.

Ethan war ziemlich glücklich und aufgeregt, als er eine Stunde später auf uns zugelaufen kam. »Michigan State, ich komme! Die Spartans!«, rief er. Ich wedelte mit dem Schwanz und bellte, aber gleich darauf wurde der Junge ganz ernst. »Was hast du denn, Hannah?«, fragte er.

»Wer ist Michele?«

Ich legte eine Pfote an Ethans Bein, um ihm zu zeigen, dass ich für ein Footballspiel bereit war und es jederzeit losgehen konnte.

»Michele? Wer soll das sein?« Ethan lachte, aber er hörte gleich wieder auf, so als sei ihm die Luft ausgegangen, und fragte: »Was ist denn plötzlich mit dir los?«

Dann führten sie mich immer im Kreis um das Spielfeld herum und unterhielten sich so intensiv, dass sie nichts merkten, als ich ein halbes Hot Dog, jede Menge Popcorn und ein Stück Thunfischsandwich fraß. Bald waren alle anderen gegangen, aber die beiden gingen immer weiter im Kreis herum.

»Ich kenne diese Michele überhaupt nicht«, sagte Ethan immer wieder. »Mit wem hast du denn gesprochen?«

»Ich habe vergessen, wie er heißt, aber er kannte Bailey.«

Ich erschrak, als ich meinen Namen hörte, und dachte ich würde wegen der Süßigkeiten Ärger kriegen, die ich gerade gefunden hatte und unauffällig fraß.

»Alle hier kennen Bailey. Er kommt immer zu den Spielen mit.«

Schnell schluckte ich die Süßigkeiten runter, aber offenbar bekam ich gar keinen Ärger. Nach einer weiteren Runde um das Spielfeld, die ziemlich öde war, weil ich bereits alles Brauchbare gefressen hatte, blieben Ethan und Hannah stehen und umarmten sich. Immer wieder.

»Iiih, du bist ja ganz verschwitzt!« Das Mädchen lachte und stieß Ethan von sich fort.

»Lust aufs Autofahren, Bailey?«, fragte der Junge.

Natürlich hatte ich Lust! Wir fuhren nach Hause, wo die beiden sich weiter unterhielten. Aber nebenbei fütterten sie mich, und so machte es mir nichts aus, auf dem Fußboden des Wohnzimmers zu schlafen, während sie auf der Couch leise miteinander balgten.

Es gab jetzt eine neue Hundeklappe, die von der Hintertür des Hauses direkt in den Garten führte, und niemand versuchte mehr, mich zum Schlafen in die Garage zu verbannen. Wenigstens *diese* Unart hatte ich der Familie abgewöhnt. Ich ging nach draußen, um mich zu erleichtern, und staunte, als ich ein Stück Fleisch nahe dem Gartenzaun im Gras liegen sah.

Aber etwas schien damit nicht zu stimmen, denn es hatte einen stechenden, bitteren Geruch. Noch merkwürdiger war, dass es nach Todd roch.

Ich hob es auf und trug es zur hinteren Veranda. Als ich es dort ablegte, bildete sich Schaum in meinem Maul. Ich setzte mich und betrachtete das Fleisch eingehend. Es schmeckte zwar nicht gut, aber es war ein schönes, großes Stück. Wenn ich schnell genug war, konnte ich es wahrscheinlich verschlingen, ohne allzu viel davon zu schmecken.

Ich stieß es mit der Nase an und fragte mich, warum es so stark nach Todd roch.

Vierzehn

Als Mom am nächsten Morgen herauskam und mich sah, ließ ich den Kopf hängen und berührte den Boden der Veranda mit der Schwanzspitze, denn obwohl ich gar nichts falsch gemacht hatte, fühlte ich mich irgendwie ertappt.

»Guten Morgen, Bailey«, sagte sie. Dann sah sie das Fleisch und fragte: »Was ist das?«

Sie beugte sich vor, um das Fleisch genauer anzusehen, und ich rollte mich auf den Rücken, damit sie mir den Bauch kraulen konnte. Ich hatte mir dieses Fleisch schon die ganze Nacht lang angesehen, jedenfalls kam es mir so vor, und ich war ziemlich erschöpft und wollte mich vergewissern, dass ich alles richtig gemacht hatte, obwohl ich nicht recht begriff, worum es eigentlich ging. Aber dass hier irgendwas nicht stimmte, spürte ich, und deswegen hatte ich freiwillig auf die an sich willkommene Extraportion verzichtet.

»Wo kommt das her, Bailey?« Mom streichelte mir über den Bauch, nahm das Fleisch vom Boden und sagte: »Igitt!«

Ich setzte mich erwartungsvoll auf. Wenn sie mir das Fleisch füttern wollte, bedeutete es, dass es in Ordnung war. Doch sie machte kehrt und brachte es ins Haus. Ich kam mit dem Hinterteil hoch und sah ihr enttäuscht nach, denn jetzt, da Mom mir das Fleisch wegnahm, änderte ich meine Meinung und wollte es haben!

»Pfui, Bailey! Das kannst du doch nicht fressen, was immer es sein mag«, sagte sie und warf das Fleisch in den Mülleimer.

Hannah saß auf meinem Sitz, als wir wieder zu den riesigen silbernen Schulbussen fuhren, und sie und Ethan ließen mich im Wagen allein, als sie ausstiegen und sich endlos umarmten. Als der Junge zurückkam, war er traurig und einsam, und ich legte ihm den Kopf auf den Schoß, statt die Nase in den Wind zu halten.

Das nächste Mal kam das Mädchen zu Besuch, als die Familie drinnen um einen Baum herumsaß und buntes Papier zerriss, weil sie mal wieder Fröhliche Weihnachten feierten. Sehr zu meinem Missfallen schenkte Ethan seiner Mom einen schwarz-weißen Kater namens Felix. Er war noch ganz klein und hatte keine Manieren. Andauernd stürzte er sich auf meinen Schwanz, und wenn ich mich hinsetzte, kam er hinter der Couch hervorgeschossen und attackierte mich, indem er mich mit seinen winzigen Pfoten bearbeitete. Als ich mit ihm spielen wollte, wickelte er seine Pfoten um meine Nase und biss mit seinen kleinen scharfen Zähnen hinein. Hannah schenkte dem Kätzchen viel zu viel Aufmerksamkeit, dabei kannte ich sie doch viel länger und war ganz klar das Haustier Nummer eins. Außerdem hatten Hunde wichtige Aufgaben, wie etwa zu bellen, wenn es an der Haustür klingelte, während Katzen völlig nutzlose Kreaturen waren.

Wenigstens eines konnte das Kätzchen nicht: aus dem Haus gehen. Der Erdboden war dick mit Schnee bedeckt, und als Felix es einmal wagte, eine Pfote in das weiche Zeug zu setzen, drehte er sofort wieder um und raste ins Haus zurück, als hätte er sich verbrannt. Als Hannah und Ethan im Garten einen dicken Schneehaufen auftürmten und einen Hut draufsetzten, war nur ich bei ihnen. Der Junge balgte mit mir und zog mich durch das weiße Zeug, und ich ließ mich von ihm einfangen, weil es so schön war, wenn er die Arme um mich legte, so wie früher, als er noch kleiner war.

Als wir Schlittenfahren gingen, saß Hannah hinter ihm, und ich rannte nebenher, bellte und schnappte nach den Handschuhen des Jungen.

Eines Nachmittags schien die Sonne, und die Luft war so kalt und rein, dass ich sie bis tief in die Kehle hinein spüren konnte. Alle Kinder der Nachbarschaft waren zum Schlittenfahren auf den Hügel gekommen, und Hannah und Ethan gaben den jüngeren Anschwung, wenn sie nicht gerade selbst hinuntersausten. Mir wurde es bald zu viel, andauernd hinauf- und hinunterzurennen, deshalb saß ich am Fuße des Hügels, als Todd angefahren kam.

Er sah mich an, als er aus dem Wagen stieg, sagte aber nichts und streckte auch nicht die Hand aus. Ich blieb auf Distanz.

»Linda! Du sollst nach Hause kommen«, rief er, und der Atem schoss ihm wie eine Dampfwolke aus dem Mund.

Linda war mit drei kleinen Freundinnen auf dem Hügel und rutschte auf einem tellerförmigen Schlitten langsam herunter. Ethan und Hannah sausten an ihr vorbei und lachten.

»Ich will aber nicht!«, rief Linda.

»Komm schon! Mom will es so.«

Ethan und Hannah waren unten angekommen und purzelten vom Schlitten. Sie kugelten sich durch den Schnee und lachten. Todd beobachtete sie.

Ich spürte, dass plötzlich etwas aus seinem Inneren an die Oberfläche kam. Es war keine Wut, sondern etwas Schlimmeres, etwas Dunkles, ein Gefühl, das ich noch bei keinem Menschen wahrgenommen hatte. Es war ganz deutlich zu spüren und wurde immer stärker, als er Ethan und Hannah beobachtete, ohne eine Miene zu verziehen.

Ethan und das Mädchen standen auf und klopften sich gegenseitig den Schnee aus den Kleidern. Dann hakten sie sich unter und gingen zu Todd hinüber. Sie verströmten so viel Liebe und Freude, dass sie blind waren für den Hass, der von Todd ausging.

»Hallo, Todd.«

»Hi.«

»Das ist Hannah. Hannah, das ist Todd. Er wohnt in unserer Straße.«

Hannah lächelte und reichte ihm die Hand. »Schön, dich kennenzulernen.«

Todd stutzte. »Wir kennen uns doch schon.«

Hannah legte den Kopf schief und strich sich eine Haarsträhne aus dem Gesicht. »Ach ja?«

»Woher denn?«, fragte Ethan.

»Vom Football«, sagte Todd und lachte auf, aber es klang, als ob er bellte.

Ethan schüttelte den Kopf und schien nicht zu wissen, was Todd meinte, aber Hannah nickte. »Ach ja, stimmt«, sagte sie plötzlich kleinlaut.

»Was?«, fragte Ethan.

»Ich soll meine Schwester abholen«, sagte Todd, legte die Hände an den Mund und schrie: »Los jetzt, Linda, komm schon!«

Linda verabschiedete sich von ihren Freunden und stapfte missmutig durch den Schnee auf ihren Bruder zu.

»Er… er war derjenige, mit dem ich mich damals unterhalten habe«, sagte Hannah zu Ethan. Plötzlich wirkte sie besorgt, und ich beobachtete sie neugierig. Dann warf ich Todd einen erneuten Blick zu und merkte, dass er immer wütender wurde.

»Moment mal! Du, Todd? Du warst derjenige, der Hannah erzählt hat, ich sei mit Michele zusammen? Ich kenne überhaupt keine Michele!«

»Ich muss los«, murmelte Todd. Dann blaffte er seine Schwester an: »Los, steig ein, Linda!«

»Nein, warte!«, sagte Ethan. Er hielt Todd fest, aber Todd riss sich los und ging zum Auto.

»Ethan!«, sagte Hannah leise und packte ihn am Arm.

»Warum hast du das getan, Todd? Warum verbreitest du solche Lügen? Was ist los mit dir, Mann?«

Obwohl Todd vor Wut so sehr kochte, dass fast der Schnee geschmolzen wäre, auf dem er stand, starrte er Ethan nur wortlos an.

»Darum hast du keine Freunde, Todd. Warum kannst du nicht einfach mal normal sein, statt andauernd so einen Mist zu bauen? Das ist doch krank!« Ethans Ärger verflog, aber ich merkte, dass er immer noch aufgeregt war.

»Ethan«, sagte Hannah jetzt lauter.

Wortlos stieg Todd in seinen Wagen und knallte die Tür zu. Dann drehte er sich noch einmal mit völlig ausdruckslosem Gesicht zu Hannah und Ethan um.

»Das war gemein«, sagte Hannah.

»Ach was, du kennst ihn nicht.«

»Das spielt doch keine Rolle«, erwiderte Hannah. »Du hättest nicht sagen dürfen, dass er keine Freunde hat.«

»Aber er hat wirklich keine. Schließlich verhält er sich andauernd so. Einmal hat er diesen Typen beschuldigt, sein Radio geklaut zu haben. Aber auch das war eine glatte Lüge.«

»Er ist so … anders. Geht er überhaupt auf eine normale Schule?«

»Ja, er ist sogar ziemlich intelligent. Das ist nicht das Problem. Aber er ist nun mal, wie er ist. Er war immer irgendwie *verdreht*, weißt du? Als Kinder waren wir miteinander befreundet, aber er hatte immer seine ganz eigenen Vorstellungen davon, was Spaß machen könnte, wie zum Beispiel kleine Kinder mit Eiern zu bewerfen, wenn sie auf den Bus warteten, der sie ins Sommerlager bringen sollte. Ich wollte nicht mitmachen. Immerhin war Todds eigene Schwester unter den Kindern, stell dir das bloß mal vor! Da hat er vor Wut die Eierschachtel zertrampelt, die er mitgebracht hatte. Ich musste den ganzen Schleim dann mit dem Gartenschlauch aus unserer Einfahrt spritzen, ehe mein Dad nach Hause kam. Nur Bailey hatte seinen Spaß dabei.«

Ich wedelte mit dem Schwanz und freute mich, dass Ethan über mich sprach.

»Das kann ich mir vorstellen.« Hannah lachte, bückte sich und streichelte mich.

Ein paar Tage nach Hannahs Abreise gab es einen so heftigen Schneesturm und es war so kalt, dass wir den ganzen Tag im Haus blieben und vor der Heizung hockten (ich jedenfalls). In der Nacht schlief ich *unter* Ethans Bettdecke und blieb dort auch liegen, als mir so heiß wurde, dass ich hecheln musste, denn es war wunderbar, mich an den Jungen zu schmiegen wie früher, als ich noch klein war.

Am nächsten Morgen hörte es auf zu schneien, und Ethan und ich gingen hinaus und buddelten stundenlang die Einfahrt frei. Es war gar nicht so einfach, durch den tiefen, schweren Schnee zu stapfen, und schon nach wenigen Metern musste ich stehen bleiben und mich ausruhen.

Nach dem Abendessen ging der Mond auf und schien so hell, dass ich draußen alles gut sehen konnte. Die Luft roch nach Kaminfeuer. Ethan war müde und ging früh zu Bett, aber ich zwängte mich noch einmal durch die Hundeklappe nach draußen und hielt die Nase in die leichte Brise. Die ungewöhnliche Helligkeit und die frische Luft machten mich ganz munter.

Der Schnee war zu einem großen Haufen zusammengeweht worden, der sich am Gartenzaun sammelte, und es war ein großer Spaß, diesen Haufen zu erklimmen und auf der anderen Seite des Zauns herunterzuspringen. Es war die perfekte Nacht für ein Abenteuer. Zuerst ging ich zu Chelseas Haus, um zu sehen, ob Duchess mitmachen würde, aber außer einem ziemlich frischen Urinfleck im Schnee war von ihr nichts zu sehen. Ich hob mein Bein an der gleichen Stelle, um sie wissen zu lassen, dass ich an sie dachte.

Wenn ich nachts unterwegs war, bewegte ich mich meist am Bach entlang und dachte an die Jagd mit Schwesterchen und dem Schnellen, als wir noch Welpen waren und die Welt ganz aufregend roch. Aber wegen des tiefen Schnees musste ich mich heute an die geräumten Straßen halten und lief in jede Einfahrt, um an dem Spalt zwischen Garagentor und Pflastersteinen zu schnüffeln. Manche Leute hatten die Bäume, die sie sich um diese Jahreszeit ins Wohnzimmer stellten, schon wieder ins Freie geschleift, aber bei uns stand er noch an dem Fenster, das zur Straße rausgeht, und war mit irgendwelchem Kram und Lichtern behängt, nach denen Felix gern schnappte. Wenn ich in den Einfahrten der Nachbarn an so einen Baum kam, setzte ich meine Duftmarke darauf, und da es sehr viele Bäume gab, die ich auf diese Weise bearbeiten musste, war ich lange unterwegs. Hätte es nicht so viele dieser

Bäume auf meinem Weg gegeben, deren Duft mich anlockte, wäre ich vielleicht eher nach Hause zurückgekehrt und hätte verhindern können, was dann passierte.

Die Scheinwerfer eines herannahenden Wagens schienen mir frontal ins Gesicht, und der Wagen verlangsamte die Fahrt. Sein Geruch erinnerte mich an Moms Wagen, wenn sie und Ethan mich suchen kamen, weil ich gerade wieder mal ein längeres Abenteuer unternahm, und ich bekam ein schlechtes Gewissen. Ich senkte den Kopf und trottete heim.

Als ich den freigeschaufelten Gehweg vor unserem Garten erreichte, merkte ich gleich, dass etwas nicht stimmte. Es waren sogar mehrere Dinge, die nicht stimmten.

Die Haustür stand offen, so dass es hier draußen so roch wie sonst nur im Haus. Das Gebläse der Heizung beförderte den Geruch mit einem kräftigen Schwall in die frostige Luft. Aber ich konnte auch etwas Chemisches riechen, etwas Stechendes, das mir bekannt vorkam. Wenn wir auf einer Autofahrt an einem merkwürdigen Laden anhielten, wo Ethan sich mit einem dicken schwarzen Schlauch hinten an den Wagen stellte, roch es genauso. Jemand kam aus dem Haus auf die Straße, und zuerst hielt ich ihn für Ethan. Doch dann schüttete er eine Flüssigkeit mit dem gleichen chemischen Geruch in die Büsche am Gartenzaun, und ich erkannte ihn.

Todd! Er trat drei Schritte zurück, holte ein Stück Papier aus seiner Jackentasche und zündete es an. Eine Flamme flackerte auf und erhellte sein versteinertes Gesicht. Dann warf er das brennende Papier ins Gebüsch, eine blaue Flamme züngelte auf, und alles begann laut zu knistern.

Todd konnte mich nicht sehen, denn er beobachtete das Feuer. Ohne zu bellen oder zu knurren, rannte ich wütend auf ihn zu und sprang ihn so gezielt an, als hätte ich mein Leben lang nichts anderes getan, als Menschen anzugreifen. Ich fühlte mich so stark und mutig wie ein Rudelführer.

Jegliche Scheu, Menschen anzugreifen, war wie weggeblasen, denn ich wusste, dass Todd dem Jungen und der Familie Schaden zufügen wollte, und davor musste ich sie schützen. Das war meine wichtigste Aufgabe im Leben.

Todd schrie auf, fiel hin und trat nach meinem Kopf. Ich biss ihm in den Fuß und hielt ihn fest, und Todd schrie vor Schmerz laut auf. Seine Hose riss, er verlor einen Schuh, und ich schmeckte Blut. Er trommelte mit den Fäusten auf mich ein, aber ich behielt seinen Fuß fest im Maul. Gleichzeitig warf ich den Kopf hin und her und spürte, wie sein Gewebe noch stärker zerfetzt wurde. Ich war so wütend, dass es mir nichts ausmachte, das ganze Maul voller Menschenfleisch und Blut zu haben.

Plötzlich erschreckte mich ein durchdringendes Geräusch, und als ich mich zum Haus umdrehte, gelang es Todd, seinen Fuß freizubekommen. Zu meinem Entsetzen sah ich, dass der Baum in unserem Wohnzimmer lichterloh in Flammen stand, und dichter, scharfer Rauch aus der Haustür in die Nachtluft quoll. Das elektronische Signal war durchdringend, schrill und laut, so dass mir die Ohren schmerzten und ich instinktiv zurückwich.

Todd stand auf und humpelte davon, so schnell er konnte. Aus den Augenwinkeln registrierte ich seine Flucht, aber ich kümmerte mich nicht mehr um ihn. Stattdessen alarmierte ich meine Leute mit lautem Gebell und versuchte sie auf das Feuer aufmerksam zu machen, das sich schnell im Haus ausbreitete, die Treppe hinaufkroch und sich seinen Weg zum Zimmer des Jungen bahnte.

Ich rannte um das Haus herum, musste aber frustriert feststellen, dass der Schneehaufen, der mir geholfen hatte, das Grundstück zu verlassen, jetzt auf der falschen Seite des Zauns lag. Hilflos stand ich da und bellte, und dann ging die Verandatür auf, und Mom und Dad kamen herausgestolpert.

Mom hustete und rief: »Ethan!«

Schwarzer Rauch quoll aus der Verandatür. Mom und Dad rannten zur Gartenpforte, und dort trafen wir uns. Aber sie liefen an mir vorbei zur Vorderseite des Hauses. Dann blieben sie stehen und schauten zum dunklen Fenster von Ethans Zimmer hinauf.

»Ethan!«, schrien sie. »Ethan!«

Ich riss mich von ihnen los und rannte durch die hintere Gartenpforte, die jetzt offen stand, in den Garten. Auf der Veranda hockte Felix zusammengekauert unter einer Bank und maunzte mich ganz kläglich an, aber ich blieb nicht stehen. Ich quetschte mich durch die Verandatür, während der Rauch mir in Augen und Nase drang. Obwohl ich nichts mehr sehen konnte, arbeitete ich mich zur Treppe vor.

Das Feuer war so laut wie sonst der Wind, wenn wir mit offenem Fenster Auto fuhren. Vor lauter Rauch bekam ich kaum Luft, aber schlimmer war die Hitze. Sie brannte mir in den Ohren und in der Nase und war nicht länger auszuhalten. Frustriert blieb ich stehen, senkte den Kopf und stürmte durch die Hintertür wieder aus dem Haus. Augenblicklich verschaffte die kalte Luft mir Erleichterung.

Mom und Dad riefen immer noch nach Ethan. Auf der anderen Straßenseite und im Nachbarhaus ging Licht an, und jemand schaute aus dem Fenster, das Telefon am Ohr.

Von dem Jungen war immer noch nichts zu sehen.

»Ethan!«, riefen Mom und Dad. »Ethan!«

Fünfzehn

Noch nie hatte ich so große Angst bei Menschen gespürt wie jetzt bei Mom und Dad, als sie vor Ethans Fenster standen und nach dem Jungen riefen. Mom schluchzte, und Dads Stimme war ganz rau. Als ich wieder wie wild zu bellen begann, befahl mir niemand, damit aufzuhören.

Aus der Ferne nahm ich das Geheul einer Sirene wahr, aber mein eigenes Gebell, Moms und Dads Rufe und vor allem das prasselnde Feuer, dessen Getöse mir durch Mark und Bein ging, übertönten es. Das Gebüsch vor uns brannte lichterloh, und der zischende, schmelzende Schnee stieg in Dampfwolken daraus auf.

»Ethan, bitte!«, rief Dad mit brüchiger Stimme.

In dem Moment flog etwas aus Ethans Fenster, und Scherben splitterten auf den schneebedeckten Rasen. Es war der Flip!

Verzweifelt nahm ich ihn ins Maul, um Ethan zu zeigen: Ja, ich hatte ihn. Von schwarzem Rauch umrahmt erschien sein Gesicht an dem Loch, das der Flip in die Fensterscheibe geschlagen hatte.

»Mom!«, rief er und hustete.

»Du musst da raus, Ethan!«, schrie Dad.

»Ich kann das Fenster nicht öffnen. Es klemmt!«

»Spring einfach!«, schrie Dad.

»Du musst springen, Schatz!«, rief Mom.

Das Gesicht des Jungen verschwand wieder im Zimmer.

»Der Rauch bringt ihn um«, sagte Dad. »Was macht er da drinnen?«

»Ethan!«, schrie Mom.

Der Schreibtischstuhl des Jungen flog aus dem Fenster und zerbrach den Rest der Scheibe. Im nächsten Moment stürzte sich der Junge ins Freie. Doch er blieb an den Holzsplittern und Glaszacken hängen, sodass er nicht genug Schwung hatte, um über das brennende Gebüsch zu springen, sondern mitten hineinfiel.

»Ethan!«, schrie Mom auf.

Ich bellte wie verrückt und ließ den Flip fallen.

Dad zog Ethan aus dem Feuer in den Schnee und wälzte ihn darin herum.

»O Gott, o Gott!«, schluchzte Mom.

Mit geschlossenen Augen lag Ethan im Schnee.

»Alles in Ordnung, mein Sohn? Alles in Ordnung?«, fragte Dad.

»Mein Bein«, keuchte der Junge und hustete.

Ich roch sein verbranntes Fleisch. Sein Gesicht war ganz schwarz und nass. Ich nahm den Flip wieder ins Maul und brachte ihn zu ihm. Ich spürte, dass er große Schmerzen hatte, und wollte ihm helfen.

»Geh weg, Bailey!«, sagte Dad.

Der Junge schlug die Augen auf und grinste mich an. »Nein, schon okay«, murmelte er. »Du bist ein guter Hund, Bailey. Hast den Flip gefangen, was? Guter Hund!«

Ich wedelte mit dem Schwanz. Ethan tätschelte mir den Kopf, und ich spuckte den Flip aus, der, ehrlich gesagt, gar nicht gut schmeckte. Seine andere Hand lag verkrampft auf seiner Brust und blutete.

Große Wagen und LKWs kamen angefahren, Lichter blinkten, Männer rannten aufs Haus zu und besprühten es aus großen Schläuchen. Andere brachten ein Bett, legten den Jungen darauf und trugen ihn zur Hintertür eines Wagens. Ich wollte hinter ihm hineinspringen, aber ein Mann stieß mich fort. »Tut mir leid, das geht nicht«, sagte er.

»Bleib, Bailey, ist schon gut«, sagte der Junge.

Ich wusste, was »Bleib« bedeutete; es war der Befehl, den ich am wenigsten mochte. Ich spürte, dass der Junge noch Schmerzen hatte, deswegen wollte ich ihm beistehen.

»Darf ich mitkommen?«, fragte Mom.

»Natürlich. Ich helfe Ihnen hinein«, sagte der Mann, und Mom stieg in den Wagen.

»Ist ja gut, Bailey«, sagte Chelseas Mutter, die an den Wagen gekommen war, und Mom schaute sie an. »Kannst du dich um Bailey kümmern, Laura?«, fragte sie.

»Ja, natürlich.«

Chelseas Mutter packte mich am Halsband. Ihre Hände rochen nach Duchess. Dads Hände dagegen rochen nach Feuer, und ich wusste, dass auch er Schmerzen hatte. Er stieg in den Wagen, um Mom und den Jungen zu begleiten.

Die meisten Nachbarn standen jetzt auf der Straße, aber keine Hunde. Der große Wagen fuhr los, und ich bellte ihm besorgt hinterher. Woher sollte ich wissen, ob der Junge nun in Sicherheit war? Er brauchte mich doch!

Chelseas Mutter stand etwas abseits und hielt mich fest. Ich spürte, wie aufgewühlt sie war und dass sie nicht genau wusste, was sie tun sollte. Gern hätte sie sich zu den anderen Nachbarn gesellt, aber anscheinend erwarteten jetzt alle von ihr, dass sie sich um das Haus und die Polizei kümmerte, weil sie in der Nähe gewesen war, als es passierte.

»Keine Frage, das war Brandstiftung«, sagte einer der Männer zu einer Frau, die eine Waffe am Gürtel trug. Ich wusste, dass Menschen, die so gekleidet waren, als Polizisten bezeichnet wurden. »Das Gebüsch, der Baum, alles begann gleichzeitig zu brennen. Mehrere Brandherde mit Brandbeschleuniger. Die Familie kann von Glück sagen, dass sie das überlebt hat.«

»Schauen Sie mal, Lieutenant«, rief ein anderer Polizist. Auch er trug eine Waffe. Die Männer in Schutzanzügen, die immer noch das Haus besprühten, trugen keine Waffen.

Zögernd ging Chelseas Mutter zu ihnen hin, um einen Blick auf den Fund der Polizisten zu werfen. Es war Todds Schuh. Schuldbewusst drehte ich den Kopf zur Seite und hoffte, nicht beachtet zu werden.

»Ich habe einen Tennisschuh gefunden, Lieutenant«, sagte der Polizist und leuchtete mit einer Taschenlampe in den Schnee. »Es scheint Blut daran zu kleben.«

»Der Junge hat jede Menge Schnittverletzungen erlitten, als er aus dem Fenster gesprungen ist«, sagte jemand.

»Ja, aber das war da drüben«, sagte jemand anders. »Hier gibt es nur Hundespuren und diesen Schuh.«

Ich zuckte zusammen, als ich das Wort »Hund« hörte. Die Frau mit der Waffe griff nach ihrer Taschenlampe und leuchtete nun ebenfalls in den Schnee. »Und was ist das da?«, fragte sie.

»Eine Blutspur«, sagte jemand.

»Okay. Sehen Sie nach, wohin sie führt. Wir müssen den Tatort sichern. Sergeant?«

»Ja, Madam?«, sagte ein Mann und kam auf sie zu.

»Hier verläuft eine Blutspur. Ich möchte, dass sie im Abstand von zweieinhalb Metern zu beiden Seiten abgesperrt wird. Sperren Sie auch die Straße für den Verkehr, und sorgen Sie dafür, dass die Leute zurücktreten.«

Die Polizistin blieb bei uns stehen. Plötzlich beugte sich Chelseas Mutter zu mir runter. »Alles in Ordnung mit dir, Bailey?«, fragte sie und tätschelte mich.

Ich wedelte mit dem Schwanz.

Abrupt hörte sie auf, mich zu streicheln, und betrachtete ihre Hand.

»Wohnen Sie hier, Madam?«, fragte die Polizistin Chelseas Mutter.

»Nein, aber der Hund.«

»Dann muss ich Sie bitten … Moment, sind Sie eine Nachbarin?«

»Ich wohne zwei Häuser weiter.«

»Haben Sie hier heute Nacht jemanden gesehen?«

»Nein, ich habe geschlafen.«

»Okay. Dann gehen Sie bitte zu Ihren Nachbarn da drüben. Wenn Ihnen kalt ist und Sie lieber nach Hause gehen möchten, geben Sie uns bitte Ihre Kontaktdaten.«

»Ja, aber …«, sagte Chelseas Mutter.

»Ja, bitte?«

»Könnte sich jemand Bailey ansehen? Er scheint zu bluten.«

Ich wedelte mit dem Schwanz.

»Ja, sicher«, sagte die Polizistin. »Ist er friedlich?«

»O ja.«

Die Polizeifrau beugte sich zu mir runter. »Bist du verletzt, armer Hund? Wie ist das passiert?«, fragte sie leise und freundlich. Sie nahm wieder die Taschenlampe zur Hand und untersuchte meinen Nacken. Ich leckte ihr zaghaft übers Gesicht, und sie lachte.

»Der ist ja wirklich friedlich«, sagte sie. »Ich glaube nicht, dass es sein Blut ist. Wir müssen ihn aber noch näher untersuchen. Ist das in Ordnung, Madam?«

»Ich kann bei ihm bleiben, wenn Sie wollen«, sagte Chelseas Mutter.

»Das wird nicht nötig sein«, sagte die Polizistin.

Ich wurde zu einem der Wagen geführt. Ein sehr netter Mann schnitt mir mit einer Schere ein paar Haare aus dem Fell und steckte sie in eine Plastiktüte.

»Wollen wir wetten, dass es dasselbe Blut ist wie am Schuh? Ich denke, unser vierbeiniger Freund hier hat heute Nacht das Haus bewacht und sich einen Happen von dem Brandstifter gegönnt. Das Blut wird uns helfen, einen Verdächtigen zu überführen«, sagte die Polizistin zu dem Mann, der mir die Haare abgeschnitten hatte.

»Lieutenant«, sagte ein anderer Mann im Näherkommen. »Ich weiß, wo der Gesuchte zu finden ist.«

»Ach, tatsächlich?«

»Die Blutspur führt zu einem Haus ein Stück die Straße hinunter, direkt zum Seiteneingang.«

»Das reicht für eine Hausdurchsuchung«, sagte die Polizistin. »Jede Wette, dass wir dort jemanden finden, der eine Bisswunde am Bein hat.«

Die nächsten paar Tage wohnte ich bei Chelsea. Duchess schien zu glauben, man hätte ihr einen Spielkameraden beschafft, der rund um die Uhr für ihr persönliches Vergnügen zuständig war, aber ich war so besorgt, dass ich meist nur nervös auf und ab trottete und auf Ethans Rückkehr wartete.

Am zweiten Tag kam Mom zu uns. Sie sagte, ich sei ein guter Hund, und ihre Kleider rochen nach dem Jungen. Danach ging es mir etwas besser, und ich ließ mich auf Duchess' Lieblingsspiel ein, Sockenschnappen, etwa eine Stunde lang, während Mom von Chelseas Mutter einen stark duftenden Kaffee serviert bekam.

»Was, um alles in der Welt, hat sich der Junge dabei gedacht? Warum zündet er euer Haus an? Er hätte euch alle umbringen können!«

»Wenn ich das bloß wüsste! Früher waren Todd und Ethan sogar Freunde.«

Ich horchte auf, als ich Ethans Namen hörte, und Duchess nutzte die Gelegenheit, um mir die Socke aus dem Maul zu reißen.

»War es denn wirklich Todd? Die Polizei hat doch gesagt, die Blutanalyse dauert länger.«

»Sie haben ihn verhört, und er hat ein Geständnis abgelegt«, sagte Mom.

»Hat er nicht gesagt, warum er es getan hat?«

Duchess schob mir die Socke hin und wartete darauf, dass ich danach schnappte, aber ich schaute demonstrativ in eine andere Richtung.

»Er sagt, er weiß es selber nicht.«

»Unfassbar! Ich fand ihn immer schon merkwürdig. Weißt du noch, wie er Chelsea ohne jeden Grund ins Gebüsch gestoßen hat? Mein Mann wäre beinahe ausgerastet. Er ging zu Todds Vater, um mit ihm zu reden, und die Männer hätten beinahe eine Prügelei angefangen.«

»Das wusste ich gar nicht. Er hat Chelsea ins Gebüsch gestoßen?«

»Ja. Und Sudy Hurst sagt, er hat sie heimlich durchs Schlafzimmerfenster beobachtet.«

»Ich dachte, sie sei sich nicht sicher gewesen, wer es war.«

»Ja, aber mittlerweile behauptet sie steif und fest, dass es Tod war.«

Ich machte einen schnellen Vorstoß und schnappte mir die Socke. Duchess stemmte die Pfoten in den Teppich und knurrte. Ich zog sie an der Socke durchs ganze Zimmer, aber sie ließ nicht los.

»Bailey gilt jetzt als ein großer Held. Todds Bein musste mit acht Stichen genäht werden.«

Als mein Name fiel, hielten Duchess und ich inne. Sollte es jetzt vielleicht Hundekuchen geben? Die Socke hing schlaff zwischen uns herunter.

»Sie wollen sein Foto in die Zeitung bringen«, sagte Mom.

»Gut, dass ich ihn gerade gebadet habe«, sagte Chelseas Mutter.

Was? Schon wieder baden? Sie hatte mich doch gerade gebadet! Ich spuckte die Socke aus, Duchess schwenkte sie ganz verzückt hin und her und stolzierte damit triumphierend durchs Wohnzimmer.

»Wie geht es Ethan denn jetzt?«

Mom setzte die Kaffeetasse ab. Als ich den Namen des Jungen hörte und Moms Besorgnis spürte, ging ich zu ihr und legte ihr meinen Kopf in den Schoß. Sie streichelte mich.

»Sie mussten sein Bein nageln, und er wird … Narben zurückbehalten.« Mom deutete dabei auf ihr Gesicht, dann wischte sie sich über die Augen.

»Es tut mir so leid«, sagte Chelseas Mutter.

Mom weinte. Ich legte ihr eine Pfote aufs Bein, um sie zu trösten.

»Du bist ein guter Hund, Bailey«, sagte sie.

Duchess hielt mir ihr dümmliches Gesicht direkt vor die Nase. Die Socke hing ihr aus dem Maul. Ich knurrte sie an, und sie wich erschrocken zurück.

»Benehmt euch!«, sagte Chelseas Mutter.

Kurz darauf gab sie Mom ein Stück Pie, aber wir Hunde bekamen nichts. Duchess rollte sich auf den Rücken und hielt die Socke mit den Pfoten hoch in die Luft, genau wie ich, als ich noch mit Coco im Hof der Señora gespielt hatte, was eine Ewigkeit her zu sein schien.

Dann kamen ganz viele Leute, und ich setzte mich mit Mom ins Wohnzimmer und blinzelte in die grellen Lichtblitze. Es war wie ein Gewitter, nur ohne Donner. Dann gingen wir zu unserem Haus. Es war von einer Plastikplane bedeckt, die im Wind flatterte, und wieder gab es geräuschlose Lichtblitze.

Eine Woche darauf fuhr Mom mit mir zu unserer neuen »Wohnung«. Das war ein kleines Haus, das sich zusammen mit vielen anderen in einem großen Haus befand. Hier gab es viele Hunde, die meisten ziemlich klein, aber nachmittags ging Mom mit mir in einen großen betonierten Hof, damit ich mit ihnen spielen konnte. Sie setzte sich dann auf eine Bank und redete mit Menschen, die dort schon saßen, während ich herumrannte, mich mit den anderen Hunden anfreundete und mein Revier markierte.

Die neue Wohnung gefiel mir gar nicht, und Dad ging es genauso. Er schrie Mom viel öfter an als früher in unserem Haus. Die Wohnung war mir zu klein, aber noch schlimmer war, dass der Junge nicht da war. Oft rochen Mom und Dad nach ihm, aber er wohnte nicht mehr bei uns, und ich vermisste ihn ganz fürchterlich. Nachts lief ich in der Wohnung umher, bis Dad mich anschrie, dass ich mich endlich hinlegen und Ruhe geben sollte. Das Abendessen, das früher der Höhepunkt meines Tages gewesen war, war bei Weitem nicht mehr so interessant, wenn Mom es mir vorsetzte – ich hatte einfach keinen Appetit, und manchmal ließ ich sogar etwas übrig.

Wo war mein Junge?

Sechzehn

Wir wohnten immer noch in der kleinen Wohnung, als der Junge zu uns zurückkehrte. Ich lag zusammengerollt auf dem Boden, und Felix hatte sich zum Schlafen an mich gekuschelt. Ich hatte mir abgewöhnt, ihn wegzuscheuchen. Anscheinend war ich jetzt so etwas wie eine Mutter für ihn, was im Grunde eine Beleidigung war, aber ich duldete es, weil er bloß eine Katze und insofern ein hirnloses Wesen war.

Mittlerweile hatte ich gelernt, unsere Autos am Klang der Motoren zu erkennen, wenn sie unten auf den Parkplatz fuhren. Als ich jetzt Moms Wagen hörte, sprang ich auf. Felix blinzelte verwirrt, während ich ans Fenster ging und auf die Fensterbank sprang, um zu beobachten, wie Mom die Treppe heraufkam.

Was ich da unten sah, ließ mein Herz höher schlagen: Es war der Junge! Aber offensichtlich hatte er Schwierigkeiten, aus dem Wagen zu steigen. Mom beugte sich zu ihm hinunter, um ihm zu helfen, und es dauerte eine Weile, ehe er aufrecht stand.

Ich konnte mein Glück kaum fassen, bellte, drehte mich im Kreis und rannte zwischen Fenster und Tür hin und her, weil ich einerseits hinaus-, andererseits aber auch weiter am Fenster stehen und alles beobachten wollte. Felix geriet in Panik, versteckte sich unter der Couch und beobachtete mich.

Als der Schlüssel ins Schloss gesteckt wurde, schoss ich an die Tür. Ich zitterte vor Aufregung. Mom öffnete die Tür einen Spaltbreit, und der Geruch des Jungen strömte herein.

»Ist ja gut, Bailey, geh zurück! Runter mit dir, Bailey! Sitz!«

Das war unmöglich. Ich berührte den Fußboden mit dem Hinterteil, aber dann sprang ich sofort wieder auf. Mom packte mich am Halsband und drängte mich zurück, während sie die Tür ganz öffnete.

»Hey, Bailey, mein Junge!«, sagte Ethan.

Mom hielt mich von ihm fern, während er hereinhumpelte und sich an Dingern festhielt, die man, wie ich später lernte, Krücken nannte. Er ging zur Couch hinüber und setzte sich, während ich winselnd am Halsband zerrte. Als Mom mich endlich losließ, schoss ich mit einem Satz durchs Zimmer, landete auf dem Schoß des Jungen und küsste ihm das Gesicht ab.

»Bailey!«, sagte Mom streng.

»Nein, ist schon okay«, sagte der Junge. »Du bist ein guter Hund, Bailey. Wie geht es dir denn, hm? Ich habe dich auch vermisst.«

Immer wenn er meinen Namen sagte, durchrieselte mich ein ungeheures Glücksgefühl. Er fuhr mir mit der Hand durchs Fell, und ich konnte gar nicht genug davon bekommen.

Der Junge war zurück!

Im Laufe der nächsten Tage musste ich allerdings feststellen, dass etwas mit ihm nicht in Ordnung war. Er hatte größere Schmerzen als je zuvor, und er konnte nur mit Mühe gehen. Meist war er traurig und deprimiert, aber manchmal, wenn er untätig am Fenster saß und hinausschaute, packte ihn auch finstere Wut.

In den ersten ein, zwei Wochen fuhr er mit Mom jeden Tag

im Auto weg, und wenn er zurückkehrte, war er müde und verschwitzt und legte sich meist sofort hin, um zu schlafen. Draußen wurde es wärmer, und die Blätter an den Bäumen kehrten zurück. Wenn Mom zur Arbeit fuhr, blieb ich mit dem Jungen allein in der Wohnung zurück – und mit Felix natürlich, der aber nichts anderes im Sinn hatte, als Mittel und Wege zu finden, um aus der Wohnung zu fliehen. Ich hatte keine Ahnung, was er sich von der Welt da draußen erwartete. Eigentlich hatte der Junge ihm strikt verboten, die Wohnung zu verlassen, aber Felix hielt sich einfach nicht an Regeln, was ich ihm ziemlich übelnahm. Oft kratzte er an einem Pfosten im Wohnzimmer herum, aber als ich *ein einziges Mal* das Bein an dem Ding hob, wurde ich wüst beschimpft. Felix leerte seinen Fressnapf nie ganz, aber niemand bedankte sich bei mir, wenn ich ihn blitzblank ausschleckte – im Gegenteil, auch dafür wurde ich ausgeschimpft. Ich hätte nichts dagegen gehabt, wenn Felix seine Fluchtpläne in die Tat umgesetzt hätte, denn dann hätte ich endlich meine Ruhe gehabt. Andererseits machte es Spaß, mit ihm herumzubalgen, ich durfte nur nicht zu grob werden. Manchmal machte Felix sogar mit, wenn Ethan einen Ball durch den Flur rollte, und rannte sofort los, wenn sich der Ball in Bewegung setzte, aber meistens zog er sich dann rechtzeitig zurück, um mich den Ball schnappen und zu Ethan zurückbringen zu lassen. Diese sportliche Geste wusste ich zwar zu schätzen, aber eigentlich hatte der Kater ja auch kaum eine andere Wahl, denn immerhin war ich der Hund und damit der Boss.

In der Wohnung war es nicht so schön wie auf der Farm, noch nicht mal so schön wie in unserem Haus, und trotzdem war ich glücklich, denn der Junge blieb fast den ganzen Tag lang zu Hause.

»Ich denke, langsam wird es Zeit, dass du wieder zur Schule gehst«, sagte Mom eines Abends beim Essen. Ich wusste, was »Schule« bedeutete und sah den Jungen gespannt an. Er verschränkte die Arme vor der Brust, und ich spürte, wie traurig und wütend er war.

»Ich bin noch nicht so weit«, sagte er und berührte die tief violette Narbe auf seiner Wange. »Ich kann noch nicht gut genug gehen.«

Ich setzte mich auf. Gehen? Wohin? Durfte ich mit?

»Ethan, du brauchst dich nicht …«

»Ich möchte nicht darüber reden, Mom!«, schrie Ethan.

Ethan schrie Mom sonst nie an, und ich spürte, dass es ihm sofort leidtat, aber keiner von beiden sagte noch etwas.

Einige Tage darauf klopfte es an die Tür, und als Ethan öffnete, kamen lauter Jungen in die Wohnung. Einige erkannte ich am Geruch wieder. Es waren die Jungen, mit denen Ethan auf dem großen Feld Football gespielt hatte, und sie nannten mich beim Namen. Ich schaute mich nach Felix um, um zu sehen, wie er darauf reagierte, dass ich so klar die Nummer eins war, aber er tat, als sei er kein bisschen eifersüchtig.

Die Jungen lachten, unterhielten sich laut und standen etwa eine Stunde lang in der Wohnung herum. Ich spürte, wie Ethan leichter ums Herz wurde. Das wiederum machte mich glücklich, und so holte ich einen Ball und trug ihn im Maul durchs Wohnzimmer. Ein Junge schnappte ihn mir weg und rollte ihn durch den Flur. Das spielten wir dann ein paar Minuten lang.

Einige Tage nach dem Besuch der Jungen stand Ethan früh morgens mit Mom auf, und dann fuhren sie zusammen fort.

Schule!

Der Junge ging jetzt an einem glatt polierten Stock, wenn

er die Wohnung verließ. Es war ein ganz besonderer Stock. Der Junge warf ihn nie weg, um ihn von mir zurückholen zu lassen, und ich begriff instinktiv, dass ich nicht darauf herumkauen durfte, nicht mal ganz vorsichtig.

Ich hatte keine Ahnung, wohin die Fahrt gehen sollte, als wir eines Tages alle zusammen in den Wagen stiegen, aber ich war trotzdem aufgeregt. Autofahren war immer aufregend, egal wohin.

Dann stiegen mir bekannte Gerüche in die Nase, von dem Bach und der Straße, in der unser Haus stand, und sobald ich aus dem Wagen gelassen wurde, raste ich auf das Haus zu und durch die offene Tür. Es roch immer noch nach Rauch, aber auch nach frischem Holz und neuem Teppich, und das Fenster im Wohnzimmer war größer als früher. Felix schien der neuen Umgebung nicht zu trauen und inspizierte alles ausgiebig, aber ich rannte schon Sekunden später zur Hundeklappe und in den Garten hinaus. Vor Freude bellte ich laut, und Duchess antwortete aus ihrem Garten. Ich war wieder zu Hause!

Wir hatten uns kaum wieder eingewöhnt, als wir uns wieder auf die Reise machten und zur Farm fuhren. Endlich verlief das Leben wieder in gewohnten Bahnen, nur dass der Junge jetzt nicht mehr so gern rannte wie früher, weil er ja noch am Stock ging.

Einer unserer ersten Wege führte uns zu Hannahs Haus. Da ich ihn bestens kannte, lief ich voraus, und so sah ich sie als Erster. »Bailey! Hallo, Bailey!«, rief sie. Ich lief zu ihr, um mich kraulen zu lassen, und nach einer Weile erreichte auch der Junge die Einfahrt. Er war ganz außer Atem. Das Mädchen ging die Stufen vor der Haustür hinunter und wartete dort in der Sonne auf ihn.

»Hi«, sagte der Junge und wirkte irgendwie unsicher.

»Hi«, sagte das Mädchen.

Ich gähnte und kratzte die juckende Stelle an meinem Kinn.

»Bekomme ich keinen Kuss?«, fragte das Mädchen.

Ethan umarmte sie. Lange. Dann ließ er den Stock fallen.

In diesem Sommer war manches anders als früher. Ethan stand morgens lange vor Sonnenaufgang auf, fuhr mit Grandpas Lastwagen durch die ländlichen Straßen und blieb oft stehen, um Papier in die Briefkästen am Straßenrand zu stecken. Es war die gleiche Art Papier, die er kurz nach unserem Kennenlernen auf den Teppichen im Haus ausgebreitet hatte, aber ich hatte nicht das Gefühl, dass es besonders gut ankommen würde, wenn ich jetzt darauf urinierte. Dabei wusste ich noch ganz genau, dass es mir früher als Welpe großes Lob eingebracht hatte.

Hannah und der Junge verbrachten viel Zeit miteinander. Manchmal saßen sie einfach nur da und balgten ein wenig herum, ohne etwas zu sagen, und manchmal begleitete das Mädchen uns auf den frühmorgendlichen Autofahrten. Aber meist fuhr der Junge morgens nur mit mir los, mit Bailey, dem Hund, der auf den Vordersitz gehörte.

»Schließlich muss ich Geld verdienen, Bailey«, sagte der Junge manchmal, und ich wedelte mit dem Schwanz, wenn ich meinen Namen hörte. »Das Sportstipendium kann ich jetzt vergessen. Überhaupt werde ich nie wieder Sport treiben können.«

Immer wenn ich seine Traurigkeit spürte, drückte ich meine Schnauze an seine Hand.

»Mein Leben war ein einziger Traum, der nun ausgeträumt ist, wegen Todd.«

Ethan hatte den Flip mit zur Farm gebracht, aus welchem

Grund auch immer, und bastelte daran herum. Er schnitt ihn auf, sägte etwas ab, gab ihm eine andere Form, und das Ding wurde immer peinlicher. Am liebsten ging ich mit dem Jungen im Teich schwimmen. Nur dabei schien sein Bein nicht wehzutun. Manchmal spielten wir sogar wieder das Tauchspiel, so wie all die Jahre zuvor, nur dass Ethan jetzt viel schwerer war und ich viel mehr Mühe hatte, ihn aus dem Wasser zu ziehen. Aber immer wenn ich ihm nachtauchte, war ich so glücklich, dass ich wünschte, der Sommer würde nie enden.

Aber ich wusste natürlich, dass das unmöglich war. Die Nächte wurden länger, und das bedeutete, wir würden bald wieder nach Hause fahren.

Eines Abends, als Mom und Grandma miteinander redeten, lag ich unter dem Tisch. Ethan war mit Hannah im Auto unterwegs, und da sie mich nicht mitgenommen hatten, hatten sie wahrscheinlich etwas vor, das keinen besonderen Spaß machte.

»Ich möchte mit dir über etwas reden«, sagte Grandma zu Mom.

»Mutter!«, sagte Mom abweisend.

»Nein, hör erst mal zu! Der Junge hat sich völlig verändert, seit ihr hier angekommen seid. Er ist so glücklich und erholt sich sichtlich. Außerdem hat er hier das Mädchen … Warum sollte er in die Stadt zurückkehren? Genauso gut kann er hier zur Schule gehen.«

»Das klingt ja, als wohnten wir im Ghetto«, sagte Mom beleidigt, aber sie lachte dabei.

»Du weichst mir aus, weil du … Nun, wir wissen beide, warum. Ich weiß, dass dein Mann dagegen sein wird. Aber inzwischen ist Gary fast nur noch auf Reisen, und du sagst selbst, dass du viel für die Schule arbeiten musst. Der Junge braucht ein familiäres Umfeld, bis er wieder ganz gesund ist.«

»Ja, Gary ist viel auf Reisen, aber er möchte Ethan sehen, wenn er mal zu Hause ist. Und ich kann nicht einfach meinen Job aufgeben.«

»Das sage ich doch auch gar nicht. Du weißt, dass du hier immer willkommen bist, und auch Gary kann unseren kleinen Flughafen anfliegen, wenn er am Wochenende frei hat. Andererseits – und du weißt, dass ich nur dein Wohl im Auge habe – täte es euch vielleicht gerade jetzt gut, ganz für euch allein zu sein. Wenn ihr eure Probleme in Angriff nehmt, muss Ethan nicht unbedingt alles mitbekommen.«

Ich spitzte die Ohren, als ich den Namen des Jungen hörte. War er zurückgekehrt? Ich legte den Kopf schief, konnte den Wagen aber nicht hören.

Als die Nächte kälter wurden und die jungen Enten so groß geworden waren wie ihre Mutter, packte Mom alles in den Wagen. Nervös ging ich auf und ab, weil ich Angst hatte, allein zurückgelassen zu werden. Ich passte einen günstigen Moment ab, um auf den Rücksitz zu springen. Aus irgendeinem Grund lachten alle. Ich blieb im Wagen, als Mom Grandma und Grandpa umarmte – und dann merkwürdigerweise auch Ethan. Danach öffnete der Junge die hintere Wagentür und sagte: »Wie sieht's aus, Bailey? Fährst du mit, oder bleibst du bei mir?«

Ich verstand kein Wort und schaute den Jungen fragend an.

»Komm schon, Schussel-Hund! Steig aus, Bailey!«

Zögerlich sprang ich aus dem Wagen. Fuhren wir nun doch nicht nach Hause?

Doch dann fuhr Mom los, und Ethan, Grandma und

Grandpa winkten ihr nach. Es ergab zwar keinen Sinn, aber der Junge und ich blieben auf der Farm!

Naturlich war mir das mehr als recht. Meist begannen wir den Tag noch im Dunkeln mit einer langen Autofahrt von Haus zu Haus, um das Papier abzuliefern. Wenn wir nach Hause kamen, hatte Grandma schon Frühstück gemacht, und Grandpa steckte mir unter dem Tisch ein paar Bissen zu – Speck, Schinken und Toast. Ich lernte geräuschlos zu kauen, damit Grandma nicht sagte: »Futterst du schon wieder den Hund?« Aus der Art, wie sie in diesem Fall das Wort »Hund« aussprach, schloss ich, dass Grandpa und ich die Sache lieber für uns behalten sollten.

Das Wort »Schule« gehörte also jetzt wieder zu unserem Leben, aber es gab keinen Schulbus. Ethan fuhr morgens einfach mit dem Wagen los, und manchmal holte ihn Hannah mit ihrem Auto ab. Schon bald wurde mir klar, dass es keinen Grund zur Sorge gab, wenn Ethan weg war, denn am späten Nachmittag kehrte er immer wieder auf die Farm zurück. Meist aß Hannah bei uns zu Abend.

Mom kam manchmal zu Besuch, und an Frohliche Weihnachten brachte sie auch Dad mit. Moms Hände rochen nach Felix, dem Kätzchen, wenn sie sich bückte, um mich zu streicheln, aber das machte mir nichts aus.

Zunächst vermutete ich, dass der Junge und ich für immer auf der Farm bleiben würden, aber als sich jener Sommer dem Ende zuneigte, merkte ich, dass uns schon wieder eine Veränderung bevorstand. Ethan verstaute seine Habseligkeiten in Kisten, was ein untrügliches Zeichen dafür war, dass wir nach Hause zurückkehren würden. Hannah war jetzt fast immer bei uns, und sie machte einen traurigen und ängstlichen Eindruck. Wenn sie den Jungen umarmte, spürte man so viel Liebe zwischen den beiden, dass ich nicht anders konnte, als mich zwischen sie zu drängen, was sie immer zum Lachen brachte.

Eines Morgens wusste ich, dass es so weit war. Grandpa packte die Kisten in den Wagen, Grandma und Mom unterhielten sich miteinander, und Ethan und Hannah umarmten sich. Ich lief nervös auf und ab und lauerte auf eine Gelegenheit, in den Wagen zu springen, aber Grandpa versperrte mir geschickt den Weg.

Dann kam der Junge und kniete sich neben mich. Ich spürte, dass er traurig war. »Sei ein guter Hund, Bailey«, sagte er.

Ich wedelte mit dem Schwanz, um ihm zu zeigen, dass ich selbstverständlich ein guter Hund war und längst verstanden hatte, dass es an der Zeit war, wieder nach Hause zu fahren.

»An Thanksgiving komme ich wieder, okay? Ich werde dich vermissen, mein kleiner Schussel-Hund!« Er umarmte mich so lange und drückte mich so fest, dass ich die Augen schloss, denn für mich gab es einfach kein schöneres Gefühl auf der ganzen Welt, als von meinem Jungen umarmt zu werden.

»Halt ihn lieber fest, er kann das Ganze ja nicht verstehen«, sagte Ethan. Das Mädchen kam und griff nach meinem Halsband. Sie war von Trauer vollkommen überwältigt und weinte. Ich war hin- und hergerissen zwischen dem Wunsch, sie zu trösten und dem, ins Auto zu gelangen. Widerstrebend ließ ich mich zu ihren Füßen nieder und hoffte, dass dieses seltsame Drama bald enden würde und ich im Wagen sitzen und die Nase in den Wind halten konnte.

»Schreib mir jeden Tag!«, sagte Hannah.

»Mach ich«, rief Ethan zurück.

Ich sah ungläubig zu, wie er und Mom einstiegen und

die Türen zuschlugen. Ich zerrte an meinem Halsband, aber offenbar verstand Hannah nicht, dass ich mitfahren musste. Sie hielt mich ganz fest. »Nein, Bailey!«, sagte sie. »Bleib!«

Bleib? *Bleib?* Der Wagen hupte und rollte aus der Einfahrt. Grandma und Grandpa winkten. Merkte denn niemand, dass ich vergessen worden war?

»Er wird seinen Weg machen. Ferris ist ein gutes College«, sagte Grandpa. »Und Big Rapids ist eine nette Stadt.«

Alle drehten sich um, um ins Haus zu gehen. Hannah lockerte ihren Griff gerade genug, dass ich mich losreißen konnte.

»Bailey!«, schrie sie.

Der Wagen war zwar schon außer Sichtweite, aber der aufgewirbelte Staub hing noch in der Luft und machte es mir leicht, meinem Jungen nachzujagen.

Siebzehn

Autos sind schnell.

Das hatte ich mir nie richtig klargemacht. Früher, als Marshmallow noch da war, war sie immer zur Straße hinuntergelaufen und hatte die Autos angebellt. Normalerweise hatten sie angehalten oder zumindest das Tempo gedrosselt, so dass Marshmallow sie einholen konnte. Aber nach ein paar Metern hatte sie dann immer abgedreht und so getan, als hätte sie nie vorgehabt, die Autos herauszufordern.

Als ich jetzt dem Wagen des Jungen hinterherrannte, merkte ich, dass er sich immer weiter entfernte. Der Geruch von Staub und Abgasen wurde immer schwächer, aber an der Stelle, wo die asphaltierte Straße begann, konnte ich riechen, dass der Wagen eine scharfe Rechtskurve gemacht hatte. Danach schien sich seine Fährte jedoch zu verlieren. Aber ich konnte einfach nicht aufgeben; in wilder Panik setzte ich meine Verfolgungsjagd fort. Vor mir hörte ich einen Zug über die Gleise rumpeln, und nachdem ich eine Böschung erklommen hatte, konnte ich ihn auch sehen. Plötzlich stieg mir auch wieder der Geruch des Jungen in die Nase, und dann entdeckte ich ihn: Mit offenen Fenstern stand sein Wagen am Bahnübergang.

Ich war erschöpft. Noch nie war ich so weit und so schnell gelaufen, trotzdem steigerte ich mein Tempo noch, als die Wagentür aufging und der Junge ausstieg.

»Oh, Bailey!«, sagte er.

Am liebsten hätte ich mich auf ihn gestürzt und von ihm liebkosen lassen, aber andererseits wollte ich auf keinen Fall meine Chance verpassen. Deswegen wich ich ihm in letzter Sekunde aus und landete stattdessen im Auto.

»Bailey!« Mom lachte.

Ich leckte beide ab und verzieh ihnen, dass sie mich vergessen hatten. Als der Zug vorbeigefahren war, ließ Mom den Motor an und wendete. Aber kurz darauf hielt sie schon wieder an, denn Grandpa kam mit seinem LKW angefahren. Wollte er uns dieses Mal etwa nach Hause begleiten?

»Wie eine Rakete«, sagte Grandpa. »Kaum zu glauben, dass er es bis hierher geschafft hat.«

»Wie lange hättest du noch durchgehalten, Bailey, hm, du Schussel-Hund?«, fragte Ethan liebevoll.

Äußerst misstrauisch ließ ich mich bewegen, in Grandpas Laster zu springen – und mein Misstrauen erwies sich als berechtigt, denn als Ethan und Mom weiterfuhren, wendete Grandpa und fuhr mit mir zur Farm zurück.

Eigentlich mochte ich Grandpa und begleitete ihn gern, wenn er »etwas in der Scheune erledigen musste«. Dann ging er nämlich in dem neuen Gebäude ganz nach hinten, wo große weiche Heuhaufen lagen, und machte ein Nickerchen. An kalten Tagen legte er uns warme Decken über. Doch in der ersten Zeit nach Ethans Abreise zeigte ich ihm die kalte Schulter, um ihn dafür zu bestrafen, dass er mich zurückgeholt hatte. Als ich merkte, dass ihn das nicht zu beeindrucken schien, zerkaute ich ein paar von Grandmas Schuhen, aber auch das brachte den Jungen nicht zurück.

Über diesen ungeheuren Verrat kam ich einfach nicht hinweg. Ich wusste genau, dass der Junge irgendwo da draußen (wahrscheinlich zu Hause) war, mich brauchte und nicht verstehen konnte, warum ich nicht zu ihm kam.

Alle waren ganz ruhig und benahmen sich, als wüssten sie nicht, welche Katastrophe sie herbeigeführt hatten. Es machte mich so wütend, dass ich schließlich den Schrank des Jungen durchwühlte und den Flip herausholte. Dann rannte ich die Treppe hinunter und warf ihn Grandma in den Schoß.

»Was, um alles in der Welt, ist das denn?«, rief sie erschrocken.

»Ethans große Erfindung«, sagte Grandpa.

Ich bellte. *Ja! Ethan!*

»Möchtest du draußen spielen, Bailey?«, fragte Grandma. Dann wandte sie sich wieder an Grandpa: »Du solltest einen ausgiebigen Spaziergang mit ihm machen.«

Spaziergang? Zu dem Jungen?

»Ich wollte mir das Spiel im Fernsehen ansehen«, sagte Grandpa.

»Herrgott!«, sagte Grandma. Sie ging zur Tür und warf den Flip in den Hof, kaum fünf Meter weit. Ich sprang hinterher, nahm den Flip ins Maul und wollte ihn zurückbringen. Doch Grandma schloss die Tür und ließ mich im Hof allein. Ich verstand die Welt nicht mehr.

Na, dann eben nicht! Ich spuckte den Flip aus, trottete an Flares Weide vorbei, die Einfahrt hinunter und wanderte zu dem Haus des Mädchens. Seit Ethan fort war, hatte ich das schon ein paarmal getan. Hier roch es überall nach ihr, und auch der Geruch des Jungen war hier noch zu finden, aber er wurde immer schwächer. Ein Wagen kam die Einfahrt herauf, und Hannah stieg aus. »Wiedersehen«, sagte sie. Dann drehte sie sich um und entdeckte mich. »Oh, Bailey! Hallo!«

Ich lief zu ihr hin und wedelte mit dem Schwanz. Ihre Kleider rochen nach vielen verschiedenen Menschen – aber keine Spur von Ethan! Hannah wanderte mit mir zur Farm zurück. Nachdem sie angeklopft hatte, bat Grandma sie herein und bot ihr ein Stück Pastete an, ich aber bekam nichts.

Oft träumte ich von dem Jungen. Wie er in den Teich sprang und ich ihm nachtauchte, tiefer und tiefer… unser Rettungsspiel. Wie er Gokart fuhr, ganz glücklich und aufgeregt. Manchmal träumte ich auch, wie er aus dem Fenster sprang und vor Schmerz laut aufschrie, als er in dem brennenden Gebüsch landete. Diesen Traum hasste ich, und eines Nachts erwachte ich gerade daraus, als der Junge plötzlich vor mir stand.

»Hi, Bailey«, flüsterte er und verströmte seinen wunderbaren Geruch. Er war wieder da! Ich sprang auf, setzte die Pfoten auf seine Brust und leckte ihm übers Gesicht. »Pssst!«, machte er. »Es ist spät. Ich bin gerade erst angekommen. Die anderen schlafen schon.«

Es war Thanksgiving, und das Leben normalisierte sich. Mom besuchte uns – allerdings ohne Dad, und Hannah schaute jeden Tag vorbei.

Der Junge war glücklich, aber ich spürte, dass ihn etwas beschäftigte. Statt mit mir zu spielen, schaute er sich häufig irgendwelche Papiere an, sogar wenn ich mit dem blöden Flip ankam, um ihn ein bisschen abzulenken.

Ich war nicht besonders überrascht, als er wieder abfuhr. Anscheinend war das jetzt mein neues Leben: Ich wohnte mit Grandma und Grandpa auf der Farm, und Ethan kam nur noch gelegentlich nach Hause. Es war nicht das, was ich wollte, aber solange ich wusste, dass der Junge immer wieder zurückkehrte, konnte ich das Abschiednehmen besser ertragen.

Bei einem seiner Besuche, als die Luft warm wurde und die Bäume gerade wieder Blätter bekommen hatten, gingen Ethan und ich Hannah besuchen, die auf einem großen Feld hin und her lief. Ich konnte sie schon von Weitem riechen, genau wie die anderen Jungen und Mädchen, denn der Wind kam aus ihrer Richtung, und alle waren verschwitzt. Die Jugendlichen rannten umher, und es hätte mir bestimmt großen Spaß gemacht mitzuspielen, aber ich blieb an Ethans Seite, denn als wir da am Feldrand standen, merkte ich, dass die Schmerzen in seinem Bein stärker wurden und sich in seinem ganzen Körper ausbreiteten. Er wurde von merkwürdigen, dunklen Gefühlen gepackt, als er Hannah und den anderen beim Laufen zuschaute.

»Hey!« Hannah kam zu uns herüber und begrüßte uns. Ich leckte ihr übers Bein, das vor lauter Schweiß ganz salzig war. »Das ist aber eine nette Überraschung. Hi, Bailey!«, sagte sie.

»Hi.«

»Meine Zeiten werden immer besser«, sagte das Mädchen.

»Wer war der Typ?«, fragte Ethan.

»Welcher Typ?«

»Der, mit dem du dich unterhalten und den du umarmt hast. Ihr scheint euch sehr zu mögen«, sagte Ethan. Seine Stimme klang angespannt. Ich schaute mich um, konnte aber keine Gefahr entdecken.

»Er ist einfach nur ein Freund, Ethan«, sagte das Mädchen verärgert und sprach Ethans Namen aus, als hätte er etwas Schlimmes angestellt.

»Ist es dieser Typ namens Brett? Der kann sicher ziemlich schnell laufen.« Ethan stocherte mit seinem Gehstock im Boden herum, und ich roch an der frischen Erde.

»Was soll das heißen?«, fragte Hannah und stemmte die Hände in die Hüften.

»Du solltest zu den anderen zurückgehen. Dein Trainer sieht schon zu uns herüber«, sagt Ethan.

Hannah warf einen Blick über die Schulter, dann sah sie wieder Ethan an. »Stimmt. Ich sollte dann wohl besser mal ...«, sagte sie unsicher.

»Alles klar«, sagte Ethan. Damit wandte er sich ab und humpelte fort.

»Ethan!«, rief Hannah. Ich sah mich nach ihr um, aber der Junge ging einfach weiter. Das dunkle Durcheinander seiner Gefühle, diese Mischung aus Trauer und Wut, brodelte weiter in ihm. Irgendetwas an diesem Ort schien ihm ganz und gar nicht zu gefallen, denn er kehrte nie mehr hierher zurück.

Dieser Sommer brachte große Veränderungen. Als Mom uns besuchen kam, folgte ein großer LKW ihrem Wagen. Ein paar Männer stiegen aus und luden Kisten ab, die sie in Moms Zimmer brachten. Oft unterhielten sich Grandma und Mom leise miteinander, und manchmal weinte Mom, was Grandpa ganz verlegen machte. Er ging dann fort und sagte, er hätte »in der Scheune etwas zu erledigen«.

Ethan musste morgens immer wegfahren, zur »Arbeit«. Das war praktisch das Gleiche wie Schule und bedeutete, dass ich nicht mitdurfte. Aber wenn er abends zurückkehrte, roch er ganz köstlich nach Fleisch und Bratfett. Der Geruch erinnerte mich an unser Abenteuer im Wald, als Flare davongelaufen war und Grandpa mich später auf dem Vordersitz seines Trucks mit heißen Sandwiches aus einer Tüte gefüttert hatte.

Aber die größte Veränderung unseres Lebens bestand darin, dass das Mädchen nicht mehr zu uns kam. Manchmal fuhren wir zusammen an ihrem Haus vorbei, und ich konnte sie riechen. Sie wohnte also immer noch hier, aber trotzdem hielt der Junge nicht an und bog auch nicht in ihre Einfahrt ein. Ich vermisste sie sehr, denn sie hatte mich geliebt, und sie duftete wunderbar.

Der Junge vermisste sie ebenfalls. Meist blickte er angespannt zu ihrem Haus hinüber, wenn wir in der Nähe waren, und ich spürte, wie sehr er sich nach Hannah sehnte. Deswegen verstand ich nicht, warum wir sie nicht einfach besuchten und uns ein paar Brownies von ihr geben ließen, aber das taten wir nie wieder.

Eines Tages ging Mom in diesem Sommer zum Teich hinunter, setzte sich an den Anleger und war sehr traurig. Ich versuchte sie aufzuheitern, indem ich die Enten verbellte, aber das nützte nichts. Schließlich zog sie sich etwas vom Finger. Es war aber nichts zu essen, sondern aus Metall, ein kleines rundes Ding, und sie warf es ins Wasser, wo es mit einem »Plopp« eintauchte und versank.

Ich wusste nicht, ob sie erwartete, dass ich das Ding wieder hochholte, und sah sie fragend an. Ich war bereit, es zu versuchen, obwohl es völlig aussichtslos war. Sie aber befahl mir, mitzukommen, und wir kehrten zum Haus zurück.

Nach diesem Sommer wurde das Leben richtig gemütlich. Auch Mom ging jetzt »zur Arbeit«, und wenn sie zurückkehrte, roch sie nach duftenden, süßen Ölen. Manchmal begleitete ich sie. Unser Weg führte an der Ziegenfarm vorbei bis zu der wackeligen Brücke, und dann verbrachten wir den Tag in einem großen Zimmer, in dem viele Kleider hingen und stinkende Wachskerzen und uninteressante Metallteile herumstanden. Es kamen eine Menge Leute, um mich zu sehen, und wenn sie wieder weggingen, nahmen sie meistens ein paar von den Sachen in Tüten mit.

Der Junge kam regelmäßig zu Thanksgiving, Fröhliche Weihnachten, den Frühlings- und Sommerferien nach Hause auf die Farm.

Meine Abneigung gegen Flare hatte ich weitgehend überwunden. Mittlerweile stand sie eigentlich auch nur noch den ganzen Tag herum und starrte in den Wind. Eines Tages kam Grandpa mit einem Tier an, das sich wie ein Babypferd bewegte, aber anders roch als alles, was ich kannte. Sein Name war Jasper, und er war ein Esel. Grandpa lachte, als Jasper steifbeinig im Hof umhersprang, aber Grandma sagte: »Ich verstehe nicht, wozu wir einen Esel brauchen«, und kehrte ins Haus zurück.

Jasper hatte überhaupt keine Angst vor mir, obwohl ich auf unserer Farm das Tier Nummer eins war. Manchmal spielte ich mit ihm, aber das war ziemlich ermüdend, und es war ohnehin müßig, sich mit einem Wesen abzugeben, das nicht mal wusste, wie man einen Ball aufhob.

Eines Tages kam ein Mann namens Rick zum Essen zu uns. Ich merkte, dass Mom ziemlich glücklich war, aber auch ein bisschen verschüchtert. Grandpa machte einen skeptischen Eindruck, aber Grandma war ganz begeistert. Rick und Mom setzten sich auf die Veranda, genau wie früher Hannah und Ethan, aber sie balgten nicht miteinander. Danach kam Rick uns immer öfter besuchen. Er war sehr groß und seine Hände rochen nach Holz. Er spielte häufiger Ball mit mir als alle anderen, und ich hatte ihn sehr gern, wenn auch nicht so gern wie den Jungen.

Am liebsten hatte ich es, wenn Grandpa »etwas in der Scheune erledigen« musste. Aber auch sonst ging ich gern dorthin und legte mich zu einem Nickerchen ins Heu. Ich schlief jetzt häufiger als früher, und mein Interesse an Abenteuern ließ nach. Wenn Mom und Rick mit mir spazieren gingen, war ich bei unserer Rückkehr völlig erschöpft.

Das Einzige, was mich noch richtig munter machte, waren die Besuche des Jungen. Dann hüpfte ich vor Freude, wedelte mit dem Schwanz und winselte, was das Zeug hielt, und ich spielte mit ihm am Teich, kam mit in den Wald oder wohin er wollte. Ich wäre sogar dem Flip hinterhergejagt, aber glücklicherweise schien der Junge ihn vergessen zu haben. Manchmal fuhren wir in die Stadt und besuchten den Hundepark. Obwohl ich mich immer freute, wenn ich andere Hunde traf, fand ich die jüngeren jetzt ziemlich albern mit ihrem ewigen Spielen und Balgen.

Dann passierte eines Abends etwas ganz Merkwürdiges: Grandpa brachte mir mein Futter, und ich hatte keine Lust zu fressen! Mir lief zwar das Wasser im Maul zusammen, aber ich nahm nur einen Schluck Wasser und legte mich dann gleich wieder hin. Kurz darauf bekam ich Schmerzen, und ich musste hecheln, um überhaupt noch Luft zu bekommen.

Die ganze Nacht lag ich vor meinem Fressnapf. Als Grandma mich am nächsten Morgen dort fand, rief sie Grandpa. »Mit Bailey stimmt etwas nicht«, sagte sie. Ich hörte die Besorgnis in ihrer Stimme, als sie meinen Namen aussprach, und wedelte mit dem Schwanz, um ihr zu zeigen, dass alles in Ordnung war.

Grandpa kam und fasste mich an. »Was ist mit dir los, Bailey?«

Nachdem sie sich eine Weile miteinander unterhalten hatten, trugen Mom und Grandpa mich zum Lastwagen, und wir fuhren zu dem netten Mann in dem sauberen, kühlen Zimmer, den wir in den vergangenen Jahren immer häufiger besucht hatten. Er tastete mich ab, und ich wedelte ein bisschen mit dem Schwanz, aber es ging mir nicht gut genug, um mich richtig hinzusetzen.

Mom kam herein und weinte, Grandma und Grandpa waren auch da, und sogar Rick kam. Ich versuchte ihnen zu zeigen, dass ich zu schätzen wusste, wie rührend sie sich um mich kümmerten, aber die Schmerzen waren stärker, und ich konnte nicht mehr tun, als die Augen zu verdrehen, um alle anschauen zu können.

Dann holte der nette Mann eine Nadel. Ich nahm einen vertrauten scharfen Geruch wahr und spürte einen kleinen Stich. Schon kurz darauf ließen die Schmerzen nach, aber nun war ich so müde, dass ich einfach nur noch daliegen wollte. Mein letzter Gedanke, bevor ich einschlief, galt – wie immer – dem Jungen.

Als ich wieder aufwachte, wusste ich, dass ich im Sterben lag. In mir war alles dunkel, wie früher einmal, als ich noch Toby hieß und mit Spike und anderen kläffenden Hunden in dem kleinen, heißen Zimmer war.

Ich hatte nie darüber nachgedacht, aber tief in meinem Inneren wusste ich, dass ich eines Tages so enden würde wie Smokey, der Kater. Ich konnte mich noch gut daran erinnern, wie der Junge geweint hatte, als sie Smokey im Garten begruben, und ich hoffte, dass er über meinen Tod nicht weinen würde. Der Sinn meines Lebens – meines ganzen Lebens – bestand darin, den Jungen zu lieben, mit ihm zusammen zu sein und ihn glücklich zu machen. Deswegen war es wohl besser, dass er nicht hier war, obwohl ich ihn natürlich ganz schrecklich vermisste und gar nicht wusste, was mehr schmerzte – die Sehnsucht nach ihm oder mein Bauch.

Der nette Mann kam in mein Zimmer. »Bist du aufgewacht, Bailey? Ja? Wach geworden, alter Stromer?«

Mein Name ist nicht Stromer, hätte ich am liebsten gesagt.

Der nette Mann beugte sich über mich. »Du kannst loslassen, Bailey. Du hast einen prima Job gemacht und gut auf den Jungen aufgepasst. Das war deine Aufgabe, Bailey, und du hast sie wirklich gut erfüllt. Du bist ein guter Hund, Bailey, ein guter Hund.«

Es kam mir vor, als spräche der nette Mann über den Tod, denn von ihm ging etwas Endgültiges und sehr Friedliches aus. Dann kamen auch Mom und Grandma und Grandpa und Rick herein. Sie umarmten mich und sagten, dass sie mich liebten und dass ich ein guter Hund sei.

Bei Mom spürte ich noch etwas anderes, eine merkwürdige Spannung. Es war nicht direkt so, als sei sie in Gefahr, aber es kam mir vor, als sei da irgendetwas, wovor ich sie beschützen musste. Ich leckte ihre Hand, obwohl ich kaum genug Kraft dafür hatte, und versuchte das Dunkle in mir zurückzudrängen. Ich musste wach bleiben, Mom brauchte mich.

Die Anspannung nahm im Laufe der nächsten Stunde noch zu. Zuerst geriet Grandpa in dieselbe Stimmung wie Mom, dann Grandma und schließlich auch noch Rick. Ich hatte das Gefühl, dass mir endgültig die Kräfte schwanden, aber ich musste etwas unternehmen, um meine Familie vor der diffusen Gefahr zu schützen, die sie zu spüren schien, und das gab mir neue Kraft.

Im nächsten Moment hörte ich den Jungen. »Bailey!«, rief er, platzte ins Zimmer, und augenblicklich wich die Anspannung. Da wusste ich, dass es das war, worauf die anderen gewartet hatten. Sie hatten wohl gewusst, dass der Junge zu uns unterwegs war.

Der Junge vergrub das Gesicht in meinem Fell und schluchzte. Ich nahm all meine Kraft zusammen, hob den

Kopf und schleckte den Jungen ab, um ihm zu zeigen, dass mit mir alles in Ordnung war. Jetzt hatte ich keine Angst mehr.

Mein Atem fing an zu rasseln, und alle blieben bei mir und hielten mich fest. Es war ganz wunderbar, so umsorgt zu werden, aber plötzlich schoss mir ein so starker Schmerz in den Bauch, dass ich laut aufheulte. Der nette Mann kam herein und brachte eine neue Nadel mit.

»Wir sollten es jetzt tun. Bailey muss sonst unnötig leiden.«

»Gut«, sagte der Junge und weinte. Ich versuchte mit dem Schwanz zu wedeln, als ich meinen Namen hörte, aber ich merkte, dass ich ihn nicht mehr bewegen konnte. Dann spürte ich einen Stich im Hals.

»Bailey, Bailey, Bailey! Ich werde dich so vermissen, mein Schussel-Hund«, flüsterte Ethan. Sein Atem war warm und köstlich. Ich schloss die Augen, um ihn besser genießen zu können. Ganz deutlich spürte ich die Liebe des Jungen – und meine zu ihm.

Und dann waren die Schmerzen plötzlich wie weggeblasen. Nicht nur das. Auf einmal kam ich mir wieder wie ein ganz junger Welpe vor, voller Kraft und Lebenslust. Es war das gleiche Gefühl wie in dem Moment, als ich den Jungen zum ersten Mal sah, wie er mit weit offenen Armen aus dem Haus auf mich zugerannt kam. Als Nächstes musste ich an unser Tauchspiel denken, daran, wie es immer dunkler wurde, je tiefer ich tauchte, wie das Wasser auf meinen Körper drückte. Das gleiche Gefühl hatte ich jetzt. Ich konnte die Hände des Jungen nicht mehr spüren, sondern nur noch das Wasser. Es umschloss mich vollkommen und war warm und weich und dunkel.

Achtzehn

Die Erkenntnis traf mich erst, als ich den Geruch meiner Mutter längst identifizieren konnte und wusste, was ich tun musste, um mich, wenn ich hungrig war, zur Futterquelle vorzukämpfen. Meine Augen hatten sich bereits geöffnet, und langsam wurde mein Blick so scharf, dass ich ihr braunes Gesicht erkannte. Da kam mir schlagartig zu Bewusstsein, dass ich wieder ein Welpe war.

Nein, das stimmt nicht ganz. Es war eher so, dass ich ein Welpe war, der sich plötzlich daran erinnerte, dass er *ich* war. Ich war im Schlaf dahingetrieben, und es war viel Zeit verstrichen, in der ich nichts geträumt oder gedacht hatte. Doch jetzt betrachtete ich die Welt plötzlich mit den Augen eines sehr jungen Hundes. Und dennoch war ich gerade erst als dieser junge Hund geboren worden, musste um die Milch meiner Mutter kämpfen und wusste nichts von irgendwelchen früheren Leben.

Nun, da ich mich an alles erinnern konnte, war ich erst recht verwirrt. Mein Leben war so vollkommen gewesen, dass es keinen Grund zu geben schien, ein neues zu beginnen. Konnte es denn eine wichtigere Aufgabe geben, als den Jungen zu lieben?

Ich vermisste Ethan so sehr, dass ich manchmal vor mich hin winselte. Meine Geschwister hielten das für ein Zeichen von Schwäche und stürzten sich auf mich, um ihre Überlegenheit zu demonstrieren. Es waren sieben, alle braun mit schwarzen Flecken, und ich fragte mich, wann sie wohl endlich begreifen würden, wer von uns die Nummer eins war.

Meist kümmerte sich eine Frau um uns, aber manchmal kam auch ein Mann zu uns in den Keller und fütterte uns. Er war es auch, der uns eines Tages, als wir ein paar Wochen alt waren, in einer Kiste in einen Hinterhof brachte. Ein männlicher Hund in einem Käfig beschnupperte uns, als wir zu ihm liefen, um ihn kennenzulernen, und ich erfasste instinktiv, dass dies unser Vater war. Ich hatte noch nie einen Vater kennengelernt und fragte mich, was er wohl mit uns anstellen würde.

»Er scheint sie zu akzeptieren«, sagte der Mann zu der Frau.

»Alles in Ordnung, Bernie? Willst du raus?« Die Frau öffnete Vaters Käfig. Offenbar hieß er Bernie. Er sprang ins Freie, beschnüffelte uns und ging dann zum Urinieren an den Zaun.

Wir rannten ihm nach und fielen dabei ständig auf die Nase, weil unsere Welpenbeine uns noch gar nicht richtig trugen. Bernie legte den Kopf auf den Boden, und einer meiner Brüder sprang hinauf und biss ihm respektlos ins Ohr, aber Bernie schien das nichts auszumachen. Er balgte sogar ein Weilchen mit uns herum, ehe er zur Hintertür des Hauses ging, um hineingelassen zu werden.

Einige Wochen später, als ich einem meiner Brüder im Hof gerade zeigte, wer hier der Boss war, hielt ich plötzlich inne, hockte mich zum Urinieren hin und wusste mit einem Schlag, dass ich weiblich war! Verwundert roch ich an meinem Urin und knurrte drohend, als mein Bruder die Gelegenheit nutzen wollte, um mich über den Haufen zu rennen. Was hätte Ethan wohl davon gehalten?

Wie konnte ich, Bailey, eine Hündin sein?

Aber ich war ja nicht Bailey. Eines Tages kam ein Mann, der merkwürdige Spiele mit uns spielte. Er klatschte laut in die Hände und steckte die Welpen, die vor dem Lärm nicht zurückschreckten (so wie ich), in eine Kiste. Danach brachte er einen nach dem anderen von uns in den Hof. Als ich an der Reihe war, setzte er mich auf den Boden, wandte sich ab und ging fort, als hätte er mich vergessen. Also folgte ich ihm. Das reichte ihm schon, um zu sagen, ich sei ein guter Hund. Der Kerl war offenbar ein Weichei. Er war ungefähr im gleichen Alter wie Mom, als sie damals das Autofenster eingeschlagen und mir Wasser gegeben hatte, an dem Tag, als ich den Jungen zum ersten Mal sah.

Anschließend steckte der Mann mich in ein T-Shirt und sagte: »Na, Mädchen, findest du da wieder raus?« Anscheinend hatte er es sich jetzt schon wieder anders überlegt und wollte mich nun doch nicht in dem Ding verschwinden sehen. Also befreite ich mich und flitzte zu ihm hin, um mir noch mehr Lob abzuholen.

Die Frau war nun auch in den Hof gekommen und schaute zu.

»Die meisten brauchen eine Minute, bis sie es raushaben, aber diese hier ist ziemlich helle«, sagte der Mann. Er drehte mich auf den Rücken, und ich wand mich unter seinem Griff – ein ziemlich unfaires Spiel, wie ich fand, weil er so viel größer und stärker war als ich.

»Das mag sie nicht, Jakob«, bemerkte die Frau.

»Kein Hund mag das. Die Frage ist, ob sie aufhört sich zu wehren und akzeptiert, dass ich der Boss bin, oder ob sie weitermacht. Ich brauche einen Hund, der weiß, dass ich der Boss bin«, antwortete der Mann.

Ich hörte das Wort »Hund«, und es klang keineswegs wütend. Ich sollte also nicht bestraft werden, und trotzdem hielt er mich weiter auf dem Rucken fest. Wahrscheinlich war mir einfach nur nicht klar, worum es bei diesem Spiel ging, und so gab ich meine Gegenwehr auf.

»Gutes Mädchen!«, sagte der Mann.

Dann nahm er eine Papierkugel und fuchtelte damit so lange vor meiner Nase herum, bis mir ganz schwindelig wurde. Ich kam mir ziemlich dumm vor, weil ich meine Bewegungen nicht mehr koordinieren konnte. Immer wenn das Ding genau vor meinem Gesicht war, versuchte ich hineinzubeißen, aber ich konnte meinen kleinen Kopf nicht schnell genug bewegen. Dann warf der Mann den Ball ein Stück weit fort, und ich flitzte hin und stürzte mich darauf. Na, also! Jetzt sollte der Kerl doch mal versuchen, ihn mir wieder wegzunehmen!

Plötzlich musste ich an Ethan und den blöden Flip denken und wie froh er immer war, wenn ich ihm das Ding zurückbrachte. Also wandte ich mich um und trottete zu dem Mann zurück, legte ihm den Ball vor die Füße, setzte mich hin und wartete darauf, dass er ihn wieder fortwarf.

»Das ist er«, sagte der Mann. »Den nehme ich.«

Ich winselte, als ich sah, was für eine Art von Autofahrt mir bevorstand: auf der Ladefläche eines LKW, in einem Käfig, der ganz ähnlich aussah wie der, in dem ich mit Spike zu dem heißen, lauten Zimmer gebracht worden war. Dabei war ich doch ein Hund, der auf den Vordersitz gehörte!

Mein neues Zuhause erinnerte mich an die Wohnung, in die wir nach dem Brand gezogen waren. Die Wohnung war recht klein und besaß einen Balkon, der direkt über einem Parkplatz lag. Aber am Ende der Straße gab es einen hübschen Park, in den der Mann mich mehrmals täglich führte.

Ich wusste, dass Ethan weit weg war, weil die Bäume und Büsche hier ganz anders rochen als in der Gegend um die Farm, wo es oft geregnet hatte. Trotzdem blühte und grünte hier alles üppig. Die Luft war erfüllt vom starken Geruch der Autos, die man zu jeder Tageszeit hören konnte. Manchmal wehte ein heißer, trockener Wind und erinnerte mich an den Hof der Señora, und dann wieder hing eine schwere Feuchtigkeit in der Luft, wie ich es zu meiner Zeit als Toby nie erlebt hatte.

Der Mann hieß Jakob, und mich nannte er Elleya. »Das ist Schwedisch und bedeutet Elch. Du bist kein deutscher Schäferhund, sondern ein schwedischer Naturbursche.« Ich wedelte mit dem Schwanz, obwohl ich nicht verstand, was das bedeuten sollte. »Elleya, Elleya. Komm, Ellie, komm!«

Jakobs Hände rochen nach Öl, nach seinem Wagen, nach Papier und Menschen.

Er trug dunkle Kleidung, und an seinem Gürtel hingen Metallobjekte, darunter auch eine Waffe. Vermutlich war er Polizist. Wenn er tagsüber weg war, kam eine nette Frau namens Georgia für ein paar Stunden vorbei, um mit mir zu spielen und mit mir Gassi zu gehen. Sie erinnerte mich an Chelsea, die in Ethans und meiner Straße gewohnt und zwei Hunde gehabt hatte, erst Marshmallow, dann Duchess. Georgia hatte viele Namen für mich, manche waren ziemlich albern, wie zum Beispiel Ellie-wellie-knuddel-knutsch, aber das machte mir nichts aus. Es erinnerte mich sehr an Ethans »Schussel-Hund« – nur eine weitere Variante meines Namens, versehen mit einer Extraportion Zuneigung.

Ich gab mir Mühe, mich an mein neues Leben als Ellie zu gewöhnen, auch wenn es ganz anders war als das von Bailey. Jakob gab mir ein Hundekörbchen, das dem in der Garage ähnelte, nur dass ich jetzt tatsächlich darin schlafen sollte. Er stieß mich sogar fort, wenn ich versuchte, zu ihm unter die Bettdecke zu kriechen, obwohl da noch jede Menge Platz war.

Ich verstand, dass ich nun nach neuen Regeln leben sollte, genauso wie ich mich daran gewöhnt hatte, dass Ethan aufs College ging. Ich vermisste den Jungen so sehr, dass es schmerzte, aber auch daran musste ich mich gewöhnen, denn die Aufgabe eines Hundes besteht nun mal darin, sich dem Willen der Menschen zu beugen.

Allerdings gab es einen Unterschied zwischen Gehorsam und dem Sinn des Lebens. Meiner Meinung nach bestand der Sinn meines Lebens einzig und allein darin, mit Ethan zusammen zu sein, und diese Aufgabe hatte ich erfüllt. Immerhin war ich während seiner ganzen Jugend sein treuer Begleiter gewesen. Doch wenn das stimmte, warum lebte ich dann jetzt noch einmal als Ellie? War es möglich, dass ein Hund mehr als einen Lebenssinn verfolgen musste?

Jakob war immer sehr geduldig mit mir. Wenn sich beispielsweise meine kleine Blase meldete und dann praktisch im selben Moment auch schon überfloss, schrie er mich nie an. Er scheuchte mich auch nicht sofort nach draußen, so wie der Junge es getan hatte. Vielmehr lobte er mich so ausgiebig, wenn ich mein Geschäft draußen erledigte, dass ich beschloss, meinen Körper so schnell wie möglich unter Kontrolle zu bekommen. Andererseits überschüttete Jakob mich nicht so mit Liebe wie der Junge. Sein Verhältnis zu mir war eher nüchtern, so ähnlich wie Ethans zu Flare, dem Pferd. Auf gewisse Weise wusste ich das sogar zu schätzen, denn es gab mir Sicherheit und Orientierung. Manchmal sehnte ich mich aber nach Ethans liebkosenden Händen und konnte gar nicht abwarten, bis Georgia wiederkam und mich Ellie-wellie-knuddel-knutsch nannte.

Nach und nach wurde mir klar, dass Jakob einen Knacks hatte. Es war, als sei etwas in ihm zerbrochen. Ich wusste nicht, was dahintersteckte, aber ich spürte, dass es etwas gab, das seine Gefühle dämpfte, etwas Düsteres, Bitteres, das mich an die Zeit erinnerte, als Ethan nach dem Brand wieder nach Hause gekommen war. Doch was immer es auch sein mochte, es hatte zur Folge, dass Jakob mir gegenüber stets reserviert blieb. Wenn wir zusammen etwas unternahmen, spürte ich seinen ebenso kühlen wie abschätzigen Blick auf mir.

»Los, an die Arbeit!«, sagte er oft, und dann lud er mich in seinen Laster und fuhr mit mir zum Spielen in einen Park. »Platz« bedeutete, dass ich mich hinlegen sollte, und mit der Zeit lernte ich auch, dass »Bleib« bei Jakob wirklich »Bleib« hieß und dass ich an ein und demselben Fleck ausharren sollte, bis Jakob »Komm« sagte.

Die Arbeit half mir über meine Sehnsucht nach Ethan hinweg. Aber wenn ich abends einschlief, dachte ich oft an den Jungen – wie er mich gestreichelt hatte, wie er im Schlaf roch, wie er lachte und sprach. Ich hoffte, dass er glücklich war, wo immer er jetzt war und was immer er dort tat. Mir war klar, dass ich ihn nie wiedersehen würde.

Als ich größer wurde, kam Georgia immer seltener, aber ich vermisste sie nicht besonders, weil ich voll und ganz mit unserer Arbeit beschäftigt war. Eines Tages fuhren wir in einen Wald, wo wir einen Mann namens Wally trafen. Er streichelte mich, und dann lief er fort. »Was tut er da, Ellie? Wo läuft er hin?«, fragte Jakob. Ich beobachtete Wally, der sich über die Schulter nach mir umschaute und ganz aufgekratzt winkte.

»Such ihn, Ellie! Such!«, sagte Jakob.

Unsicher trottete ich in Wallys Richtung. Was sollte das? Wally sah mich kommen, ließ sich auf die Knie fallen und klatschte. Als ich bei ihm war, hielt er mir einen Stock hin, und dann spielten wir ein paar Minuten damit. Danach stand Wally wieder auf. »Schau, Ellie! Was tut er da? Such ihn!«, sagte Wally.

Dieses Mal ging Jakob weg, und ich rannte ihm hinterher. »Guter Hund!«, lobte er mich.

Es gibt clevere und dumme Spiele. Dieses fand ich genauso blöd wie den Flip. Aber Wally und Jakob schien es zu gefallen, also machte ich mit – schon allein, weil wir hinterher Stock-Fangen spielten, was mir viel mehr Spaß machte als Such-Wally.

Etwa um die Zeit, als ich »Such« lernte, passierte etwas Merkwürdiges. Eine nie gekannte Unruhe breitete sich in mir aus, und mein Hinterteil sonderte einen überaus peinlichen Geruch ab. Mom und Grandma hatten immer geschimpft, wenn mir unter dem Schwanz würzige Düfte entwichen. Daher wusste ich, als sich dieser starke Geruch entwickelte, dass ich ein böser Hund war. (Grandpa hatte immer besonders heftig auf üble Gerüche reagiert und »Oh, Bailey!« gesagt, sogar wenn der Geruch von ihm selbst kam.)

Jakob schien aber nichts zu merken. Erst als andere Hunde vermehrt die Büsche in der Nähe unserer Wohnung markierten, wurde er auf die Sache aufmerksam. Aus irgendeinem Grund war mir klar, dass sich die anderen Hunde nur meinetwegen in unserer Gegend herumtrieben.

Jakobs Reaktion überraschte mich: Er steckte mich in ein Paar Shorts, ganz ähnlich denen, die er unter der Hose trug. Hinten hatten sie ein Loch für meinen Schwanz. Hunde, die Pullover und dergleichen trugen, hatten mir immer leidgetan, und jetzt musste ich selbst so herumlaufen! Und das vor den Augen der anderen Hunde! Es war mehr als peinlich – gerade jetzt, da mir so viel Aufmerksamkeit geschenkt wurde und extra meinetwegen das Gebüsch vor unserem Haus so fleißig gewässert wurde.

Jakob sagte: »Zeit für den Tierarzt«, und fuhr mit mir zu einem Ort, an dem mir einiges bekannt vorkam. Wir gingen in ein kühles Zimmer mit hellem Licht und einem Metalltisch. Ich schlief ein und – wie nicht anders zu erwarten – wachte zu Hause mit einem dieser blöden trichterförmigen Plastikkragen wieder auf.

Erst als mir der Kragen wieder abgenommen wurde, gingen Jakob und ich wieder in den Park. Ein paar Monate lang taten wir das fast jeden Tag. Dann wurden die Tage kürzer, aber es wurde nie richtig kalt, und an Schnee war nicht mal zu denken. Es wurde immer schwerer, Wally zu suchen, denn die Männer änderten andauernd die Regeln. Manchmal war Wally nicht da, wenn wir am Park ankamen, und ich musste ihn erst suchen, bevor ich ihn zu Gesicht bekam. Wenn ich ihn dann fand, lag er oft so da wie Grandpa, wenn er in der Scheune etwas erledigen musste, und ich lernte einen neuen Befehl: »Zeig!« Das bedeutete, ich sollte Jakob zu der Stelle führen, wo Wally faul unter einem Baum lag. Jakob merkte immer, wenn ich etwas gefunden hatte, auch wenn es bloß eine Socke war, die Wally fallen gelassen hatte. Der Mann war ein Desaster, denn andauernd verlor er irgendein Kleidungsstück und war darauf angewiesen, dass ich es wiederfand. Jakob sah mir an, ob ich etwas gefunden hatte: »Zeig!«, befahl er mir nämlich immer nur, wenn ich tatsächlich etwas gefunden hatte.

Eine weitere Aufgabe, die Jakob mir stellte, bestand darin, eine schräge Fläche zu erklimmen und dann auf der anderen Seite Schritt für Schritt über eine Leiter wieder herunterzuklettern, statt einfach zu springen, was ich viel lieber getan hätte. Er brachte mir auch bei, in enge Röhren zu kriechen und auf aufgestapelte Baumstämme zu springen. Eines Tages befahl er mir, mich ganz ruhig hinzusetzen, während er die Waffe von seinem Gürtel nahm und einige Male schoss. Es knallte so laut, dass ich anfangs ordentlich zusammenzuckte.

»Gutes Mädchen! Das ist eine Waffe. Siehst du, Ellie? Davor brauchst du keine Angst zu haben. Sie ist laut, aber du hast keine Angst, nicht wahr, mein Mädchen?«

Er hielt mir das Ding hin, und ich schnupperte daran. Ich war froh, dass er sie nicht wegwarf und erwartete, dass ich sie für ihn zurückholte, denn sie roch ekelhaft und würde vermutlich noch schlechter fliegen als der Flip.

Manchmal saß Jakob mit anderen Leuten, die ebenfalls Waffen besaßen, im Freien an einem Tisch, und alle tranken etwas aus Flaschen. Bei solchen Gelegenheiten spürte ich Jakobs inneren Aufruhr am deutlichsten: Manchmal lachte er mit ihnen, aber in der Regel zog er sich in sich selber zurück und fühlte sich traurig und einsam.

»Ist doch wahr, Jakob«, sagte einer der Männer einmal, als sie wieder beisammensaßen. Ich hatte seinen Namen gehört, aber Jakob selbst starrte blicklos in die Ferne und merkte nichts. Ich setzte mich auf und stupste seine Hand mit der Schnauze an, aber als er mich dann tätschelte, spürte ich, dass er mich gar nicht richtig wahrnahm.

»Ich sagte: Ist doch wahr, Jakob«, wiederholte der andere Mann.

Es war, als ob ein Ruck durch Jakob ging, und er schaute die anderen der Reihe nach an. Ich merkte, wie peinlich es ihm war. »Was?«, fragte er.

»Wenn der Jahrtausendwechsel wirklich so schlimm wird,

wie alle sagen, brauchen wir jede Hundestaffel, die wir kriegen können. Dann geht es in der Stadt rund wie damals, als weiße Polizisten diesen Rodney King halbtot geprügelt haben.«

»Für so was ist Ellie nicht ausgebildet«, sagte Jakob abweisend. Ich setzte mich auf, als ich meinen Namen hörte, und sah, dass die Männer mich alle anschauten. Irgendwie war mir dabei nicht wohl, und ich spürte, dass die Männer mit Jakobs abweisender Art nicht klarkamen. Sie setzten das Gespräch fort und ignorierten ihn nun. Ich stupste wieder seine Hand an, und dieses Mal kraulte er mich hinter den Ohren und sagte: »Guter Hund, Ellie.«

Such-Wally wurde mit der Zeit zu Such-alles-Mögliche. Jakob und ich gingen irgendwohin, und er gab mir etwas zum Schnüffeln, einen alten Mantel, einen Schuh oder einen Handschuh, und dann musste ich die Person finden, der das Zeug gehörte. Manchmal bekam ich aber nichts zu schnüffeln, sondern ich rannte einfach nur auf einem großen Gelände hin und her und zeigte Jakob alle interessanten Fährten, die ich aufspürte. Ich fand eine Menge Leute, die nicht Wally waren, und manche waren offenbar nicht in die Spielregeln eingeweiht. Sie riefen dann Dinge wie »Komm her, Mädel!« oder machten auf eine andere Art auf sich aufmerksam. Ich führte Jakob zu ihnen, und er lobte mich immer, auch wenn die Personen, die ich aufgespürt hatte, unser Spiel nicht durchschauten. Mit der Zeit wurde mir klar, dass es darum ging, Leute zu finden und Jakob zu ihnen zu führen, damit er dann entscheiden konnte, ob es die richtigen waren. Das war jetzt meine Aufgabe.

Ich war ungefähr seit einem Jahr bei Jakob, als er anfing, mich jeden Tag mit zur Arbeit zu nehmen. Da waren noch viele andere, die alle genauso gekleidet waren wie er. Die meisten waren sehr freundlich zu mir, zogen sich aber respektvoll zurück, wenn Jakob »Bei Fuß« sagte. Er brachte mich in einen Zwinger, wo schon zwei andere Hunde waren, Cammie und Gypsy. Cammie war rabenschwarz, Gypsy braun.

Obwohl wir nun viel Zeit zusammen in einem Zwinger verbrachten, ging ich mit Cammie und Gypsy anders um als mit den Hunden, mit denen ich in früheren Zeiten zusammengewohnt hatte. Wir waren Arbeitshunde und konnten es uns nicht leisten, miteinander herumzualbern, denn wir mussten uns immer bereithalten, unseren Herren zu dienen. Deshalb saßen wir meistens nur aufmerksam am Käfiggitter.

Gypsy arbeitete mit einem Polizisten namens Paul und hatte viel zu tun. Manchmal konnte ich die beiden im Hof bei der Arbeit beobachten. Aber sie machten alles falsch: Gypsy schnüffelte immer nur an Kisten und Kleiderhaufen herum und machte Paul auf Dinge aufmerksam, die völlig uninteressant waren. Trotzdem lobte Paul die Hündin jedes Mal, holte ein Päckchen aus der Kiste oder dem Kleiderhaufen und sagte, Gypsy sei ein guter Hund.

Cammie war schon älter und hatte keine Lust, Gypsy zu beobachten. Wahrscheinlich war es ihm peinlich, dass sie alles falsch machte. Cammie arbeitete mit einer Polizistin namens Amy und hatte nicht viel zu tun. Aber wenn Amy kam und ihn holte, hatten sie es immer sehr eilig und verließen das Gelände im Laufschritt. Ich habe nie herausbekommen, worin seine Arbeit bestand, aber so wichtig wie »Such« war sie bestimmt nicht.

»Wo bist du diese Woche eingesetzt?«, fragte Amy Paul einmal.

»Am Flughafen, bis Garcia wieder gesund ist«, sagte Paul. »Und wie läuft's so beim Sprengstoffkommando?«

»Nicht viel zu tun in letzter Zeit. Aber ich mache mir Sorgen um Cammie. Seine Trefferquote lässt neuerdings zu wünschen übrig. Ich glaube, sein Geruchssinn lässt nach.«

Als er seinen Namen hörte, hob Cammie den Kopf, und ich sah zu ihm hinüber.

»Wie alt ist er denn? Zehn?«, fragte Paul.

»Ungefähr«, sagte Amy.

Ich stand auf und schüttelte mich, denn ich witterte, dass Jakob im Anmarsch war. Ein paar Sekunden später kam er um die Ecke. Er unterhielt sich mit den anderen, und wir Hunde schauten zu und fragten uns, warum sie uns nicht aus dem Zwinger ließen.

Plötzlich wurde Jakob ganz aufgeregt. Er beugte den Kopf und redete auf seine Schulter ein. »Zehn-Vier, Hundestaffel Acht-Kilo-Sechs«, sagte er, während Amy auf den Zwinger zurannte. Cammie sprang auf. »Ellie!«, rief Amy. »Komm!«

Innerhalb von Sekunden durchquerten wir den Hof, und ich sprang auf die Ladefläche des Lasters. Ich war ganz außer Atem. Es war, als hätte Jakob mich mit seiner Aufregung angesteckt.

Ich wusste nicht, was los war, aber ich ahnte, dass es etwas Wichtigeres sein musste als Such-Wally.

Neunzehn

Jakob fuhr uns zu einem großen, niedrigen Gebäude, vor dem mehrere Menschen im Kreis herumstanden. Ich spürte die allgemeine Anspannung. Jakob kam zur Ladefläche und tätschelte mich, ließ mich aber nicht aussteigen. »Guter Hund«, sagte er abwesend.

Ich setzte mich auf und beobachtete ihn gespannt, als er auf die Leute vor dem Haus zuging. Einige von ihnen begannen gleichzeitig auf Jakob einzureden.

»Wir haben erst mittags gemerkt, dass sie weg ist. Keine Ahnung, wann sie verschwunden ist.«

»Marilyn hat Alzheimer.«

»Wie konnte es nur passieren, dass sie niemand hat gehen sehen?«

Während ich dasaß und lauschte, kletterte ein Eichhörnchen von einem nahen Baum und fing seelenruhig an, im Gras nach Futter zu suchen. Ich starrte es fassungslos an. Was für eine Unverschämtheit, mich einfach so zu ignorieren! Ich war schließlich ein gefährliches Raubtier und stand keine drei Meter entfernt!

Jakob kam an meinen Käfig und öffnete ihn. »Bei Fuß!«, befahl er und gab mir keine Chance, auf das Eichhörnchen loszugehen. Wohl oder übel schlug ich es mir aus dem Kopf. Ich sollte arbeiten, und dazu war ich – wie immer – bereit.

Jakob führte mich an den Leuten vorbei, in den Vorgarten des Gebäudes. Dort hielt er mir zwei Blusen hin, deren Geruch mich vage an Grandma erinnerte. Ich steckte die Nase in den weichen Stoff und atmete tief ein.

»Ellie, such!«

Ich rannte los. Als ich wieder an den Leuten vorbeikam, sagte jemand: »In die Richtung ist sie ganz bestimmt nicht gegangen.«

»Lasst Ellie einfach ihre Arbeit machen«, sagte Jakob.

Arbeit war das Stichwort. Ich konnte mich genau an den Geruch erinnern, als ich die Nase in die Luft hielt und auf und ab lief, wie ich es gelernt hatte. Ich nahm die Gerüche vieler Leute wahr, auch Hundegerüche und Autogerüche, aber der Geruch der Blusen war nicht dabei. Frustriert kehrte ich zu Jakob zurück.

Er sah, wie enttäuscht ich war. »Ist schon in Ordnung, Ellie. Such!« Er ging die Straße entlang, und ich sprang voraus, wobei ich jeden Vorgarten sorgfältig beschnupperte. Dann kam ich an eine Straßenecke und wurde langsamer: Da war es, eindeutig stieg es mir in die Nase. Ich kreiste es ein und rannte darauf zu. Zehn Meter vor mir lag etwas im Gebüsch, und der Geruch war jetzt ganz deutlich. Ich lief zu Jakob zurück, zu dem sich inzwischen andere Polizisten gesellt hatten.

»Zeig, Ellie!«

Ich führte ihn hin. Er bückte sich und berührte etwas mit einem Stock.

»Was ist es denn?«, fragte einer der anderen Polizisten, die Jakob gefolgt waren.

»Ein Taschentuch. Guter Hund, Ellie, guter Hund!« Jakob streichelte mich freundschaftlich, aber nur kurz, und ich ahnte, dass noch mehr Arbeit vor mir lag.

»Wie können wir uns sicher sein, dass es ihr gehört? Es könnte doch von allen möglichen anderen Leuten stammen«, sagte einer der Polizisten.

Jakob beugte sich zu mir runter und ignorierte die anderen. »Okay, Ellie, such!«

Jetzt konnte ich der Spur ohne Weiteres folgen. Sie war schwach, aber deutlich und ließ sich über zwei Straßenzüge verfolgen. Dann musste ich nach rechts abbiegen, wo die Witterung stärker wurde. An einer Einfahrt bog sie erneut scharf rechts ab, und ich folgte ihr durch eine offene Gartenpforte, wo die Frau mit dem Geruch auf einer Schaukel saß und sanft vor und zurück schwang. Sie schien glücklich zu sein und freute sich offenbar, mich zu sehen. »Hallo, Hundchen«, sagte sie.

Ich lief zu Jakob zurück, und seine Erregung zeigte mir, dass er mich wieder verstanden hatte. Er wusste, dass ich die Frau gefunden hatte. Trotzdem wartete er, bis ich bei ihm war, ehe er reagierte. »Okay, Ellie, zeig!«

Ich führte ihn zu der Frau auf der Schaukel, und ich spürte, wie erleichtert er bei ihrem Anblick war. »Sind Sie Marilyn?«, fragte er freundlich.

Sie nickte und antwortete: »Sind Sie Warner?«

Jakob sprach in das Mikrofon an seiner Schulter, und kurz darauf kamen die anderen Polizisten zu uns. Jakob nahm mich zur Seite. »Guter Hund, Ellie!« Er holte einen Gummiring aus der Tasche und ließ ihn über den Rasen hüpfen. Ich sprang hinterher und brachte ihn zurück, behielt ihn aber im Maul, damit Jakob daran ziehen und wir einen kleinen Wer-kriegt-den-Ring-Kampf machen konnten. Wir spielten ungefähr fünf Minuten lang, und es machte so viel Spaß, dass ich heftig mit dem Schwanz wedelte.

Als Jakob mich wieder in den Käfig auf dem Lastwagen sperrte, spürte ich, wie stolz er war. »Guter Hund, Ellie! Du bist wirklich ein guter Hund!«

Näher konnte Jakob der unbändigen Liebe und Bewunderung, die Ethan mir einst entgegengebracht hatte, nicht kommen. Jetzt wurde mir klar, was der Sinn meines Lebens als Ellie war: Ich sollte Leute nicht nur suchen, sondern sie retten. Die Leute, die vor dem Gebäude gestanden hatten, waren furchtbar besorgt gewesen, und genauso spürbar war ihre Erleichterung, als wir zu ihnen zurückkehrten. Die alte Dame war irgendwie in Gefahr gewesen, und dadurch, dass ich sie gefunden hatte, konnten Jakob und ich sie retten. Es war unsere gemeinsame Aufgabe, unsere Arbeit. Für ihn war es das Wichtigste auf der Welt, und mich erinnerte es an das Spiel, bei dem ich Ethan aus dem Teich gerettet hatte.

Am nächsten Tag fuhr Jakob mit mir zu einem Laden und kaufte ein paar duftende Blumen, die er im Wagen liegen ließ, während wir arbeiteten. (Dieses Mal versteckte Wally sich auf einem stinkenden Müllcontainer, aber mich konnte er nicht hereinlegen.) Danach machten Jakob und ich eine lange Fahrt – so lang, dass ich es leid wurde, die Nase aus dem Käfig zu strecken, und mich einfach hinlegte.

Als Jakob mich aussteigen ließ, machte er einen ungeheuer bedrückten Eindruck. Sein Schmerz schien stärker denn je. Wir befanden uns auf einem großen Hof mit lauter Steinen. Unsicher lief ich neben Jakob her, weil ich nicht wusste, was er hier vorhatte. Mit den Blumen in der Hand ging er ungefähr hundert Meter weit, dann kniete er sich hin und legte die Blumen vor einen der Steine. Sein Schmerz wurde so stark, dass er zu weinen begann. Besorgt stupste ich seine Hand mit der Schnauze an.

»Ist schon gut, Ellie. Guter Hund. Sitz!«

Ich setzte mich und litt mit ihm.

Er räusperte sich. »Ich vermisse dich so schrecklich, Liebling«, flüsterte er heiser. »Manchmal weiß ich nicht, wie ich den Tag überstehen soll, weil ich weiß, dass du nicht da bist, wenn ich nach Hause komme.«

Ich spitzte die Ohren, als ich »nach Hause« hörte. *Ja*, dachte ich. *Lass uns nach Hause gehen, weg von diesem traurigen Ort.*

»Ich bin jetzt bei der Hundestaffel, Such- und Rettungsdienste. Auf Streife darf ich noch nicht gehen, weil ich immer noch Antidepressiva nehme. Ich habe jetzt einen Hund – Ellie. Sie ist ein Jahr alt, eine Schäferhündin.«

Ich wedelte mit dem Schwanz.

»Wir haben gerade die Ausbildung zum Diensthund abgeschlossen und sind jetzt für Einsätze zugelassen. Es tut gut, nicht mehr am Schreibtisch zu sitzen. Als Bürohengst habe ich zehn Pfund zugelegt.« Jakob lachte, und es klang falsch und traurig, gequält und kein bisschen glücklich.

Fast reglos verharrten wir dort gut zehn Minuten lang. Nach und nach wurde Jakob etwas ruhiger, und der Schmerz, der ihn vorher fast zerrissen hatte, ließ nach. Jetzt ähnelte er dem, was ich bei Ethan und Hannah immer gespürt hatte, wenn sie sich am Ende des Sommers voneinander verabschiedet hatten – eine Art bange Wehmut. »Ich liebe dich«, flüsterte Jakob. Dann drehte er sich um, und wir kehrten zu seinem Wagen zurück.

Von dem Tag an war ich nicht mehr so oft im Zwinger. Manchmal flogen wir mit Flugzeugen oder Hubschraubern. In beiden vibrierte es so wohlig, dass ich trotz des Lärms ganz müde wurde. »Du bist ja ein richtiger Flughund«, sagte Jakob.

Eines Tages fuhren wir zu dem größten Teich, den ich je

gesehen hatte. Es waren Massen von Wasser mit lauter exotischen Gerüchen. Ich folgte der Spur eines kleinen Mädchens durch den Sand bis hin zu einem Spielplatz mit vielen Kindern, die alle nach mir riefen, als sie mich sahen.

»Möchtest du ein bisschen im Meer spielen, Ellie?«, fragte Jakob, nachdem ich ihm das kleine Mädchen gezeigt hatte, das dann mit seinen Eltern im Auto wegfuhr. Wir gingen an den Teich, und ich spritzte und tollte im Wasser herum, das merkwürdig salzig war. »Das ist das Meer, Ellie, das große, weite Meer.« Jakob lachte. Es schien ihm gutzutun, in diesem sogenannten Meer herumzutollen, denn ich spürte, wie die Schwere ein wenig von ihm abfiel.

Durch das flache Wasser zu rennen, erinnerte mich daran, wie ich Ethan auf dem Schlitten nachgejagt war: Genau wie im Schnee musste ich die Beine sehr hoch heben, um überhaupt vorwärtszukommen. Das mit dem Schnee war merkwürdig, denn nach den Sonnenständen zu urteilen, waren bereits ein paar Jahre vergangen, ohne dass es hier je geschneit hätte. Den Kindern schien das jedoch nichts auszumachen, denn sie besaßen Schlitten, mit denen sie über die Wellen ritten. Ich blieb stehen, beobachtete sie eine Weile und verzichtete darauf, ihnen nachzujagen, denn das wäre Jakob nicht recht gewesen. Ein Junge hatte eine gewisse Ähnlichkeit mit Ethan in jüngeren Jahren, und ich staunte darüber, dass ich mich noch so genau an meinen Jungen erinnern konnte: Ich wusste, wie er als Kind ausgesehen hatte und wie als Mann. Ich wurde vom Schmerz überwältigt, Trauer durchfuhr mich wie ein Dolch, bis Jakob mich mit einem Pfiff wieder zu sich rief.

Wenn ich doch mal im Zwinger war, war Cammie meist auch dort, aber Gypsy fast nie. An einem solchen Tag versuchte ich gerade, Cammie für ein Wer-kriegt-den-Ball-Spiel zu begeistern, als Jakob angelaufen kam und »Ellie!« rief.

Noch nie hatte seine Stimme so erregt geklungen.

Wir fuhren sehr schnell, und wenn wir eine Kurve nahmen, quietschten unsere Reifen so laut, dass ich es trotz der Sirene hörte, die auf dem Dach des Wagens heulte. Ich legte mich in meinem Käfig flach auf den Boden und machte mich schwer, um nicht von einer Ecke in die andere geschleudert zu werden.

Wie üblich waren an unserem Arbeitsplatz schon viele Leute versammelt, als wir ankamen. Eine Frau hatte so große Angst, dass sie nicht mehr stehen konnte und von zwei anderen gehalten werden musste. Jakob rannte an mir vorbei, um mit den Leuten zu sprechen. Auch von ihm ging so viel Angst aus, dass sich mir die Nackenhaare sträubten.

Wir befanden uns auf einem Parkplatz vor einem Haus mit großen, schwingenden Glastüren, aus denen Menschen mit kleinen Taschen kamen. Die Frau, die dem Zusammenbruch nahe war, griff in die ihre und zog ein Spielzeug hervor.

»Wir haben das Einkaufszentrum absperren lassen«, sagte jemand.

Nun ließ Jakob mich frei, so dass ich an dem Spielzeug schnüffeln konnte. »Okay, Ellie? Hast du's? Dann such jetzt, Ellie, such!«

Ich sprang vom Wagen herunter und versuchte, all die unterschiedlichen Gerüche zu unterscheiden und den einen zu finden, der zu dem Spielzeug passte. Ich war so konzentriert, dass ich auf nichts anderes achtete und direkt vor einen Wagen lief, der schlingernd zum Stehen kam, als der Fahrer scharf bremste.

Doch dann hatte ich Witterung aufgenommen. Ich konnte

die Fährte des Mädchens deutlich wahrnehmen, aber sie mischte sich mit einem anderen, einem starken, männlichen Geruch. Ich nahm die Verfolgung auf und war mir ganz sicher, dass ich auf der richtigen Spur war.

Der Geruch verlor sich an einem Auto, genauer gesagt: daneben, woraus ich schloss, dass die gesuchten Personen mit einem anderen Wagen weggefahren waren. Das Fahrzeug, das wir jetzt hier vorfanden, hatte einfach nur später hier geparkt. Ich alarmierte Jakob, und seine Enttäuschung war körperlich spürbar.

»Okay, Ellie, guter Hund«, lobte er mich so nachlässig, dass ich mir wie ein böser Hund vorkam.

»Ihre Spur führt hierher«, sagte er zu den anderen. »Sie muss in einen Wagen gebracht und dann weggefahren worden sein. Wird dieser Parkplatz durch Kameras überwacht?«

»Das überprüfen wir gerade. Wenn es aber der Kerl ist, den wir im Verdacht haben, dann ist das Auto gestohlen«, erwiderte ein Mann im Anzug.

»Wo würde er sie hinbringen, wenn er es wirklich ist? Wo sollen wir ihn suchen?«, fragte Jakob.

Der Mann im Anzug drehte sich um und schaute auf die grünen Hügel im Hintergrund. »Die letzten beiden Leichen haben wir da oben im Topanga Canyon gefunden, die erste im Will Rogers State Park.«

»Wir versuchen es mit dem Canyon«, sagte Jakob. »Vielleicht finden wir da oben ja was.«

Ich war ganz aus dem Häuschen, als Jakob mich auf dem Vordersitz Platz nehmen ließ! Das hatte er noch nie getan. Aber er war immer noch sehr angespannt, deshalb konzentrierte ich mich weiter auf meine Arbeit und bellte nicht, als wir an ein paar Hunden vorbeifuhren, die mir mit unverhohlenem Neid hinterherjaulten. Wir verließen den Parkplatz, und Jakob hielt mir wieder das Spielzeug unter die Nase. Pflichtbewusst beschnupperte ich es noch einmal.

»Okay, mein Mädchen, ich weiß, wie ungewohnt es für dich ist, aber such!«

Als ich den Befehl hörte, sah ich ihn verwirrt an. Such? Hier, vom Wagen aus?

Die Gerüche, die zum Fenster hineinwehten, waren verlockend, und so streckte ich meine Nase in den Wind.

»Guter Hund!«, sagte Jakob. »Such! Such das Mädchen!«

Ich hatte den Geruch des Spielzeugs noch in der Nase, und plötzlich wurde derselbe Geruch von einer Böe herangeweht, immer noch mit dem des Mannes vermischt. Sofort machte ich Jakob darauf aufmerksam.

»Gutes Mädchen!«, sagte Jakob, bremste und sah mich aufmerksam an. Hinter uns hupten andere Wagen. »Hast du's, Ellie?«

Aber ich hatte den Geruch verloren.

»Schon gut, Ellie, schon gut. Guter Hund«, sagte Jakob und fuhr weiter.

Da ich verstanden hatte, dass wir jetzt von unserem Auto aus arbeiteten, hielt ich die Nase aus dem Fenster, aber nicht einfach so, sondern mit voller Konzentration auf den Geruch des Spielzeugs. Doch obwohl ich alle anderen Gerüche ignorierte, konnte ich nirgends eine Spur entdecken.

Wir fuhren den Hügel hinauf, und ich spürte, dass Jakobs Enttäuschung zunahm.

»Ich glaube, wir haben sie verloren«, murmelte er. »Ist da nichts, Ellie?«

Ich drehte mich zu ihm um, als ich meinen Namen hörte, dann wandte ich mich wieder meiner Arbeit zu.

»Einheit Acht-Kilo-Sechs, Ihren genauen Standort, bitte!«, krächzte es aus dem Funkgerät.

»Hier Acht-Kilo-Sechs, wir nähern uns Amalfi.«

»Irgendeine Spur?«

»Am Sunset war was, seither nichts mehr.«

»Roger.«

Ich bellte. Normalerweise tat ich das nicht, wenn mir ein Geruch in die Nase wehte, aber der hier war sehr stark, und er kam mit einem Windstoß, der die Fahrerkabine unseres Fahrzeugs komplett auszufüllen schien.

»Hier Acht-Kilo-Sechs, da ist etwas, Ecke Amalfi und Umeo.«

Unser Wagen wurde langsamer, und ich konzentrierte mich weiter auf die Fährte. Ich konnte das Mädchen ganz genau riechen, und der Geruch des Mannes war auch dabei. Jakob bremste.

»Okay, Ellie, wohin jetzt?«, fragte er.

Ich kletterte auf seinen Sitz und streckte die Nase zu seinem Fenster hinaus.

»Links ab, Ecke Capri«, rief Jakob aufgeregt ins Funkgerät.

Kurz darauf wurde die Fahrt ganz holprig.

»Wir sind jetzt auf dem Feuerschutzstreifen!«

»Verstanden, wir sind unterwegs.«

Ich war in höchster Alarmbereitschaft und konzentrierte mich ausschließlich auf den vor uns liegenden Weg, während Jakob alle Hände voll zu tun hatte, um den Wagen auf dem schmalen, holprigen Weg zu halten. Plötzlich kamen wir ruckartig zum Stehen. Vor uns lag ein gelbes Tor.

»Achtung! Verständigt die Feuerwehr! Hier ist ein Tor.«»

»Verstanden.«

Wir sprangen aus dem Wagen. Ein roter Wagen stand neben dem Tor, und ich lief direkt darauf zu. Die Fährte des Mädchens und des Mannes war so stark, dass ich Jakob darauf aufmerksam machte. Er zückte die Waffe.

»Hier steht ein roter Toyota Camry, leer. Ellie meint, dass er unserem Mann gehört.«

Jakob führte mich zum Heck des Wagens und beobachtete mich gespannt.

»Kein Hinweis auf Personen im Kofferraum«, sagte er.

»Roger.«

Der Geruch aus dem Wagen war nicht so stark wie der, der aus dem Canyon heraufstieg. Auf der abschüssigen Straße war die Fährte des Mannes stärker – die des Mädchens schwächer: Er hatte sie getragen.

»Achtung! Der Verdächtige ist zum Camp runtergegangen, zu Fuß.«

»Acht-Kilo-Sechs, Stellung halten und auf Verstärkung warten!«

»Komm, Ellie!«, sagte Jakob und steckte die Waffe wieder in den Gürtel. »Lass uns das Mädchen suchen.«

Zwanzig

Ich spürte, dass Jakob Angst hatte, als wir in den Canyon hinabstiegen. Seine Angst war so groß, dass ich, obwohl ich eigentlich vorauslaufen sollte, immer wieder zu ihm zurückkehrte, um ihn zu beruhigen. Dann folgte ich wieder der Spur des Mädchens und lief auf eine Ansammlung kleiner Häuser zu.

Dort erspähte ich das kleine Mädchen. Ganz still saß es auf den Stufen, die zu einer Veranda führten. Der Mann bearbeitete die Haustür mit einem Werkzeug. Das Mädchen schien traurig zu sein und Angst zu haben, aber es wurde munter, als es mich sah, und hielt mir eine winzige Hand hin.

Der Mann wirbelte plötzlich herum und starrte mich an. Meine Nackenhaare sträubten sich, als unsere Blicke sich trafen, und ich spürte die krankhafte Dunkelheit seiner Seele, die noch viel grausamer war als damals bei Todd. Er hob den Kopf und blickte die Straße entlang, auf der ich gekommen war.

Ich rannte zu Jakob zurück. Das kleine Mädchen rief »Hündchen!«, als ich mich in Bewegung setzte.

»Du hast sie!«, sagte Jakob. »Gutes Mädchen, Ellie! Zeig!«

Ich führte ihn zu dem Haus. Das Mädchen saß immer noch da, aber der Mann war nirgends zu sehen.

»Hier Acht-Kilo-Sechs, Opfer unverletzt gefunden. Verdächtiger flüchtig, zu Fuß«, sagte Jakob.

»Bleiben Sie beim Opfer, Acht-Kilo-Sechs.«

»Roger.«

In der Ferne hörte ich das *Wap-Wap-Wap* eines Hubschraubepropellers. Hinter uns waren schnelle Schritte auf der Straße zu hören. Gleich darauf kamen zwei schwitzende Polizisten in Sicht.

»Wie geht es dir, Emily? Bist du verletzt?«, fragte einer.

»Nein«, antwortete das kleine Mädchen und nestelte an ihrem geblümten Kleid herum.

»Mein Gott! Geht es ihr gut? Alles in Ordnung mit dir, Kleine?«, fragte ein dritter Polizist atemlos, hockte sich vor dem Mädchen hin und legte die Hände auf die Knie. Er war größer und stämmiger als die anderen. Sein Atem roch nach Eiskrem.

»Sie heißt Emily.«

»Darf ich das Hündchen streicheln?«, fragte das Mädchen schüchtern.

»Ja, klar. Aber dann müssen wir weiterarbeiten«, sagte Jakob freundlich.

Ich spitzte die Ohren, als ich das Wort »Arbeit« hörte.

»Okay, dann komme ich mit«, sagte der große Polizist. »Johnson, ihr bleibt bei dem Mädchen. Passt auf, dass er sich nicht erneut von hinten anschleicht!«

»Wenn er in der Nähe wäre, würde Ellie es uns anzeigen«, sagte Jakob. Ich sah zu ihm auf. Ging es jetzt los?

»Such!«, sagte Jakob.

An manchen Stellen war der Hang von undurchdringlichem Gebüsch bewachsen, der Boden sandig und lose. Trotzdem konnte ich der Spur des Mannes ohne Weiteres folgen, er war geradewegs den Hügel hinabgelaufen. Ich fand eine Eisenstange, die stark nach dem Mann roch, und lief zu Jakob zurück. »Zeig!«, befahl er.

Als wir bei dem Werkzeug ankamen, mussten wir minutenlang auf den großen Polizisten warten. »Ich bin hingefallen … ein paarmal«, japste er, und ich sah, wie peinlich es ihm war.

»Ellie zeigt an, dass er dieses Brecheisen bei sich hatte, wahrscheinlich wollte er es als Waffe benutzen. Er muss es weggeworfen haben«, sagte Jakob.

»Okay, und nun?«, schnaufte der große Polizist.

»Such!«, sagte Jakob.

Der Geruch des Mannes hing in den Büschen und würzte die Luft, und es dauerte nicht lange, bis ich seine Schritte ein Stück vor mir hören konnte. Ich hatte ihn fast eingeholt. Die Luft war hier feucht, weil ein kleiner Bach in der Nähe vorüberfloss und hohe Bäume Schatten spendeten. Der Mann entdeckte mich und duckte sich hinter einen Baum, genau wie früher Wally. Ich lief zu Jakob zurück.

»Zeig!«, sagte er.

Ich führte Jakob zu den Bäumen. Ich wusste, dass der Mann sich dort immer noch versteckte. Ich roch seine Angst und seinen Hass – es war widerlich! Ohne Umwege führte ich Jakob zu dem Baum, von dem der Gestank kam, und als der Mann hinter dem Baum hervortrat, rief Jakob: »Polizei! Keine Bewegung!«

Der Mann hob den Arm und feuerte einen Schuss ab. Nur eine Waffe. Man hatte mir beigebracht, dass Waffen in Ordnung waren. Doch ich spürte, dass Jakob plötzlich Schmerzen hatte, und ich sah, dass er zu Boden ging, und sein warmes Blut spritzte in alle Richtungen. Dann ließ er auch noch seine Pistole fallen.

Blitzschnell fügten sich in meinem Kopf verschiedene Erinnerungen und Erfahrungen zusammen: Grandpas Gewehre, Ethans Dosen, die vom Zaun flogen, Todds Knallkörper und der plötzliche Schmerz, als er einen auf mich geworfen hatte.

Der Mann am Baum benutzte seine Waffe also, um Jakob wehzutun!

Wie er so dastand, die Waffe auf uns gerichtet, spürte ich, dass seine Angst und Wut in Euphorie umschlug.

Was mich dann überkam, war der gleiche Urinstinkt wie damals, als ich mich bei dem Brand auf Todd gestürzt hatte. Ich knurrte nicht, sondern senkte nur den Kopf und machte einen gewaltigen Satz vorwärts. Zwei Schüsse donnerten los, dann hatte ich das Handgelenk des Mannes zwischen den Zähnen, und seine Waffe fiel zu Boden. Er schrie mich an, aber ich hielt ihn fest und warf den Kopf hin und her. Ich spürte, wie meine Zähne immer tiefer in sein Fleisch schnitten. Dann trat er mir in die Rippen.

»Lass los!«, schrie er.

»Polizei! Keine Bewegung!«, schrie der große Polizist, der uns nun eingeholt hatte. »Pfeifen Sie den Hund zurück!«

»Es ist gut, Ellie! Aus, Ellie, aus!«, befahl der Polizist.

Ich ließ den Arm los, und der Mann sank auf die Knie. Ich konnte sein Blut riechen. Als unsere Blicke sich trafen, knurrte ich. Ich spürte, dass er Schmerzen hatte, aber da war noch etwas anderes, etwas Verschlagenes. Er schien etwas Hinterlistiges vorzuhaben, um den Polizisten loszuwerden.

»Komm her, Ellie!«, rief der Polizist.

»Der Hund hat mir den Arm zerfetzt!«, rief der Mann. Er winkte und schien dabei etwas im Auge zu haben, das sich hinter dem Polizisten befand. »Hallo, hier bin ich!«, schrie er.

Als sich der Polizist umschaute, um zu sehen, mit wem der Mann sprach, sprang der auf und bückte sich schnell nach seiner Waffe. Ich bellte drohend. Der Mann feuerte zuerst los, gleich darauf auch der Polizist, und mehrere Schüsse trafen den Mann. Schmerzerfüllt sackte er zusammen, und ich spürte, wie das Leben aus ihm wich. Die dunkle, wütende, kranke Verkrampfung seiner Seele löste sich, und er schlief ganz friedlich ein.

»Dass ich auf diesen blöden Trick hereingefallen bin …«, murmelte der Polizist. Immer noch hielt er die Waffe auf den toten Mann gerichtet, ging vorsichtig auf ihn zu und gab seiner Waffe einen Tritt.

»Alles in Ordnung, Ellie?«, fragte Jakob leise.

»Keine Sorge, Jakob. Ihr ist nichts passiert. Wo hat's dich erwischt?«

»Bauch.«

Besorgt legte ich mich zu Jakob und stupste seine Hand mit der Nase an, aber er reagierte nicht. Ich spürte, dass sich der Schmerz, der von seinem Bauch ausging, in seinem ganzen Körper ausbreitete, und der Geruch seines Blutes war alarmierend, denn es war sehr viel.

»Polizist verletzt, Verdächtiger außer Gefecht. Wir befinden uns …« Der Polizist schaute sich um. »Hier ist eine kleine Baumgruppe, unten im Canyon. Wir brauchen einen Rettungshubschrauber für den Polizisten. Exitus Verdächtiger.«

»Bitte bestätigen: Exitus Verdächtiger?«

Der Polizist ging zu dem liegenden Mann und berührte ihn mit dem Fuß. »Jawohl. Der ist mausetot.«

»Wer ist der verletzte Polizist?«

»Acht-Kilo-Sechs. Er braucht *schnelle* Hilfe.«

Ich wusste nicht, was ich tun sollte. Jakob schien keine Angst zu haben, aber ich hechelte und zitterte vor Sorge. Ich musste an die Nacht denken, als Ethan in dem brennenden Haus war und ich nicht zu ihm konnte. Genauso hilflos fühlte ich mich jetzt. Der Polizist kniete sich jetzt neben Jakob. »Hilfe ist unterwegs, Kumpel. Halt noch ein wenig durch!«

Der große Polizist klang ebenfalls sehr besorgt, und als er vorsichtig Jakobs Hemd öffnete, um sich die Verletzung anzusehen, war er so schockiert, dass auch ich zu jaulen anfing.

Bald darauf kamen Leute den Hügel heruntergelaufen. Sie schubsten mich zur Seite und knieten sich neben Jakob, beträufelten ihn mit Chemikalien und bandagierten ihn.

»Wie geht's Emily?«, fragte Jakob leise.

»Wem?«

»Dem kleinen Mädchen«, erklärte der große Polizist. »Ihr geht's gut, Jakob. Ihr ist nichts passiert. Du hast sie gefunden, ehe er ihr etwas antun konnte.«

Immer mehr Leute kamen herbei, und schließlich trugen sie Jakob auf einem Bett fort. Als wir zu den parkenden Fahrzeugen kamen, wartete dort schon ein Hubschrauber.

Der große Polizist hielt mich fest, als sie Jakob in den Hubschrauber luden. Seine Arme hingen schlaff von dem Bett herunter. Als der Hubschrauber lärmend abhob, riss ich mich los und rannte laut kläffend darunter her. Ich war doch ein Flughund! Warum ließen sie mich nicht an Bord? Ich musste doch bei Jakob sein!

Die Leute beobachteten mich, wie ich mich hilflos auf den Hinterbeinen um mich selbst drehte, die Vorderpfoten in die Luft gereckt.

Schließlich kümmerte Amy sich um mich und bugsierte mich in einen – nach Cammie riechenden – Käfig, der auf der Ladefläche eines anderen Wagens stand. Dann fuhr sie mich zum Zwinger zurück, und ich tauschte mit Cammie die Plätze. Als er auf den Truck sprang, war deutlich zu erkennen, wie beleidigt er war, dass ich in seinem Käfig gefahren war. Von Gypsy war nichts zu sehen.

»Gleich kommt jemand und sieht nach dir, Ellie. Ganz bestimmt finden wir ein neues Zuhause für dich. Du bist ein guter Hund, Ellie«, sagte Amy.

Ich legte mich hin und wusste nicht, was ich von alledem halten sollte. Ich hatte überhaupt nicht das Gefühl, dass ich ein guter Hund war. Dass ich den Mann mit der Waffe gebissen hatte, gehörte definitiv nicht zum Befehl »Such«, das wusste ich genau. Und wo blieb Jakob? Ich hatte noch den Geruch seines Bluts in der Nase, und ich winselte vor Kummer, als ich daran dachte.

Ich hatte meine Aufgabe erfüllt und das Mädchen gefunden. Aber nun war Jakob verletzt und verschwunden, und ich musste zum allerersten Mal in einem Zwinger übernachten. Amy konnte sagen, was sie wollte – für mich war ganz klar, dass ich bestraft wurde.

Die nächsten Tage waren für alle Beteiligten verwirrend und anstrengend. Ich wohnte im Zwinger und wurde ein paarmal am Tag in den Hof gelassen. Der Mann, der mich hinaus- und hineinließ, war es nicht gewohnt, mit Hunden zu arbeiten, und er tat sich damit ziemlich schwer. Manchmal sprach und spielte Amy ein wenig mit mir, aber meist waren sie und Cammie nicht da.

Von Jakob war weit und breit nichts zu sehen, und allmählich verlor sich sein Geruch im Zwinger und im Hof. Selbst wenn ich mich auf ihn konzentrierte, konnte ich ihn nicht mehr ausmachen.

Einmal liefen Cammie und ich frei im Hof herum. Cammie wollte bloß schlafen, sogar als ich ihm den Gummiknochen zeigte, den mir ein Polizist gegeben hatte. Ich fragte mich, welchen Sinn Cammies Leben wohl hatte. Wer brauchte denn schon einen Schlafhund?

Amy kam mit ihrem Lunchpaket in den Hof und setzte

sich an einen Tisch, was Cammie immerhin wichtig genug war, um aufzustehen. Er ging zu Amy hinüber und ließ sich zu ihren Füßen gleich wieder fallen, als ob seine Sorgen ihn niederdrückten und höchstens ein Stück von Amys Schinkensandwich ihn davon ablenken könnte. Eine andere Frau kam in den Hof und setzte sich zu Amy.

»Hallo, Maya«, sagte Amy.

Maya hatte dunkle Haare und Augen, und für eine Frau war sie ziemlich groß und hatte muskulöse Arme. Ihre Hose roch nach Katze. Sie setzte sich, öffnete eine kleine Dose und begann, etwas würzig Duftendes zu essen. »Hi, Amy. Hallo, Ellie.«

Cammie wurde von der Frau nicht begrüßt, wie ich mit Genugtuung feststellte. Ich ging zu ihr, und sie streichelte mich. Ihre Hand duftete nach Seife und Tomaten.

»Hast du den Papierkram fertig?«, fragte Amy.

»Ja, drück mir die Daumen«, antwortete Maya.

Ich legte mich hin und knabberte an dem Gummiknochen herum, um Maya zu zeigen, dass ich mich prächtig amüsierte und ihr nur Aufmerksamkeit schenken würde, wenn sie mir etwas von ihrem Mittagessen abgab.

»Arme Ellie«, sagte Amy. »Sie muss ganz schön durcheinander sein.«

Ich schaute auf. Mittagessen?

»Bist du dir sicher, dass du das willst?«, fragte Amy.

Maya seufzte. »Ich weiß, dass es nicht einfach ist. Aber was ist schon einfach? Im Moment droht mich das tägliche Einerlei jedenfalls zu ersticken. Ich will einfach mal etwas Neues ausprobieren. He, möchtest du ein Taco? Meine Mom hat sie gemacht, sie sind total lecker.«

»Nein, danke.«

Ich setzte mich auf. Taco? Ich wollte eins!

Maya packte ihr Mittagessen wieder ein, als ob ich gar nicht da wäre. »Ihr von der Hundestaffel seid alle so gut in Form. Ich habe ständig mit meinem Gewicht zu kämpfen. Meinst du, dass ich es schaffe?«

»Aber natürlich! Die körperliche Eignungsprüfung hast du doch bestanden, oder?«

»Ja, klar«, sagte Maya.

»Na, bitte!«, sagte Amy. »Vielleicht hast du ja Lust, nach der Arbeit mit mir zu joggen. Aber ich bin sicher, dass du es auch so schaffst.«

Ich spürte, wie unsicher Maya war. »Hoffentlich«, sagte sie. »Ich möchte Ellie nicht im Stich lassen.«

Egal, wie oft sie meinen Namen aussprachen, mir war klar, dass es keine Rolle spielte: Sie würden mir doch nichts zu fressen geben. Mit einem Seufzer legte ich mich wieder hin, ließ mir die Sonne aufs Fell scheinen und fragte mich, wann Jakob endlich wiederkommen würde.

Einundzwanzig

An dem Tag, als Maya mich aufforderte, in ihr Auto zu springen, war sie ebenso glücklich wie aufgeregt.

»Wir arbeiten jetzt zusammen, Ellie! Ist das nicht toll? Du brauchst nicht mehr im Zwinger zu schlafen. Ich habe dir ein Körbchen gekauft und es in mein Schlafzimmer gestellt.«

Ich setzte die Informationen zusammen: »Ellie«, »Zwinger«, »Körbchen«, »Schlafzimmer«. Das schien keinen Sinn zu ergeben, aber ich genoss es, die Nase aus dem Fenster zu halten und zur Abwechslung mal etwas anderes zu riechen als Cammie und Gypsy.

Maya hielt in der Einfahrt eines kleinen Hauses an, und sobald wir über die Türschwelle traten, war mir klar, dass sie hier wohnte, denn ihr Geruch war überall. Aber leider roch es auch nach Katze. Ich inspizierte die Behausung. Sie war noch kleiner als Jakobs Wohnung, und ich hatte kaum angefangen, mich umzuschauen, als ich auch schon die orangefarbene Katze erspähte, die auf einem Stuhl am Tisch saß. Sie betrachtete mich mit kalten Augen, und als ich schwanzwedelnd auf sie zuging, riss sie das Maul auf und gab ein fast lautloses Fauchen von sich.

»Sei nett, Stella! Ellie, das ist Stella. Stella, das ist Ellie. Sie wohnt ab jetzt bei uns.«

Stella gähnte gelangweilt. Aus dem Augenwinkel sah ich,

dass sich etwas Grau-Weißes in meiner Nähe bewegte, und ich drehte mich danach um.

»Tinker? Schau, Ellie, das ist Tinkerbell, sie ist etwas schüchtern.«

Noch eine Katze? Ich folgte ihr ins Schlafzimmer, wo eine dritte Katze – genauer gesagt: ein großer schwarz-brauner Kater, der nach Fisch roch – auf mich zukam und mich beschnupperte. »Und das ist Emmet.«

Stella, Tinkerbell und Emmet. Was, um alles in der Welt, will eine Frau mit drei Katzen?

Tinkerbell versteckte sich unterm Bett und dachte wohl, dort könne ich sie nicht riechen. Emmet folgte mir in die Küche und schaute neugierig in den Napf, den Maya mit Futter füllte. Dann stolzierte er mit hocherhobenem Kopf davon und tat so, als sei ihm völlig egal, dass ich etwas zu fressen bekam und er nicht. Stella beobachtete mich mit versteinerter Miene von ihrer erhöhten Position auf dem Stuhl aus.

Nachdem ich gefressen hatte, ließ Maya mich in ihren winzigen Garten. Noch kein Hund hatte dort Duftmarken gesetzt. Ich bemühte mich um ein würdevolles Auftreten, als ich zur Tat schritt, denn mir war klar, dass die Katzen mich beobachteten, wenn vielleicht auch nicht alle. »Gutes Mädchen!«, sagte Maya ganz begeistert. Anscheinend gehörte sie zu der Sorte Mensch, die schon in Ekstase gerieten, wenn man in ihren Garten pinkelte.

Maya kochte sich ihr Abendessen, und es roch so lecker, dass Stella das Wasser im Maul zusammenlief. Sie sprang mitten auf den Tisch und tanzte darauf herum wie eine böse Katze. Maya wies sie nicht zurecht. Wahrscheinlich betrachtete sie Katzen als nichtswürdige, lernunfähige Kreaturen.

Nach dem Essen führte sie mich an einer Leine spazieren.

Die Vorgärten der Nachbarhäuser waren voller Menschen, darunter auch viele Kinder. Als ich sie sah, wurde ich ganz unruhig, denn ich hatte seit Wochen nicht gearbeitet und fühlte mich unausgelastet. Ich wollte rennen, suchen, Menschen retten.

So als könne sie Gedanken lesen, fiel Maya in einen leichten Trab. »Willst du ein bisschen laufen, mein Mädchen?«, fragte sie. Ich beschleunigte meine Schritte, um an Mayas Seite zu bleiben, so wie Jakob es mir beigebracht hatte. Aber bald fing sie an zu keuchen, und ich konnte den Schweiß riechen, der ihr aus den Poren brach. Der Asphalt war so heiß, dass auch meine Pfoten ganz heiß wurden. Als wir an den Häusern vorbeizogen, bellten die anderen Hunde mich an – aus Neid vermutlich.

Dann blieb Maya plötzlich stehen. »Puh!«, stöhnte sie. »Eins steht fest, wir müssen noch mehr Zeit auf dem Laufband verbringen.«

Erst an diesem Abend verstand ich, was das alles überhaupt sollte. Ich lag auf dem Teppich, als Maya ein Bad nahm und sich danach umzog. Plötzlich rief sie mich zu sich ins Schlafzimmer. »Komm, leg dich hier hin, Ellie! Gutes Mädchen«, sagte sie und klopfte mit der flachen Hand auf ein Hundekörbchen. Ich rollte mich gehorsam darin zusammen, hatte jedoch keine Ahnung, was das sollte. Sollte ich jetzt hier wohnen? War das etwa mein neues Zuhause? Und was war mit Jakob? Und mit meiner Arbeit?

Schon am darauffolgenden Morgen bekam ich die Antwort, denn Maya arbeitete mit mir, wenn auch auf eine etwas merkwürdige Art. Wally war ebenfalls anwesend und begrüßte mich wie einen alten Freund. Auch eine Frau kam manchmal dazu, wenn wir »Such« spielten. Sie hieß Belinda, und sie roch von oben bis unten nach Wally. Deswegen vermutete ich, dass die beiden auch dann miteinander Such spielten, wenn wir Hunde nicht dabei waren.

Wally blieb bei Maya, während Belinda in den Wald ging. Er unterhielt sich mit ihr und brachte ihr die Handzeichen und Befehle bei, die wir bei der Arbeit verwendeten. Dann sagte Maya plötzlich: »Ellie, such!«, und ich rannte los. Wally und Maya folgten mir. Belinda saß in einem Wagen, aber ich fand sie trotzdem und kehrte zu Maya zurück.

»Siehst du das?«, fragte Wally sie. »Siehst du, wie sie guckt? Sie hat Belinda gefunden.«

Geduldig wartete ich darauf, dass Maya mir befahl, ihr Belinda zu zeigen, aber sie und Wally waren viel zu sehr damit beschäftigt, sich zu unterhalten.

»Ich weiß nicht recht. Eigentlich sieht sie nicht anders aus als sonst«, sagte Maya.

»Schau ihr in die Augen«, sagte Wally. »Und dann schau dir ihre Schnauze an: Sie lässt die Zunge nicht raushängen. Siehst du? Das bedeutet, sie will dir etwas zeigen.«

Als ich das Wort »zeigen« hörte, wurde ich ganz unruhig und wollte schon losspringen, aber es war nicht der richtige Befehl gewesen.

»Dann sage ich ihr jetzt, dass sie's mir zeigen soll?«, fragte Maya.

Jetzt hört endlich auf, mich zu foppen! Arbeiten wir hier – oder was?

»Zeig!«, sagte Maya endlich.

Belinda stieg aus dem Wagen und lachte, als ich sie Maya zeigte. »Was für ein guter Hund du bist!«, sagte sie.

»Jetzt spiel mit Ellie«, sagte Belinda. »Das ist wichtig. Es ist die Belohnung für ihre harte Arbeit.«

Mayas Art mit mir zu spielen, war anders als Jakobs. Maya schien selbst Spaß daran zu haben, und sie machte es nicht nur, weil es nun mal der Abschluss von Such und Zeig war. Sie hatte den Gummiknochen aus dem Zwinger dabei. Ich stemmte die Vorderpfoten in den Boden und zerrte mit den Zähnen an dem Knochen, während sie ihn wegzuziehen versuchte.

Maya lebte anders als alle, die ich bisher kennengelernt hatte. Sie musste nicht nur die drei Katzen ertragen, sondern ging fast jeden Abend zu einem großen Haus, in dem viele Menschen wohnten, aber eigentlich besuchte sie da eine Frau, die ganz wunderbar roch und Mama hieß. Mama erinnerte mich an Grandma, denn meist stand sie in der Küche und kochte. Wenn wir zu Besuch kamen, waren immer viele Kinder da. Sie rannten herum, spielten miteinander und kletterten auf meinen Rücken, bis Mama ihnen befahl, damit aufzuhören. Die Jungen spielten mit mir Ball, was mir besonders gut gefiel, und die Mädchen setzten mir Hüte auf, was ich duldete.

Maya hatte einen Nachbarn namens Al, der gern herüberkam und viel über »Hilfe« sprach. »Brauchst du Hilfe beim Tragen, Maya?«, fragte er zum Beispiel. »Nein, nein«, sagte sie dann. »Brauchst du Hilfe bei der Reparatur deiner Haustür?« – »Nein, nein.« Maya wurde immer nervös, wenn Al rüberkam. Ihre Haut wurde ganz warm, und ihre Hände begannen zu schwitzen. Aber Angst hatte sie nicht vor ihm. Wenn Al dann wieder wegging, änderten sich Mayas Gefühle, und sie wurde traurig.

»Hast du dir einen Hund zugelegt?«, fragte Al, als er mich zum ersten Mal sah. Er beugte sich zu mir herunter und kraulte mich auf eine Art hinter den Ohren, dass ich ihn augenblicklich liebte. Er roch nach Papier, Tinte und Kaffee.

»Das ist der Such- und Rettungshund, mit dem ich arbeite.«

Ich wusste, dass sie über mich sprachen, und wedelte freundlich mit dem Schwanz.

»Brauchst du Hilfe bei seiner Erziehung?«, fragte Al.

»Nein, nein«, sagte Maya. »Ellie ist schon gut ausgebildet. Wir müssen nur noch lernen, als Team zusammenzuarbeiten.«

Die Worte »Ellie« und »arbeiten« gefielen mir, und ich wedelte wieder mit dem Schwanz.

Al hörte auf, mich zu kraulen, und richtete sich wieder auf. »Maya, du …«, begann er, und ich merkte, wie nervös er wurde.

»Ich muss los«, sagte Maya schnell.

»Dein Haar sieht heute besonders schön aus«, platzte Al heraus.

Die beiden starrten einander an. Sie waren so nervös, als stünde ein feindlicher Angriff unmittelbar bevor. Ich schaute mich um, konnte aber keine Gefahr erkennen – außer dass Emmet uns durchs Fenster beobachtete.

»Danke, Al«, sagte Maya. »Möchtest du …«

»Nein, geh nur«, sagte Al schnell.

»Oh«, sagte Maya.

»Es sei denn …«, stammelte Al und brach dann ab.

»Es sei denn – was?«, fragte Maya.

»Es sei denn, du brauchst Hilfe.«

»Nein, nein«, sagte Maya.

Maya und ich arbeiteten fast jeden Tag miteinander. Sie sagte: »Such!«, und dann ging es ab in den Wald. Manchmal jagten wir Wally oder Belinda, manchmal einen der älteren Jungen aus Mamas Haus.

Maya war langsamer als Jakob und schwitzte und keuchte meist schon, wenn wir losliefen. Manchmal spürte ich, dass sie richtige Schmerzen bekam, und ich musste lernen, Geduld mit ihr zu haben, wenn ich etwas gefunden hatte und zu ihr zurückkehrte. Meist stützte sie dann erst mal ein paar Minuten lang die Hände auf die Knie, um zu verschnaufen, bevor sie »Zeig!« sagen und mit mir zu der Fundstelle laufen konnte. Vor lauter Hilflosigkeit und Frustration fing sie dann manchmal sogar an zu weinen, aber bevor wir zum Versteck des Gesuchten kamen, wischte sie sich die Tränen immer ab.

Eines Nachmittags saß sie mit Wally an einem Picknicktisch und trank etwas Kaltes, während ich im Schatten eines Baumes lag. Inzwischen hatte ich verstanden, worum Maya sich ständig Sorgen machte, aber ich hatte gelernt, damit zu leben und die Arbeit nicht darunter leiden zu lassen.

»Ich glaube nicht, dass ich die Prüfung als Hundeführerin bestehe«, sagte Maya. »Als Team sind wir nicht gut genug. Oder was meinst du?«

»Ellie ist wahrscheinlich der beste Hund, mit dem ich je gearbeitet habe«, erwiderte Wally und klang so besorgt und ausweichend, dass ich neugierig zu ihm aufschaute.

»Nein, es liegt an mir«, sagte Maya. »Ich hatte immer schon mit meinem Gewicht zu kämpfen.«

»Na ja … Ich meine …« Wally wurde immer unsicherer. Ich setzte mich auf und fragte mich, welche Gefahr uns drohte.

»Alles halb so wild. Ich habe schon etwas abgenommen, ungefähr vier Pfund.«

»Ach, wirklich? Ist ja klasse! Ich meine … Du bist ja nicht dick oder so …«, stammelte Wally. Ich roch den Schweiß, der sich auf seiner Stirn bildete. »Vielleicht solltest du … ich weiß nicht … ein bisschen Sport treiben … oder so. Vielleicht würde das helfen.«

»Das tu ich doch schon!«

»Ach so. Tja ...« Ich spürte, dass Wally der Panik nahe war, und ich gähnte vor Anspannung. »Also, ich muss jetzt los.«

»Ich weiß nicht. Ich habe nicht gewusst, dass man bei diesem Job so viel *laufen* muss. Es ist schwieriger, als ich es mir vorgestellt hatte. Vielleicht sollte ich aufgeben und jemandem den Vortritt lassen, der besser in Form ist.«

»Warum sprichst du nicht mal mit Belinda darüber?«, schlug Wally verzweifelt vor.

Maya seufzte, und Wally stand schnell auf und machte sich erleichtert aus dem Staub. Ich legte mich wieder hin. Welche Gefahr auch immer gedroht hatte – sie schien vorüber zu sein.

Am nächsten Tag gingen Maya und ich nicht zur Arbeit. Sie zog sich ganz andere, weiche Schuhe an, nahm meine Leine und führte mich zu einer langen Straße, die neben dem Sand an dem großen Teich namens Meer entlanglief. Dort wimmelte es von Hunden. Obwohl wir nicht arbeiteten, spürte ich, dass Maya wild entschlossen war, etwas Bestimmtes zu schaffen, und sie ignorierte die anderen Hunde, als wir die endlose Straße entlangliefen, während langsam die Sonne am Himmel immer höher stieg. Noch nie waren wir so weit gelaufen, und das Ganze schien überhaupt kein Ende nehmen zu wollen. Erst als Mayas Körper vor Erschöpfung schmerzte, kehrte sie um. Einmal blieb sie stehen, damit ich aus einem der Wasserhähne trinken konnte, die neben stinkenden Gebäuden aus dem Beton ragten. Aber abgesehen davon lief sie den Rückweg genauso verbissen wie den Hinweg, nur etwas langsamer. Als wir zu ihrem Wagen kamen, konnte sie nur noch humpeln. »O Mann!«, sagte sie.

Wir waren beide außer Atem. Als sie etwas Wasser getrunken hatte, beugte sie sich vor, ließ den Kopf runterhängen und erbrach sich plötzlich auf den Parkplatz. Sie tat mir schrecklich leid.

»Alles in Ordnung mit Ihnen?«, fragte eine junge Frau, die vorbeikam. Maya winkte sie nur fort, ohne aufzuschauen.

Am nächsten Tag gingen wir wieder zur Arbeit und beschäftigten uns mit Such-Belinda. Maya war ganz steif und hatte Schmerzen, deswegen ließ ich mir viel Zeit. Zuerst raste ich los, aber als Maya mich nicht mehr sehen konnte, verlangsamte ich das Tempo. Dann kehrte ich ein paarmal zu ihr zurück und tat so, als solle sie mir noch mal die Richtung zeigen. In Wirklichkeit wollte ich mich nur überzeugen, dass es ihr gut ging. Als ich Belinda schließlich unter einem Baum fand, war sie eingeschlafen.

»Guter Hund, Ellie! Du bist so ein guter Hund«, flüsterte Maya. Als wir Belinda weckten, warf sie einen Blick auf ihr Handgelenk und erschrak.

»Wahrscheinlich liegt es daran, dass ich gestern frei hatte«, sagte Maya entschuldigend. Belinda antwortete nicht.

Abends rief Maya nach mir, als sie ein Bad nahm. Ich schnüffelte neugierig am Badeschaum und schleckte etwas von dem Badewasser auf, aber hauptsächlich fragte ich mich, warum jemand in einem so engen Becken schwimmen ging. Die Katzen interessierten sich überhaupt nicht für die Badewanne. Tinkerbell versteckte sich wieder mal, Stella untersuchte mein Hundekörbchen, obwohl ich es ihr nicht erlaubt hatte (am Geruch konnte ich später erkennen, dass sie darin sogar geschlafen hatte!). Nur Emmet war mit mir im Badezimmer. Aber er leckte sich nur und wartete darauf, dass etwas passierte, das er demonstrativ ignorieren konnte.

Maya war traurig. Sie streckte eine nasse Hand aus der Wanne und streichelte mir über den Kopf. »Es tut mir so leid,

Ellie. Ich bin einfach nicht gut genug. Im offenen Gelände kann ich einfach nicht mit dir mithalten. Du bist so ein guter Hund, du brauchst einen Partner, der dir gewachsen ist.«

Ich fragte mich, ob es sie aufheitern würde, wenn ich zu ihr in die Wanne stieg. Ich legte die Vorderpfoten auf den Wannenrand, um ihre Reaktion abzuwarten. Emmet hörte auf, sich zu lecken, und sah mich abschätzig an. Dann hob er den Schwanz und stolzierte aus dem Badezimmer, als wollte er mich zu einer Verfolgungsjagd provozieren.

»Morgen habe ich eine Überraschung für dich, Ellie«, sagte Maya. Immer noch war sie sehr traurig.

Ich konnte es nicht mehr mit ansehen, kletterte auf die Wanne und sank durch den federleichten Schaum ins Wasser.

»Ellie!« Maya lachte und ihre Traurigkeit war mit einem Mal wie weggeblasen.

Zweiundzwanzig

Am nächsten Morgen machten wir eine Fahrt mit dem Auto, und ich war ganz aufgeregt, weil … nun ja, eben weil wir Auto fuhren! Auch Maya hatte gute Laune, deswegen wusste ich, dass wir nicht zur Arbeit fuhren, denn in letzter Zeit hatte sie dabei nie gute Laune gehabt. Aber erst, als die Fahrt vorbei war und Maya die Tür für mich öffnete, begriff ich, wo wir waren.

Jakobs Wohnung.

Ich lief voraus, sprang die Treppe hinauf und bellte vor der Tür, was ich niemals getan hätte, als ich noch hier wohnte.

Ich konnte riechen, dass Jakob zu Hause war, und hörte ihn zur Tür kommen. Als er öffnete, sprang ich an ihm hoch, hüpfte und drehte mich vor Freude im Kreis.

»Ellie! Wie geht es dir, mein Mädchen? Sitz!«

Ich setzte das Hinterteil auf den Boden, aber es kam gleich wieder hoch.

»Hallo, Jakob«, sagte Maya von der Treppe her.

»Komm rein, Maya«, sagte Jakob.

Ich war so glücklich, Jakob wiederzusehen, dass ich mich neben ihn setzte, als er sich vorsichtig in einem Sessel niederließ. Am liebsten wäre ich ihm auf den Schoß geklettert, und bei Ethan hätte ich es bestimmt getan, aber Jakob erlaubte keine Albernheiten.

Als die beiden sich unterhielten, schnüffelte ich ein wenig

in der Wohnung umher. Mein Körbchen war nicht mehr da, aber mein Geruch hing noch im Schlafzimmer, und es hätte mir nichts ausgemacht, auf dem Teppich zu schlafen oder – falls Jakob es erlaubte – in seinem Bett.

Dann ging ich ins Wohnzimmer zurück. Als ich an Maya vorbeikam, streckte sie die Hand aus und streichelte mir über den Rücken. In dem Moment wurde mir schreckhaft bewusst, dass ich Maya verlassen musste, wenn ich zu Jakob zurückkehrte.

Als Hund kann man sich nicht aussuchen, bei wem man wohnt. Mein Schicksal würde so oder so von den Menschen bestimmt werden. Trotzdem fühlte ich mich innerlich ganz zerrissen.

Mit Jakob war die Arbeit einfacher als mit Maya. Aber Maya kannte diese tiefe und durchdringende Trauer nicht. Vor allem in Mamas Haus war sie immer sehr glücklich, wenn sie mit all den Kindern spielen konnte. Jakob wiederum hatte den eindeutigen Vorteil, dass er keine Katzen besaß.

Der Sinn meines jetzigen Lebens war klar: Such, Zeig und Menschen retten. Ich war ein guter Hund. Für Jakob und Maya stand die Arbeit im Vordergrund. Das bedeutete, dass keiner von beiden mich je so bedingungslos lieben würde wie Ethan. Aber Maya brachte mir eine Zuneigung entgegen, zu der Jakob niemals fähig gewesen wäre.

Nervös begann ich auf und ab zu gehen.

»Musst du mal raus?«, fragte Maya mich. Ich hörte das Wort »raus«, aber Maya hatte es so unentschlossen ausgesprochen, dass ich nicht reagierte.

»Nein«, sagte Jakob. »Dann würde sie sich an die Tür setzen.«

»Stimmt, das habe ich schon mal gesehen«, sagte Maya.

»Ich lasse die Hintertür meist offen. Da kann sie kommen und gehen, wann sie will.«

Sie schwiegen eine Weile. Ich ging in die Küche, aber wie üblich war der Fußboden blitzblank, ohne die geringste Spur von etwas Essbarem.

»Wie ich höre, hast du eine Arbeitsunfähigkeitsrente beantragt«, sagte Maya schließlich.

»Ja. Innerhalb von fünf Jahren bin ich zweimal angeschossen worden. Ich finde, das reicht.« Jakob lachte, aber es klang eher, als ob er bellte.

»Wir werden dich vermissen«, sagte Maya.

»Ich bin ja nicht aus der Welt. Ich habe mich an der Uni in LA immatrikuliert. Wenn ich mich dahinterklemme, kann ich in eineinhalb Jahren mein Jura-Examen in der Tasche haben.«

Wieder schwiegen die beiden. Ich merkte, dass Maya sich nicht mehr wohl in ihrer Haut fühlte. Ich hatte das schon öfter erlebt, wenn Menschen sich mit Jakob unterhielten: Statt das Gespräch fortzuführen, verstummten sie irgendwann. Etwas an seiner Art schien sie früher oder später mundtot zu machen.

»Wann machst du die Prüfung?«, fragte Jakob nach einer Weile.

Seufzend legte ich mich auf neutralem Grund etwa in der Mitte zwischen den beiden hin. Ich hatte keine Ahnung, was als Nächstes passieren würde.

»In zwei Wochen, aber …« Maya sprach nicht zu Ende.

»Aber?«, hakte Jakob nach.

»Ich glaube, ich breche den Lehrgang ab«, brach es plötzlich aus Maya heraus. »Ich komme einfach nicht mit. Ich hatte ja keine Ahnung … Na, jedenfalls glaube ich, dass andere als Hundeführer besser geeignet sind.«

»Das kannst du doch nicht machen!«, sagte Jakob. Ich hob den Kopf und sah ihn überrascht an. Warum wurde er plötzlich so ärgerlich? »Man kann einen Hund doch nicht von einer Hand in die andere geben! Ellie ist der beste Hund, den wir je hatten. Wenn du sie jetzt im Stich lässt, verdirbst du sie vielleicht für immer. Wally sagt, ihr beide hättet eine echte Beziehung zueinander entwickelt.«

Ich klopfte mit dem Schwanz auf den Boden, als ich meinen Namen hörte, aber nur ein bisschen, denn Jakobs Stimme klang sehr ernst.

»Ich bin den Anforderungen körperlich nicht gewachsen, Jakob«, sagte Maya. Ich merkte, dass auch sie jetzt ärgerlich wurde. »Ich war nun mal nicht bei der Marine, sondern bin eine einfache Streifenpolizistin, die mit Müh und Not den jährlichen Fitnesstest besteht. Ich habe mir wirklich Mühe gegeben, aber es ist einfach zu schwer für mich.«

»Zu schwer!« Jakob sah Maya so missbilligend an, dass sie mit den Schultern zuckte und den Blick abwandte. Sie war jetzt nicht mehr wütend, sondern schämte sich, und ich ging zu ihr und berührte ihre Hand mit der Nase. »Was meinst du, wie schwer ein erneuter Wechsel erst für Ellie sein muss? Ist dir das ganz egal?«

»Natürlich nicht.«

»Aber es ist dir zu viel Arbeit.«

»Nein, Jakob, ich bin diesem Job einfach nicht gewachsen. Mir fehlen die notwendigen psychischen Voraussetzungen.«

»Dir fehlen die nötigen Voraussetzungen. Die psychischen.«

Ich spürte, dass Maya mit den gleichen Gefühlen zu kämpfen hatte, die bei ihr manchmal zu Tränenausbrüchen führten. Ich wollte sie trösten und schob ihr noch einmal meine Nase in die Hand. Als Jakob wieder das Wort ergriff, sah er Maya nicht direkt an, und seine Stimme war friedlicher.

»Als ich das erste Mal angeschossen wurde, war meine Schulter so kaputt, dass ich ganz neu lernen musste, sie zu bewegen. Ich war jeden Tag beim Physiotherapeuten und stemmte Gewichte. Mann, hat das wehgetan! Außerdem bekam meine Frau damals gerade ihre letzten Chemos. Mehr als einmal wollte ich aufgeben. *Das* war schwer.« Jakob sah Maya jetzt an. »Susan lag im Sterben, aber sie gab niemals auf, nicht, bis alles vorbei war. Und ich wusste: Wenn sie durchhalten konnte, konnte ich es auch. Es ist das einzig Richtige. Versagen ist keine Option, solange Erfolg lediglich eine Frage des Durchhaltens ist. Ich weiß, dass es schwer ist, Maya. Aber du musst es versuchen.«

Die Düsternis und Schwermut, die ich von Jakob kannte, ergriff wieder von ihm Besitz, und sein Ärger verflog. Er sackte in seinem Sessel zusammen und war plötzlich ganz erschöpft.

Irgendetwas sagte mir, dass ich nicht wieder zu ihm ziehen und mit ihm arbeiten würde. Er hatte einfach kein Interesse mehr an »Such«.

Obwohl Maya traurig war, spürte ich wachsende Entschlossenheit in ihr, eine Kraft, die sie antrieb, wie an dem Tag, als sie mit mir am Meer entlanggelaufen war.

»Okay. Du hast ja recht«, sagte sie zu Jakob.

Jakob tätschelte mir den Kopf, als wir uns verabschiedeten, und zeigte keinerlei Bedauern. Er schloss die Tür, ohne mir noch einmal hinterherzublicken. Er und Maya hatten über mein Schicksal entschieden, und es war meine Pflicht, zu tun, was sie wollten.

Danach fuhren Maya und ich zu den Hügeln vor der Stadt. Dort lief sie, bis sie vor Erschöpfung über ihre eigenen Füße fiel, und am nächsten Tag gingen wir nach der Arbeit wieder laufen. Mir machte es großen Spaß, aber Maya war hinterher häufig verzweifelt und hatte Schmerzen.

Einige Tage darauf war sie nach dem Laufen zu müde, um aus dem Wagen zu steigen, als wir nach Hause kamen. Mit schweißüberströmtem Gesicht blieb sie bei offenen Fenstern sitzen. »Ich schaffe es nicht, Ellie. Es tut mir so leid!«, sagte sie traurig.

Ich sah, dass Emmet und Stella uns vom Fenster aus beobachteten. Wahrscheinlich wussten sie nicht mal, was ein Auto war. Und Tinkerbell hatte sich wahrscheinlich schon versteckt, als sie bloß den Motor hörte.

»Alles in Ordnung, Maya?«, fragte Al besorgt. Der Wind blies in die entgegengesetzte Richtung, deswegen hatte ich ihn nicht gerochen. Ich streckte den Kopf aus dem Fenster, damit er mich streicheln konnte.

»Oh, hi, Al.« Maya stieg aus dem Wagen. »Ja, ja. Ich habe nur … nachgedacht.«

»Ach so. Ich habe dich ankommen sehen.«

»Ja.«

»Da dachte ich, ich komme mal rüber und frage, ob du vielleicht meine Hilfe brauchst.«

»Nein, nein. Ich war bloß mit dem Hund laufen.«

Ich stieg aus und erleichterte mich im Garten. Dabei sah ich Emmet und Stella herausfordernd an, aber sie drehten sich angewidert weg.

»Okay«, sagte Al und atmete tief durch, ehe er fragte: »Sag mal, hast du abgenommen?«

»Wie, bitte?« Maya sah ihn wie erstarrt an.

Al erschrak. »Nicht, dass du dick gewesen wärst. Weil du Shorts trägst, fiel mir gerade nur auf, dass deine Beine viel dünner geworden sind.« Aber je mehr er sagte, desto elender fühlte er sich. Dann zog er sich auch schon zurück. »Ich muss dann auch wieder.«

»Danke, Al. Das war sehr nett«, sagte Maya.

Al blieb stocksteif stehen. »Ich finde, du brauchst keinen Sport zu treiben. So wie du aussiehst, bist du perfekt.«

Maya lachte, und Al lachte auch. Ich wedelte mit dem Schwanz, um den Katzen am Fenster zu zeigen, dass ich – im Gegensatz zu ihnen – den Witz verstanden hatte.

Ungefähr eine Woche darauf unternahmen wir etwas, das mir immer besonders viel Spaß machte: Zusammen mit ein paar anderen Leuten und ihren Hunden gingen wir in den Park mit den vielen Spielgeräten. Auf Mayas Kommando kroch ich in enge Röhren und lief über kippelige Bretter. Schritt für Schritt kletterte ich eine Leiter hinunter und demonstrierte, dass ich geduldig auf einem schmalen Balken sitzen konnte, der einen halben Meter über dem Boden schwebte. Die ganze Zeit über ignorierte ich die anderen Hunde und konzentrierte mich auf meine Aufgaben.

Dann machten wir Such mit einem Mann, der auf seiner Flucht in den Wald ein Paar alte Socken verloren hatte. Maya war so aufgeregt, dass ich mir besonders viel Mühe gab und ein rasantes Tempo vorlegte. Maya begann wieder zu keuchen und zu schwitzen. Noch bevor ich den Mann fand, war mir klar, dass er auf einen Baum geklettert war. Auch Wally hatte das ein paarmal getan, und deswegen wusste ich, dass der Menschengeruch dann anders in der Luft hing als bei Personen, die am Boden blieben. Maya wunderte sich, als ich ihr am Fuß des Baumes zeigte, dass ich mit Such fertig war, denn von dem Mann war nichts zu sehen. Geduldig setzte ich mich hin und sah zu dem grinsenden Mann auf, bis Maya endlich begriff, was los war.

An diesem Abend fand in Mamas Haus ein großes Fest statt. Alle streichelten mich und nannten mich beim Namen.

»Jetzt, da du die Prüfung bestanden hast, musst du erst mal was Ordentliches essen«, sagte Mama zu Maya.

Es klingelte an der Tür, was in diesem Haus sonst fast nie passierte, weil alle einfach so hereinplatzten. Ich folgte Mama an die Tür, und als sie öffnete, spürte ich, dass ihr das Herz aufging. Es war Al, der Mama Blumen überreichte. Ich erinnerte mich daran, wie Ethan Hannah Blumen geschenkt hatte, und das verwirrte mich, denn ich hatte immer gedacht, dass Al Maya gern hatte – und nicht Mama, aber wenn es um solche Dinge ging, habe ich die Menschen wohl nie richtig verstanden.

Die ganze Familie wurde still, als Al in den Garten hinterm Haus kam, wo lauter Tische und Bänke aufgestellt worden waren. Maya ging auf ihn zu, und beide waren ganz nervös, als Al seinen Mund kurz auf ihr Gesicht drückte. Dann nannte Mama die Namen aller Anwesenden, und Al schüttelte allen männlichen Personen die Hand. Danach redeten und lachten alle weiter.

Im Laufe der nächsten Tage fanden und retteten wir zwei Kinder, die von zu Hause weggelaufen waren, und verfolgten die Spur eines Pferdes zurück, um die Reiterin zu finden, die heruntergefallen war und sich das Bein verletzt hatte. Ich musste daran denken, wie Flare Ethan im Wald abgeworfen hatte, und fragte mich, warum sich die Leute überhaupt mit Pferden abgaben, wo es doch so unzuverlässige Tiere waren. Wenn jemand schon einen oder zwei Hunde hatte und immer noch mehr Tiere haben wollte, sollte er doch lieber einen Esel nehmen, wie Jasper, denn über einen Esel kann man wenigstens lachen. Jedenfalls Grandpa hatte das gekonnt.

Einmal fanden Maya und ich einen toten, alten Mann im Wald. Ich fand es deprimierend, an seinem kalten Körper zu riechen, denn das hatte nichts mit Retten zu tun. Obwohl Maya mich lobte, hatten wir beide keine große Lust, hinterher mit dem Stock zu spielen.

Wir besuchten Al in seinem Haus, und er servierte Maya ein Hähnchengericht zum Abendessen. Beide lachten, und dann brachte ein Lieferservice eine Pizza. Ich schnüffelte an den Hähnchenstücken, die Al mir hinlegte, und fraß sie eigentlich nur aus Höflichkeit, denn sie hatten eine dicke Kruste, die nach Ruß schmeckte.

Später an diesem Abend merkte ich, dass Maya von dem toten Mann erzählte, denn dabei wurde sie wieder genauso traurig wie im Wald. Auch mit Jakob hatte ich einige Tote gefunden, aber ihn hatte es nie traurig gemacht. Andererseits hatte es ihn aber auch nie glücklich gemacht, wenn wir Leute fanden, die wir retten konnten. Er hat einfach immer nur seine Arbeit erledigt, ohne etwas Besonderes dabei zu empfinden.

Als ich jetzt über Jakob nachdachte, wurde mir klar, dass die kühle Entschlossenheit, mit der er mir Such beigebracht hatte, hilfreich gewesen war, um über die Trennung von Ethan hinwegzukommen. Er ließ mir keine Zeit zu trauern, denn dafür hatte ich zu viel zu tun. Maya hingegen war ein gefühlsbetonter Mensch. Ihre Art, mich zu lieben, erinnerte mich an meinen Jungen, und ich vermisste ihn sehr. Es war aber nicht mehr dieser stechende Schmerz in der Brust, sondern eine wehmütige Trauer, die mich meist überkam, wenn ich mich abends hinlegte, und die mich bis in meine Träume begleitete.

Eines Tages flogen Maya und ich erst mit einem Flugzeug und dann mit einem Hubschrauber in Richtung Süden. Ich dachte an den Tag, als Jakob von dem Hubschrauber weggebracht wurde, und war froh, dass ich wieder ein Flughund sein durfte. Maya war sehr aufgeregt und fühlte sich beim Fliegen nicht recht wohl. Im Grunde konnte ich sie verstehen, denn Autofahren machte viel mehr Spaß, weil es nicht so schrecklich laut war wie das Fliegen.

Wir landeten an einem Ort, der anders war als alle, die ich je gesehen hatte. Viele Hunde und Polizisten waren schon da, und die Luft vibrierte von Sirenengeheul und war voller Rauch. Die Häuser ringsum drohten einzustürzen, und manche Dächer waren bereits heruntergefallen.

Maya war ziemlich eingeschüchtert, und selbst ich gähnte nervös. Ein Mann kam auf uns zu. Er war schmutzig und trug einen Plastikhelm. Als er die Hand ausstreckte, um Maya zu begrüßen, roch sie nach Asche, Blut und Lehm.

»Ich koordiniere das amerikanische Katastrophenschutz-Kommando in diesem Sektor. Danke, dass Sie gekommen sind.«

»Ich wusste nicht, dass es so schlimm ist«, sagte Maya.

»Was Sie hier sehen, ist nur die Spitze des Eisbergs. Die Regierung von El Salvador ist völlig überfordert. Es gibt über viertausend Verletzte, Hunderte von Toten, und wir finden immer noch Verschüttete, die überlebt haben. Seit dem 13. Januar hatten wir ein halbes Dutzend Nachbeben, einige davon sehr heftig. Also seien Sie bitte vorsichtig!«

Maya nahm mich an die Leine und führte mich über ein endloses Trümmerfeld. Wenn wir an ein Haus kamen, wurde es zunächst von den Männern, die uns folgten, überprüft. Anschließend ließ Maya mich manchmal von der Leine, und ich musste hineingehen und suchen. Manchmal wiederum betraten wir die Häuser gar nicht erst, sondern führten unsere Suche nur an den Außenmauern durch, und ich blieb angeleint.

»Hier ist es nicht sicher, Ellie. Ich muss dich an der Leine lassen, damit du nicht hineinläufst«, erklärte mir Maya dann.

Einer der Männer hieß Vernon, und da er nach Ziegen roch, erinnerte er mich an die Ausflüge in die kleine Stadt, die ich manchmal mit Ethan und Grandpa unternommen hatte. Es war eins der wenigen Male, dass ich bei der Arbeit an Ethan dachte, denn wenn ich suchte, musste ich alles andere vergessen und mich auf meinen Job konzentrieren.

In den folgenden Stunden fanden Maya und ich vier Menschen. Alle waren tot. Nach dem zweiten verlor ich die Freude an Such, und bei dem vierten – eine junge Frau, die unter einem Haufen eingestürzter Backsteine lag – hätte ich Maya beinahe nicht auf meinen Fund aufmerksam gemacht. Sie merkte, wie mir zumute war und versuchte mich aufzumuntern, streichelte mich und wedelte mit dem Gummiknochen vor meiner Nase herum, aber das interessierte mich nur mäßig.

»Vernon, tust du mir einen Gefallen und versteckst dich irgendwo?«, fragte sie, als ich mich müde zu ihren Füßen niederließ.

»Mich verstecken?«, fragte Vernon überrascht.

»Sie muss zwischendurch mal jemanden finden, der noch lebt. Würdest du es bitte tun? Zum Beispiel da drüben in dem Haus, das wir gerade durchsucht haben. Wenn sie dich findet, musst du so tun, als seist du überglücklich.«

»Na gut.«

Ich merkte, dass Vernon fortging, aber ich achtete nicht auf ihn.

»Okay, Ellie«, sagte Maya nach einer Weile. »Lass uns noch jemanden suchen!« Widerwillig erhob ich mich. »Los, Ellie!«, sagte Maya ganz aufgekratzt, aber ich merkte, dass sie nur so tat. Trotzdem trottete ich zu einem Haus, das wir bereits durchsucht hatten. »Such!«, befahl Maya.

Ich betrat das Haus und blieb überrascht stehen. Obwohl wir hier schon gewesen waren und es daher ganz normal war, dass es noch nach Vernon roch, hatte ich den Eindruck, dass sein Geruch ganz frisch war. Neugierig arbeitete ich mich zum hinteren Teil des Hauses vor. Jawohl! In einer Ecke lagen ein paar Decken, die stark nach Vernon rochen, also nach Schweiß und Ziegen. Schnell lief ich zu Maya zurück. »Zeig!«, sagte sie.

Sie folgte mir im Laufschritt, und als sie die Decken zurückschlug, sprang Vernon heraus und lachte.

»Du hast mich gefunden! Guter Hund!«, rief er und wälzte sich mit mir über die Decken. Ich sprang auf ihn rauf und leckte ihm übers Gesicht, und dann spielten wir eine Weile mit dem Gummiknochen.

Maya und ich arbeiteten die ganze Nacht hindurch und fanden noch mehrere Menschen, darunter auch immer wieder Vernon. Seine Verstecke wurden immer besser, aber seit ich Wally an den unmöglichsten Orten gefunden hatte, konnte mich keiner so leicht austricksen. Alle übrigen Personen, die Maya und ich fanden, waren tot.

Die Sonne ging schon auf, als wir zu einem Haus kamen, aus dem scharfer, beißender Rauch aufstieg. Ich war wieder an der Leine, und meine Augen tränten von dem starken chemischen Geruch, der aus dem eingestürzten Gebäude kam.

Unter einer niedrigen Mauer fand ich einen toten Mann, und ich machte Maya auf ihn aufmerksam.

»Den hatten wir schon entdeckt«, sagte jemand zu Maya. »Aber wir können ihn da nicht so einfach herausholen. Wir wissen nicht, was sich in den Fässern befindet, aber es ist mit

Sicherheit giftig. Hier muss erst mal ein Entsorgungsteam durch.«

Aus einigen Metallfässern leckte eine Flüssigkeit, die mir fürchterlich in der Nase brannte. Ich versuchte, den Geruch zu ignorieren und mich auf Such zu konzentrieren.

»Okay, guter Hund«, sagte Maya. »Lass uns woanders weitermachen, Ellie.«

In dem Moment roch ich wieder jemanden und machte Maya darauf aufmerksam, indem ich mich ganz steif machte. Es war eine Frau, und ich konnte sie nur schwach riechen, weil der Geruch der Chemikalien alles überlagerte.

»Schon gut, Ellie. Hier gehen wir erst mal raus. Komm mit!«, sagte Maya und zog sanft an meiner Leine. »Komm, Ellie!«

Ganz aufgeregt versuchte ich weiter, Maya begreiflich zu machen, dass ich noch jemanden gefunden hatte. Wir konnten doch nicht einfach gehen!

Diese Frau lebte.

Dreiundzwanzig

»Wir haben ihn ja gesehen, Ellie. Aber wir müssen ihn hier liegenlassen. Komm mit!«, sagte Maya.

Sie wollte tatsächlich weggehen, aber ich hatte das Gefühl, dass sie mich missverstand und dachte, es ginge bloß um den Toten.

»Will sie mich wieder suchen?«, fragte Vernon.

Ich sah Maya ungeduldig an und wünschte, sie würde endlich verstehen, was ich meinte.

Maya sah sich um. »Hier? Hier ist doch alles kaputt. Das ist mir zu gefährlich. Aber vielleicht hätte sie Lust, dich zu jagen. Geh ein Stück die Straße runter und ruf sie, dann lasse ich sie von der Leine.«

Ich achtete gar nicht auf Vernon, als er wegging, sondern konzentrierte mich auf die Frau. Ich roch ihre Angst, obwohl der Geruch der Chemikalien so stark war wie das Zeug, mit dem mich das Stinktier damals angespritzt hatte. Maya ließ mich von der Leine. »Ellie, was macht Vernon? Wo geht er hin?«

»Hey, Ellie! Hierher!«, rief Vernon. Er lief die Straße hinunter, und ich schaute ihm nach. Ich wäre ihm ja gern hinterhergelaufen und hätte auch gern mit ihm gespielt, aber ich musste arbeiten und drehte mich wieder zu dem zerstörten Haus um. »Nein, Ellie!«, rief Maya.

Bei Jakob hätte ich nicht eine Sekunde gezögert, wenn er »Nein« gesagt hätte, und wäre sofort stehen geblieben, aber Mayas Ton war weniger scharf, wenn sie Befehle gab. Mit dem Kopf voran tauchte ich in den kleinen Hohlraum neben dem Toten und tastete mich vorsichtig weiter. Ich trat in eine ätzende Flüssigkeit, und der Geruch der Chemikalien wurde so stark, dass ich nichts anderes mehr riechen konnte. Ich musste an das Rettungsspiel denken, das ich mit Ethan im Ententeich gespielt hatte: Selbst unter Wasser hatte ich ihm folgen können, solange ich nur eine winzige Spur seines Geruchs ausmachen konnte.

Ich konnte kaum noch atmen, aber ich arbeitete mich weiter vor. Als ich einen Luftzug spürte, zwängte ich mich durch ein Loch, das in einen engen Schacht führte. Der Luftzug brachte mir etwas Erleichterung, aber meine Nase brannte trotzdem ganz fürchterlich, und dann spritzte mir die ätzende Flüssigkeit auch noch an die Schnauze.

Gleich darauf sah ich eine Frau, die zusammengekauert in dem Schacht lag und sich ein Tuch ans Gesicht presste. Mit großen Augen sah sie mich an.

Ich bellte, weil ich nicht zu Maya zurückkehren konnte, um sie zu alarmieren.

»Ellie!«, rief Maya und hustete.

»Komm zurück, Maya!«, sagte Vernon.

Ich bellte immer weiter.

»Ellie!«, rief Maya wieder. Sie schien näher zu kommen. Auch die Frau hörte sie und fing an, um Hilfe zu schreien.

»Da drinnen ist jemand!« rief Maya. »Jemand, der noch lebt!«

Ich setzte mich neben die Frau und wartete geduldig. Ich spürte, wie sich ihre Panik langsam in Hoffnung verwandelte.

Und dann leuchtete ein Mann mit Helm und Schutzmaske in den Schacht, und der Strahl seiner Taschenlampe huschte über die Frau und mich hinweg. Meine Augen tränten, meine Nase lief, und mein ganzes Gesicht brannte, seit ich Spritzer von der Flüssigkeit abbekommen hatte. Ich hörte, dass jetzt gegraben und gehämmert wurde, und die Geräusche hallten in dem Schacht wider. Schließlich drang von oben helles Tageslicht herein, und ein Mann ließ sich an einem Seil zu uns herab.

Die Frau schien noch nie geübt zu haben, wie man sich von einem Seil in die Höhe ziehen ließ, und sie hatte große Angst, als ein Feuerwehrmann sie festschnallte und ins Freie hievte. Ich dagegen hatte dieses Manöver schon oft trainiert, so dass ich ohne zu zögern in die Schlaufen des Rettungsseils stieg, als ich an der Reihe war. Maya wartete oben auf mich und war sehr erleichtert, als man mich aus dem Loch zog, das die Männer in die Wand geschlagen hatten. Doch als sie mich dann sah, schlug ihre Erleichterung in Entsetzen um.

»O mein Gott, Ellie, deine Nase!«

Zusammen rannten wir zu einem Feuerwehrwagen, wo Maya einen Feuerwehrmann ganz gegen meinen Willen dazu brachte, mir ein Bad zu verpassen. Es wurde aber nicht ganz so schlimm, denn es war nur eine Art Spülung. Kaltes Wasser floss über meinen Kopf und linderte das Brennen in meiner Nase.

Noch am selben Tag flogen Maya und ich wieder mit Hubschrauber und Flugzeug zurück, und dann fuhren wir zu dem netten Mann in dem kühlen Zimmer. Inzwischen wusste ich, dass er Tierarzt hieß. Er schmierte mir eine Salbe auf die Nase, die furchtbar roch, aber sehr guttat.

»Was war es denn? Eine Säure?«, fragte der Tierarzt.

»Wir wissen es nicht. Wird sie sich erholen?« Ich spürte

Mayas Liebe und Besorgnis und schloss die Augen, als sie mir den Nacken streichelte. Ich hätte ihr so gern gezeigt, dass die Schmerzen schon gar nicht mehr so schlimm waren.

»Wir müssen aufpassen, dass sich nichts entzündet, aber eigentlich sehe ich keinen Grund, warum sie sich nicht schnell erholen sollte«, sagte der Tierarzt.

Ungefähr zwei Wochen lang rieb Maya mir die wohltuende Salbe auf die Nase. Emmet und Stella schauten von der Arbeitsplatte in der Küche aus zu und schienen das ziemlich komisch zu finden. Aber das war noch gar nichts gegen Tinkerbells Reaktion: Sie *liebte* es. Sie kam sogar extra aus ihrem jeweiligen Versteck, roch an der Salbe und rieb schnurrend ihren Kopf an mir. Wenn ich mich hinlegte, setzte sie sich neben mich und schnüffelte weiter so gierig an mir, dass ihre kleine Nase bebte. Dann rollte sie sich ein und kuschelte sich eng an mich heran.

Es war nicht zum Aushalten.

Ich war sehr erleichtert, als ich den Katzen entfliehen und endlich wieder arbeiten konnte. Als Maya und ich in den Park mit den Spielgeräten gingen, sprang ich begeistert an Wally und Belinda hoch, die sich ebenfalls freuten, mich wiederzusehen.

»Wir haben von deiner Heldentat gehört, Ellie. Guter Hund!«

Ich wedelte mit dem Schwanz, weil ich so unerwartet gelobt wurde. Dann lief Wally weg, und Belinda und Maya setzten sich an einen Picknicktisch.

»Wie geht's dir und Wally?«, fragte Maya. Ungeduldig setzte ich mich zu ihr und wollte lieber gleich losziehen, denn wenn wir Wallys Verfolgung nicht sofort aufnahmen, konnten wir ihn nicht so schnell finden.

»Wenn er am Nationalfeiertag nach Hause fährt, stellt er mich seinen Eltern vor.«

»Hey, super!«

Dieses ganze Geschwätz ging mir unheimlich auf die Nerven. Die Menschen besaßen die erstaunlichsten Fähigkeiten, aber statt sie einzusetzen und zu handeln, saßen sie oft nur untätig da und redeten. »Platz, Ellie!«, sagte Maya. Widerwillig legte ich mich hin und schaute demonstrativ in die Richtung, in die Wally verschwunden war.

Nach einer Ewigkeit machten Maya und ich uns endlich auf die Suche. Erleichtert rannte ich los und brauchte das Tempo nicht zu drosseln, weil Maya mittlerweile mit mir Schritt halten konnte.

Wally hatte sich viel Mühe gegeben, seine Spur zu verwischen. Ich reckte die Nase in die Luft, um seine Witterung aufzunehmen. An diesem Tag lagen keine besonders kräftigen Gerüche in der Luft, die mich hätten ablenken können, und trotzdem konnte ich keine Spur von Wally entdecken. Ich lief hin und her und wandte mich immer wieder an Maya, um mir die Richtung zeigen zu lassen. Sorgfältig durchkämmte sie mit mir das ganze Gebiet, und als ich Wally immer noch nicht entdecken konnte, fing sie mit mir an einer anderen Stelle von vorn an.

»Was ist denn los mit dir, mein Mädchen? Alles in Ordnung, Ellie?«

Obwohl der Wind aus Wallys Richtung wehte, hörte ich ihn, bevor ich ihn riechen konnte. Er kam direkt auf uns zu. Ich schoss los, bis meine Nase mir bestätigte, dass es wirklich Wally war. Dann kehrte ich zu Maya zurück, die aber bereits angefangen hatte, sich mit Wally zu unterhalten. Sie sprach ungewöhnlich laut.

»Wahrscheinlich hat sie einen schlechten Tag«, sagte sie.

»Meinst du? Sie hat noch nie versagt. Na, Ellie, wie geht's dir?«, sagte Wally. Dann spielten wir ein wenig mit einem Stock.

»Lass uns was anderes versuchen, Maya«, sagte Wally. »Du lenkst sie von mir ab, und ich gehe über den Hügel da vorne. Auf der anderen Seite komme ich euch dann wieder entgegen. Gib mir zehn Minuten Vorsprung.«

»Bist du sicher?«

»Nach zwei Wochen Pause ist sie ein wenig aus der Übung. Wir müssen ein bisschen Geduld mit ihr haben.«

Ich merkte, dass Wally wegging, obwohl Maya mir den Gummiknochen gegeben hatte und ihn mir dann wieder wegnehmen wollte. Ich hörte ihn und wusste, dass er sich versteckte. Ich freute mich schon darauf, ihn wiederzufinden. Als Maya schließlich »Such!« sagte, lief ich in die Richtung, in die er verschwunden war.

Ich erklomm einen kleinen Hügel. Oben angekommen blieb ich unsicher stehen. Ich wusste nicht, wie er es machte, aber irgendwie schaffte Wally es heute, seinen Geruch für sich zu behalten. Ich lief zu Maya zurück, um mir die richtige Richtung zeigen zu lassen, und sie schickte mich nach rechts. Schnüffelnd lief ich hin und her.

Kein Wally!

Dann schickte Maya mich nach links. Wieder keine Spur von Wally. Dann rief Maya mich zu sich und ging mit mir am Fuße des Hügels entlang. In dem Moment, als ich Wally roch, stand er praktisch schon vor mir. Sofort machte ich Maya auf ihn aufmerksam, denn ich brauchte ja nicht erst zu ihr zurückzulaufen.

»Sieht nicht gut aus, was?«, sagte Maya. »Der Tierarzt sagt, dass alles verheilt ist.«

»Geben wir ihr noch eine Woche«, sagte Wally. »Vielleicht wird es ja besser.« Er klang so traurig, dass ich seine Hand mit meiner Nase anstupste, um ihn aufzumuntern.

In den folgenden Wochen arbeiteten Maya und ich nur sehr selten, und wenn, dann trieb Wally weiter seine Scherze mit mir, indem er so wenig Geruch verströmte, dass ich ihn erst wahrnahm, wenn ich schon fast bei ihm war.

»Welche Konsequenzen hat es für dich, dass Ellie nicht mehr als Suchhund arbeiten kann?«, fragte Al eines Abends. »Bist du deinen Job jetzt auch los?« Normalerweise hatte ich für Füße nicht viel übrig, aber ihm erlaubte ich, die Schuhe auszuziehen und mich mit den Zehen zu kraulen, denn seine Füße rochen nicht so schlecht wie die meisten.

»Nein«, sagte Maya. »Aber ich bekomme ein neues Aufgabengebiet. Die letzten Wochen habe ich Schreibtischarbeit gemacht, aber das ist nicht mein Ding. Ich glaube, ich reiche ein Versetzungsgesuch ein und bewerbe mich um meinen alten Job als Streifenpolizistin.«

Heimlich ließ Al für mich ein kleines Stück Fleisch auf den Teppich fallen. Deshalb lag ich beim Essen gern in seiner Nähe. Leise verschlang ich das Fleisch, während Stella, die auf der Couch lag, mir missmutige Blicke zuwarf.

»Die Vorstellung, dass du auf Streife gehst, gefällt mir gar nicht. Das ist doch ziemlich gefährlich.«

»Albert!« Maya seufzte.

»Und was wird mit Ellie?«

Ich schaute auf, als ich meinen Namen hörte, aber Al hatte kein Fleisch mehr für mich.

»Ich weiß nicht. Arbeiten kann sie jedenfalls nicht mehr, dafür ist ihr Geruchssinn zu stark beeinträchtigt. Ich denke, sie bleibt einfach hier bei mir. Was meinst du, Ellie?«

Ich wedelte mit dem Schwanz, weil Maya meinen Namen besonders liebevoll ausgesprochen hatte.

Nach dem Essen fuhren wir ans Meer. Die Sonne ging unter, und Maya und Al legten eine Decke zwischen zwei Bäume und unterhielten sich, während die Wellen auf den Sand rollten.

»Ist das nicht schön?«, sagte Maya.

Ich nahm an, dass sie mit einem Stock, einem Ball oder sonst etwas spielen wollten, aber ich war an der Leine und konnte nicht loslaufen, um ein Spielzeug für sie zu suchen. Es tat mir leid, dass sie nichts zu tun hatten.

Dann konzentrierte ich mich auf Al, weil ich merkte, dass er Angst bekam. Sein Herz begann so stark zu klopfen, dass ich es hören konnte, und ich spürte seine Nervosität, als er sich wieder und wieder die Hände an der Hose abwischte.

»Maya, als du hierher gezogen bist ... Ich wollte schon seit Monaten mit dir reden ... Du bist so schön ...«

Maya lachte. »Ach was, Al! Ich bin doch nicht schön!«

Unten am Wasser rannten ein paar Jungen vorbei und warfen einander dabei eine Scheibe zu. Ich beobachtete sie und dachte an Ethans blöden Flip. Ich fragte mich, ob Ethan wohl je am Meer gewesen war, und wenn ja, ob er den Flip mitgebracht und ins Meer geworfen hatte, wo er hoffentlich versunken und nie wiedergefunden worden war.

Ethan. Er hatte nie etwas ohne mich unternommen, abgesehen von der Schule natürlich. Ich fand es wunderbar, dass die Arbeit meinem Leben einen neuen Sinn gegeben hatte, aber an Tagen wie diesem sehnte ich mich danach, wieder mit Ethan zusammen zu sein und von ihm »Schussel-Hund« genannt zu werden.

Al hatte immer noch Angst. Das lenkte mich vom Anblick

der spielenden Jungen ab, und ich beobachtete ihn neugierig. Lauerte etwa irgendwo Gefahr? Ich konnte keine entdecken. Außerdem waren wir an diesem Teil des Strandes ganz allein.

»Du bist die wunderbarste Frau der Welt«, sagte er. »Ich … ich liebe dich, Maya.«

Jetzt bekam Maya auch Angst. Was war bloß mit den beiden los? Alarmiert setzte ich mich auf.

»Ich liebe dich auch, Al.«

»Ich bin kein reicher Mann, und ich sehe auch nicht gut aus, aber …«, sagte Al.

»O mein Gott!«, sagte Maya und atmete schwer. Auch ihr Herz pochte nun schneller.

»Aber ich werde dich mein ganzes Leben lang lieben, wenn du mich lässt.« Al drehte sich auf der Decke um und kam auf die Knie.

»O mein Gott, o mein Gott!«, rief Maya.

»Willst du mich heiraten, Maya?«, fragte Al.

Vierundzwanzig

Eines Tages versammelten sich Maya und Mama, die Geschwisterkinder und lauter andere Familienmitglieder in einem großen Haus und blieben ganz still sitzen, während ich ein Kunststück vorführte, das ich gerade gelernt hatte: Ganz langsam schritt ich einen schmalen Gang zwischen den Holzbänken entlang, erklomm ein paar Stufen und blieb geduldig stehen, damit Al etwas aus einem kleinen Kästchen holen konnte, das ich auf dem Rücken trug. Dann setzten sich alle und bewunderten mich, während Maya und Al sich leise miteinander unterhielten. Da Maya ein bauschiges Kleid trug, war mir klar, dass wir hinterher nicht zum Spielen in den Park gehen würden, aber das war okay, denn alle schienen sehr glücklich darüber zu sein, wie gut ich mein Kunststück hingekriegt hatte. Mama weinte sogar vor Glück.

Dann fuhren wir zu ihrem Haus, wo die Kinder wild umhertollten und mich mit Kuchen fütterten.

Einige Monate darauf zogen wir in ein Haus mit einem viel größeren Garten. Es hatte auch eine Garage, aber glücklicherweise kam niemand auf die Idee, mich dorthin zum Schlafen zu verbannen. Al und Maya schliefen in demselben Bett, und obwohl sie nichts dagegen hatten, wenn ich zu ihnen hinaufsprang, war dort einfach nicht genug Platz, um mich einzurollen und bequem zurechtzulegen. Außerdem sprangen auch die

Katzen ständig hinein, deswegen gewöhnte ich mir an, mich an Mayas Seite auf den Boden zu legen. So konnte ich sie wenigstens begleiten, wenn sie nachts aufstand und irgendwo hinging.

Nach und nach wurde mir klar, dass wir nicht mehr arbeiten gehen würden. Ich nahm an, dass ich bereits alle gefunden hatte, die es zu finden galt, und dass Wally und Belinda keine Lust mehr hatten, sich zu verstecken. Maya ging allerdings immer noch laufen, und manchmal lief Al mit uns mit, aber er hatte Mühe mitzuhalten.

Deswegen war ich ganz überrascht, als Maya mich eines Tages in einen Polizeiwagen lud und mit mir losfuhr. Es fühlte sich an, als würden wir zur Arbeit fahren, nur dass Maya ruhiger war als früher. Was immer wir zu erledigen hatten, schien nicht so dringend zu sein wie sonst.

Wir fuhren zu einem großen Haus, das Maya als Schule bezeichnete. Das war verwirrend, denn ich hatte ja gelernt, dass Schule der Grund war, weshalb Ethan so oft wegfuhr. Deswegen war Schule für mich kein *Ort*, sondern der Zustand, in dem ich mich befand, wenn Ethan nicht da war. Jetzt aber nahm Maya mich mit, als sie einen Raum voller aufgeregter, lachender Kinder betrat. Ich setzte mich neben sie und beobachtete, wie die Kinder versuchten, sich zu beruhigen und stillzusitzen. Es erinnerte mich an Ethan und Chelsea und die anderen Kinder aus der Nachbarschaft, die immer so voller Energie gewesen waren.

Ein helles Licht schien mir ins Gesicht. Eine Frau sagte etwas, und dann klatschten die Jungen und Mädchen so laut, dass ich erschrak. Aber ich wedelte mit dem Schwanz, als ich merkte, wie sehr die Kinder sich freuten.

Maya führte mich auf eine Art Bühne, und als sie zu sprechen begann, war ihre Stimme sehr laut und schien den ganzen Raum zu erfüllen.

»Das ist Ellie, ein ehemaliger Such- und Rettungshund. Im Rahmen unserer Öffentlichkeitsarbeit möchte ich euch davon berichten, wie Ellie geholfen hat, verirrte Kinder wiederzufinden, und was ihr selbst tun könnt, wenn ihr euch einmal verirrt!«, sagte Maya. Ich gähnte und fragte mich, was das alles sollte.

Nachdem wir etwa eine halbe Stunde lang tatenlos herumgestanden hatten, führte Maya mich von der Bühne herunter. Die Kinder stellten sich in einer langen Reihe an und kamen dann in kleinen Gruppen zu mir und streichelten mich. Manche umarmten mich überschwänglich, andere waren schüchtern oder sogar ein wenig ängstlich. Ich wedelte mit dem Schwanz, um sie zu ermutigen. Ein kleines Mädchen streckte mir schüchtern eine Hand hin, und ich leckte sie. Sie zog die Hand zurück und quietschte vor Vergnügen. Jetzt hatte sie keine Angst mehr.

Maya und ich arbeiteten zwar nicht mehr, gingen aber jetzt häufiger zur Schule. Zuweilen hatten wir es mit ganz kleinen Kindern zu tun, und dann wiederum waren die Leute, die wir trafen, schon lange keine Kinder mehr, sondern so alt wie Grandma und Grandpa. Hin und wieder gingen Maya und ich auch in Häuser, die stark nach Chemikalien rochen. Die Leute dort lagen in Betten und hatten Schmerzen oder waren traurig, und wir blieben bei ihnen, bis sie bessere Laune bekamen.

Ich wusste immer im Voraus, wann wieder ein Schultag war, denn dann brauchte Maya morgens beim Anziehen immer besonders lange. Wenn kein Schultag war, ging das Anziehen bei ihr immer ruckzuck, und sie hatte es eilig, aus dem

Haus zu kommen. Al lachte dann immer, und kurz darauf ging auch er aus dem Haus und ließ mich mit den blöden Katzen allein.

Obwohl meine Nase nicht mehr mit Salbe eingeschmiert wurde, suchte Tinkerbell jetzt ständig meine Nähe. Sobald ich mich zu einem Nickerchen hinlegte, kuschelte sie sich an mich. Ich war froh, dass Al das nicht mitbekam. Er hatte mich sehr gern, aber die Katzen waren nicht unbedingt sein Fall. Tinkerbell versteckte sich meist vor ihm, und Stella traute sich nur in seine Nähe, wenn er sie fütterte. Emmet stolzierte manchmal auf ihn zu und rieb sich an seinen Beinen, als sei es eine besondere Ehre für Al, Katzenhaare an der Hose zu haben.

Wir arbeiteten schon ein paar Jahre in Schulen, als Maya eines Tages eine neue Variante mit mir ausprobierte. Wir gingen in ein Zimmer, das Klasse hieß und kleiner war als die anderen Räume, die ich sonst gewohnt war. Aber auch hier war alles voller Kinder, die – ebenfalls anders als sonst – etwa gleichaltrig waren. Sie waren noch ziemlich klein und saßen auf Decken, die auf dem Fußboden ausgebreitet waren. Darum beneidete ich sie. Mittlerweile verbrachte ich viel Zeit mit Schlafen, weil ich nicht mehr so viel Energie hatte wie früher, und wenn die Kinder mich jetzt aufgefordert hätten, mich zu ihnen auf die Decken zu legen, hätte ich es gern getan.

Maya rief eins der Kinder nach vorn, und schüchtern kam es auf uns zu. Es war ein kleines Mädchen namens Alyssa, und sie umarmte mich. Als ich ihr übers Gesicht leckte, lachten die anderen Kinder. Maya hatte noch nie ein Kind nach vorn geholt, und ich wusste nicht recht, was sie damit bezweckte.

Eine Frau, die an einem Pult saß, eine sogenannte Lehrerin, erklärte: »Alyssa sieht Ellie heute zum ersten Mal, aber ohne Ellie wäre sie nie geboren worden.«

Kurz darauf kamen alle Kinder zu mir und fassten mich an, und das war dann wieder so, wie ich es in der Schule gewohnt war. Manchmal waren die Kinder etwas ruppig, und auch hier gab es einen Jungen, der mich an den Ohren zog, aber ich ließ ihn gewähren.

Am Ende des Schultags flitzten die Kinder alle aus der Tür, nur die kleine Alyssa blieb bei mir. Auch die Lehrerin blieb im Zimmer. Aus irgendeinem Grund schien Maya ganz aufgeregt zu sein, und auch ich wartete gespannt ab. Dann betraten ein Mann und eine Frau die Klasse, und Alyssa lief ihnen entgegen.

Der Mann war Jakob.

Ich sprang auf ihn zu. Er beugte sich vor und kraulte mich hinter den Ohren. »Wie geht's dir, Ellie, altes Mädchen? Du bist ja ganz grau geworden!«

Die Frau nahm Alyssa auf den Arm. »Daddy hat früher mit Ellie gearbeitet«, sagte sie zu ihr. »Hast du das gewusst?«

»Ja«, sagte Alyssa.

Maya umarmte Jakob und die Frau, die Alyssa wieder herunterließ, so dass sie mich weiter streicheln konnte.

Ich setzte mich und betrachtete Jakob. Er hatte sich sehr verändert, vor allem war er nicht mehr so kühl und distanziert wie früher. Ich begriff, dass Alyssa seine Tochter war und die Frau ihre Mutter. Jakob hatte jetzt also eine Familie und war glücklich.

Das war der Hauptunterschied: In all der Zeit, die ich bei ihm gewohnt hatte, war er nicht glücklich gewesen.

»Ich bin froh, dass du die Öffentlichkeitsarbeit übernommen hast«, sagte Jakob zu Maya. »Ein Hund wie Ellie braucht Arbeit.«

Ich hörte meinen Namen und das Wort »Arbeit«, aber es

sah nicht so aus, als ob gleich jemand »Such!« sagen würde. Jakob sprach einfach immer nur übers Arbeiten, das kannte ich schon von ihm.

Es war schön, ihn wiederzusehen und die Liebe zu spüren, die er für seine Familie empfand. Ich war so glücklich, dass ich mich hinlegte, um mir ein Nickerchen zu gönnen.

»Wir müssen jetzt gehen«, sagte die Frau zu Alyssa.

»Kann Ellie mitkommen?«, fragte das Mädchen, und alle lachten.

»Ellie«, sagte Jakob, und ich stand auf. Er beugte sich wieder zu mir herunter und nahm meinen Kopf in die Hand. »Du bist ein guter Hund, Ellie, ein guter Hund.«

Als ich seine raue Hand an meinem Fell spürte, musste ich an die Zeit denken, als ich noch ein Welpe war und Jakob gerade erst anfing, mir das Arbeiten beizubringen. Ich wedelte mit dem Schwanz, weil ich diesen Mann so sehr liebte. Trotzdem war ich froh, jetzt bei Maya zu wohnen, und als sich im Korridor alle voneinander verabschiedeten, folgte ich ihr mit der größten Selbstverständlichkeit.

»Guter Hund«, murmelte Maya. »Hat es dir Spaß gemacht, Jakob wiederzusehen?«

»Auf Wiedersehen, Ellie!«, rief Alyssa, und ihre helle Stimme hallte in dem stillen Korridor wider.

Maya blieb stehen und drehte sich zu ihr um, genau wie ich. Das Letzte, was ich von Jakob sah, war, dass er seine Tochter auf den Arm nahm und mir zugrinste.

In diesem Jahr starben Stella und Emmet. Maya weinte und war sehr traurig, und sogar Al schien traurig zu sein. Das Haus wirkte merkwürdig leer ohne die beiden, und Tinkerbell suchte nun oft bei mir Trost. Immer wenn ich aus einem Nickerchen erwachte, lag sie eng an mich geschmiegt neben mir oder sie stand vor mir und beobachtete mich, was ich noch irritierender fand. Ich konnte nicht verstehen, warum sie mich so sehr ins Herz geschlossen hatte, und wusste ganz genau, dass der Sinn meines Lebens nicht darin bestand, Ersatzmutter für eine Katze zu spielen. Andererseits machte es mir nicht viel aus, und ich ließ sogar zu, dass sie mich manchmal ableckte, denn das schien sie besonders glücklich zu machen.

Am schönsten fand ich jetzt Tage, an denen es regnete. Das passierte nicht oft, aber dann stiegen Gerüche aus der Erde, die mich an meine Welpenzeit erinnerten. Ich merkte immer früh, wenn die Wolken dicker und die Luft feucht wurde, und dann musste ich daran denken, wie oft es auf der Farm geregnet hatte.

Überhaupt dachte ich jetzt oft an die Farm. Und an Ethan. An die Zeit mit dem Schnellen und Schwesterchen, an den Hof der Señora und an Coco. Obwohl diese Erinnerungen in weiter Ferne lagen, kam es manchmal vor, dass ich mit einem Ruck aus dem Schlaf hochschreckte und den Kopf hob, weil ich glaubte, Ethans Autotür gehört zu haben. Fast erwartete ich, dass er jeden Augenblick hereinkommen und meinen Namen rufen würde.

An einem solchen Tag, als wieder einmal Regen in der Luft lag, hatten Maya und ich Dienst in der Schule, und zwar in einer Klasse, in der die Kinder auf Stühlen statt auf Decken saßen. Plötzlich durchzuckte ein Blitz den Himmel, und die Kinder erschraken, aber dann lachten sie, stürmten an die Fenster und beobachteten, wie ein heftiges Unwetter den Himmel schwarz färbte und der Regen auf die umliegenden Gebäude niederprasselte. Ich atmete tief ein und wünschte, man hätte die Fenster geöffnet und die wunderbaren Gerüche hereingelassen.

»Setzt euch, Kinder!«, sagte die Lehrerin.

Plötzlich ging die Tür auf, und ein Mann und eine Frau betraten den Raum. Beide waren vollkommen durchnässt. »Wir haben Geoffrey Hicks verloren«, rief der Mann. Ich hörte die Sorge in seiner Stimme und beobachtete die beiden gespannt. Ihre Erregung kannte ich nur zu gut von den Menschen, die mir früher bei der Arbeit begegnet waren. »Ein Erstklässler«, sagte der Mann zu Maya.

Die Kinder fingen alle auf einmal an zu reden. »Ruhe!«, sagte die Lehrerin in scharfem Ton.

»Die Kinder spielten Verstecken, als es anfing zu regnen«, erklärte die Frau. »Das Gewitter brach so plötzlich los, von einem Moment auf den anderen …« Die Frau wischte sich über die Augen, die plötzlich voller Tränen waren. »Als ich die Kinder hereinrief, war Geoffrey nicht dabei. Er war gerade an der Reihe gewesen, sich zu verstecken.«

»Könnte der Hund vielleicht …«, fragte der Mann.

Maya sah mich an, und ich setzte mich auf. »Versuchen Sie's lieber mit dem Polizeinotruf«, sagte sie. »Ellie hat schon sieben, acht Jahre nicht mehr als Suchhund gearbeitet.«

»Vernichtet der Regen nicht alle Spuren?«, fragte die Frau. »Es schüttet wie aus Kübeln. Ich fürchte, dass es zu lange dauert, bis ein anderer Hund kommt.«

Maya biss sich auf die Unterlippe. »Natürlich werden wir helfen«, sagte sie. »Trotzdem müssen Sie die Polizei verständigen. Wo könnte der Junge Ihrer Meinung nach hingelaufen sein?«

»Ein Stück hinter dem Schulhof beginnt der Wald«, erwiderte der Mann. »Der Pausenhof ist zwar eingezäunt, aber die Kinder kriechen einfach unter dem Zaun hindurch.«

»Das hier ist sein Rucksack«, sagte die Frau und hielt Maya einen Stoffbeutel hin. »Ist das eine Hilfe?«

Ich spürte, wie aufgeregt Maya war, als wir einen langen Flur entlangliefen. An der Tür blieben wir stehen, und Maya sank der Mut. »Sieh nur, wie heftig es regnet«, murmelte sie. »Wollen wir es trotzdem versuchen, Ellie?« Sie beugte sich zu mir herunter. »Bist du bereit, mein Mädchen? Hier, schnupper mal!«

Ich roch an dem Beutel und konnte Erdnussbutter, Schokolade, Buntstifte und eine Person ausmachen. »Geoffrey«, sagte Maya, und dann noch einmal: »Geoffrey. Okay?« Sie öffnete die Tür, und der Regen prasselte in den Flur. »Such!«

Ich sprang in den Regen hinaus. Vor mir lag eine große asphaltierte Fläche, auf der ich vor und zurück lief. Ganz schwach nahm ich den Geruch mehrerer Kinder wahr, obwohl der Regen alle Spuren verwässerte. Maya war mit mir aus dem Haus gekommen und lief ebenfalls durch den Regen. »Los, Ellie, such!«

Maya führte mich an einen Zaun, den ich der Länge nach absuchte, aber es war nichts zu finden. Enttäuscht und voller Sorge ging Maya mühsam über den aufgeweichten Boden. Wir gelangten an eine Stelle, an der der Zaun verbogen war, aber auch dort konnte ich keine Fährte ausmachen.

»Wenn er hier durchgeschlüpft wäre, würdest du es riechen, nicht wahr, mein Mädchen?«, sagte Maya. Dann rief sie laut: »Geoffrey, komm raus! Es ist alles in Ordnung.«

Am Zaun entlang kehrten wir zum Schulgebäude zurück. Ein Polizeiwagen fuhr mit blinkenden Lichtern vor, und Maya lief hin, um mit dem Fahrer zu sprechen.

Ich suchte weiter nach Geoffrey. Ich nahm zwar kaum etwas wahr, aber ich wusste, dass es eigentlich nur eine Frage der Konzentration war. So wie man es mir beigebracht hatte, musste ich alle Gerüche ignorieren, die nicht von dem Stoffbeutel stammten. Und wenn ich nicht lockerließ …

Da! Ich war auf etwas gestoßen und sah mich um. An dieser Stelle war eine Lücke im Zaun, denn zwei Stangen standen nicht genau nebeneinander. Der Zwischenraum war so schmal, dass kein Erwachsener hindurchgepasst hätte, aber der Geruch von Geoffrey stieg mir in die Nase, also musste er sich hier durchgequetscht und den Spielplatz verlassen haben.

Ich lief zu Maya zurück und alarmierte sie. Sie sprach mit einem Polizisten und bemerkte mich zuerst gar nicht, aber dann drehte sie sich ganz aufgeregt zu mir um. »Ellie? Zeig!«

Wir rannten durch den Regen zu der Zaunlücke zurück. Maya spähte hindurch. »Hierher«, rief sie dann und lief ein Stück am Zaun entlang zurück zur Schule. »Er hat das Schulgelände verlassen. Er ist auf der anderen Seite des Zauns!« Sogleich setzte sich der Polizist in Bewegung und folgte uns.

Auch auf der anderen Seite des Zauns konnte ich Geoffreys Fährte genau wahrnehmen. Ich folgte seiner Spur und war mir sicher, auf dem richtigen Weg zu sein. Ja, hier entlang!

Doch urplötzlich verlor sich seine Fährte. Nur ein paar Schritte vom Zaun entfernt war von dem Jungen keine Spur mehr zu entdecken, obwohl sie eine Sekunde lang so deutlich zu riechen gewesen war.

»Was ist denn los?«, fragte der Polizist.

»Vielleicht ist er zu jemandem ins Auto gestiegen«, sagte Maya, und der Polizist stöhnte auf.

Ich senkte die Nase, bis sie fast den Boden berührte, und dann roch ich es wieder! Ich ging ein paar Schritte, und der Geruch wurde stärker. Am Straßenrand bildete der Regen einen reißenden Strudel, der am Rinnstein gurgelnd in einen Gully abfloss. Ich schob die Schnauze in die Öffnung, ignorierte die Gerüche, die das rauschende Wasser mit sich brachte, und konzentrierte mich auf den des Jungen. Ich hätte mich durch das Loch in den lauten, schäumenden Gully zwängen können – aber das war gar nicht nötig. Ich konnte Geoffrey jetzt ganz deutlich riechen. Er musste ganz in der Nähe sein, obwohl ich ihn in der Dunkelheit nicht erkennen konnte.

Ich blickte zu Maya auf.

»Mein Gott, er steckt da drinnen, im Abflusskanal!«, rief sie.

Der Polizist schaltete eine Taschenlampe ein und leuchtete in den Gully. Dann sahen wir es alle zur gleichen Zeit: das fahle Gesicht eines völlig verängstigten Jungen.

Fünfundzwanzig

»Geoffrey! Keine Angst, wir holen dich da raus!«, schrie Maya ihm zu. Ohne sich um das Wasser zu kümmern, kniete sie sich auf die Straße und machte sich lang, um den Jungen zu erreichen. Der Schwall des hereinströmenden Wassers drückte ihn von der Öffnung fort und der Junge hielt sich an der hinteren Wand fest. Er hatte ganz entsetzliche Angst. Hinter ihm schoss das Regenwasser mit lautem Getöse in einen schwarzen Tunnel. Stöhnend beugte Maya sich so weit vor, wie sie konnte, aber sie bekam den Jungen nicht zu fassen.

»Wie ist er da bloß hineingeraten?«, fragte der Polizist laut.

»Er passt genau hinein. Wahrscheinlich hat er sich da drinnen versteckt, ehe der Regen anfing. Mein Gott, was sind das bloß für Wassermassen!« Maya klang ganz verzagt.

Über Geoffreys Kopf war ein runder Eisendeckel in die Straße eingelassen worden. Der Polizist versuchte ihn mit bloßen Händen hochzuheben und fluchte leise vor sich hin. Dann rief er: »Ich brauche eine Stange oder irgendwas, das ich als Hebel benutzen kann.« Er gab Maya die Taschenlampe und rannte zu seinem Wagen zurück. Bei jedem Schritt spritzte das Wasser hoch auf.

Geoffrey zitterte vor Kälte, und sein Blick war ganz stumpf, als Maya die Taschenlampe auf ihn richtete. Er hatte sich die

Kapuze seiner kleinen Regenjacke über den Kopf gezogen, um sich wenigstens ein bisschen vor der Kälte zu schützen.

»Halt durch, Geoffrey, okay? Halt durch! Wir holen dich da raus.«

Geoffrey reagierte nicht.

Der Polizeiwagen schaltete die Sirene ein und war im nächsten Moment schon bei uns. Schlingernd kam er zum Stehen. Der Polizist stieg aus und lief zum Kofferraum.

»Feuerwehr und Notarztwagen sind unterwegs«, schrie er.

»Wir haben keine Zeit mehr!«, schrie Maya zurück. »Er rutscht immer weiter ab.«

Der Polizist holte eine gebogene Eisenstange aus dem Kofferraum.

»Halt durch, Geoffrey!«, schrie Maya. »Lass bloß nicht los!«

Der Polizist bearbeitete den Eisendeckel mit seinem Werkzeug. Maya sprang auf, um zu sehen, wie er vorankam, und ich kam mit. So konnte ich sehen, wie ein dicker Brocken Matsch auf Geoffreys Kopf fiel, als der Polizist den Eisendeckel aushebelte. Der Junge hob eine Hand, um sich den Matsch aus dem Gesicht zu wischen, und dann konnte er sich mit der anderen Hand nicht mehr an der Wand festhalten und fiel ins Wasser. Er blickte kurz zu uns auf, dann wurde er in den Tunnel gespült.

»Geoffrey!«, schrie Maya.

Ich war immer noch im Such-Modus, deswegen zögerte ich keinen Augenblick und stürzte dem Jungen kopfüber hinterher. Augenblicklich wurde ich von der Strömung erfasst und in den Kanal gezogen. Ich folgte dem Jungen.

Es war dunkel, und mein Kopf wurde durch die Strömung immer wieder gegen die Betonwände geschleudert. Ich ignorierte es und konzentrierte mich auf Geoffrey, der irgendwo in der Dunkelheit vor mir her schwamm und lautlos um sein Leben kämpfte. Sein Geruch war schwach und verlor sich in den tödlichen Fluten immer wieder.

Ohne Vorwarnung sackte plötzlich der Boden unter meinen Pfoten ab. In völliger Dunkelheit wurde ich von den Wogen hin und her geschleudert. Der enge Kanal mündete hier in einen viel größeren, das Wasser wurde tiefer und das Getöse lauter. Ich versuchte, Geoffreys Fährte wieder aufzunehmen und schwamm mit kräftigen Zügen voran. Obwohl ich nichts sehen konnte, wusste ich, dass ich nur wenige Meter von ihm entfernt war.

Eine Sekunde bevor er unterging, wusste ich, was passieren würde. Ethan hatte dieses Spiel oft genug mit mir gespielt: Immer hatte er gewartet, bis ich ganz nah war, ehe er sich in die Tiefe stürzte. Und genauso, wie ich immer gewusst hatte, wo ich ihn in dem dunklen Teich wiederfinden konnte, hatte ich jetzt einen ganz klaren Instinkt für Geoffrey, der unter mir absank. Mit offenem Maul tauchte ich ab, ohne etwas zu sehen, und es dauerte nicht lange, bis ich Geoffreys Kapuze im Maul hatte. Zusammen kämpften wir uns an die Wasseroberfläche.

Doch dann gab es keine andere Möglichkeit, als sich von der Strömung davontragen zu lassen. Ich konzentrierte mich darauf, Geoffreys Kopf über Wasser zu halten, indem ich die Kapuze nach hinten zerrte. Er lebte, aber er bewegte sich nicht mehr.

Von oben schien ein schwaches Licht auf die nassen Betonwände des Kanals. Wir befanden uns in einem Tunnel von etwa zwei Metern Durchmesser, und nirgends war eine Öffnung zu sehen. Wie sollte ich den Jungen hier retten?

Das Licht wurde heller, und ich begann ein Dröhnen zu

hören. Das Wasser schoss immer schneller dahin. Ich hielt Geoffreys Kapuze ganz fest, weil ich spürte, dass gleich etwas passieren würde.

Mit einer Sturzwelle wurden wir ans Tageslicht gespült, purzelten eine Betonrampe hinab und landeten platschend in einem schnell dahinfließenden Gewässer. Es war nicht einfach, uns beide an der Oberfläche des reißenden Stroms zu halten, zumal wir von kräftigen Wellen hin und her geworfen wurden. Die Flussufer waren aus Beton, aber als ich Geoffrey an das näher gelegene zog, musste ich gegen die Strömung schwimmen, die mich in die Flussmitte zurückspülen wollte. Ich war erschöpft, mein Kiefer und mein Nacken schmerzten vor Anstrengung, aber ich zog Geoffrey ans Ufer und schwamm, so kräftig ich konnte.

Lichter blitzten auf, und flussabwärts sah ich Männer in Regenmänteln, die auf das Ufer zuliefen. Ich war mir sicher, dass die Strömung mich an ihnen vorbeitragen würde, ehe ich Geoffrey in Sicherheit gebracht hatte.

Zwei Männer sprangen ins Wasser. Sie waren mit einem Seil verbunden, das von anderen Männern gehalten wurde, die sich am Ufer bereithielten. Die beiden Männer standen bis zu den Hüften im Wasser und streckten die Arme aus, um uns zu ergreifen. Ich gab alles, um mich genau in ihre Richtung zu bewegen.

»Hab ihn!«, schrie einer der Männer, als Geoffrey und ich dicht bei ihm waren. Er packte mich am Halsband, während der andere Geoffrey festhielt. Die Männer am Ufer zogen an den Seilen, und mühsam arbeiteten wir uns durch die Wassermassen, bis wir in Sicherheit waren.

An Land ließ mich der Mann frei und kniete sich neben Geoffrey hin. Er drückte auf seinen kleinen Körper, bis der

Junge einen Schwall braunen Wassers erbrach, hustete und zu weinen begann. Ich humpelte auf ihn zu, und als ich sah, dass seine Angst sich legte, wurde auch ich ruhiger. Das Schlimmste hatte er überstanden.

Die Männer zogen Geoffrey aus und wickelten ihn in Decken. »Alles in Ordnung, Junge. Ist das dein Hund? Er hat dich gerettet.«

Geoffrey antwortete nicht, aber er sah mich an.

»Lasst uns gehen!«, rief einer der Männer. Sie trugen Geoffrey die Böschung hinauf und legten ihn in einen Wagen, der mit heulender Sirene davonfuhr.

Ich legte mich in den Uferschlamm. Meine Beine zitterten, und dann musste ich mich ebenfalls übergeben. Alles tat mir weh. Ich war so schwach, dass ich nicht mal mehr richtig sehen konnte. Kalter Regen prasselte auf mich nieder, aber ich lag einfach nur reglos da.

Ein Polizeiwagen kam und schaltete die Sirene aus, als er bei mir war. Ich hörte Türen knallen. »Ellie!«, schrie Maya von der Straße her. Ich hob den Kopf ein wenig, war aber zu erschöpft, um mit dem Schwanz zu wedeln. Maya kam die Uferböschung heruntergerannt und wischte sich Tränen aus dem Gesicht. Obwohl sie kalt und klatschnass war, spürte ich ihre Liebe und Wärme, als sie mich an ihre Brust drückte. »Du bist so ein guter Hund, Ellie! Du hast Geoffrey gerettet. Guter Hund! O Gott, ich dachte schon, ich hätte dich verloren.«

Ich verbrachte die Nacht beim Tierarzt, und die nächsten paar Tage war ich so steif, dass ich mich kaum bewegen konnte. Dann mussten Maya und ich wieder in so eine Schule gehen, nur dass wir es dieses Mal mit Erwachsenen zu tun hatten, die etwa in Mayas Alter waren. Helle Lichter schienen uns in die Augen, und ein Mann hielt mit sehr lauter Stimme eine Rede. Als er fertig war, kam er zu mir und legte mir einen albernen Kragen um, und dann blitzten um uns herum noch viel hellere Lichter auf, so wie damals nach dem Brand, als ich mit Mom in Chelseas Wohnzimmer saß. Zuletzt steckte der Mann etwas an Mayas Uniform, und alle klatschten. Ich spürte, wie stolz Maya war und wie sehr sie mich liebte, und als sie mir ins Ohr flüsterte, was für ein guter Hund ich sei, war ich ebenfalls stolz.

Kurz darauf änderte sich die Stimmung im Haus. Maya und Al wurden ganz aufgeregt und nervös und führten bei Tisch endlose Gespräche.

»Wenn es ein Junge wird, können wir ihn Albert nennen«, sagte Al. »Ist doch ein schöner Name.«

»Ein wunderbarer Name, Liebling, aber Alberts werden immer Al genannt, und Al … das bist nun mal du, mein Al.«

»Dann nennen wir ihn eben Bert.«

»Ach, Liebling …«

»Was kommt denn sonst in Frage? Deine Familie ist so groß, dass ihr alle Namen verbraucht habt. Carlos ist schon weg, Diego, Francisco, Ricardo …«

»Und was hältst du von Angel?«

»Angel? Du willst meinen Sohn auf den Namen Angel taufen? Vielleicht ist es keine so gute Idee, den Namen dieses Kindes von einer Frau aussuchen zu lassen, die ihre Katze Tinkerbell genannt hat.«

Die Katze, die gerade mal wieder an mich gekuschelt schlief, hob nicht mal den Kopf, als ihr Name fiel. So sind Katzen nun einmal; sie beachten einen nur, wenn sie es wollen.

Maya lachte. »Und wie wär's mit Charles?«

»Charly? Nein, mein erster Chef hieß Charly«, widersprach Al.

»Anthony?«

»Hast du nicht einen Cousin, der so heißt?«

»Nein, der heißt Antonio«, korrigierte Maya.

»Ich mag ihn trotzdem nicht. Er trägt so einen albernen Bart.«

Maya lachte. Ich klopfte mit dem Schwanz auf den Boden, um zu zeigen, dass ich auch gute Laune hatte. »George?«

»Nein.«

»Raoul?«

»Nein.«

»Jeremy?«

»Um Gottes willen!«

»Ethan?«

Ich sprang auf. Maya und Al sahen mich überrascht an. »Ellie scheint der Name zu gefallen«, sagte Al.

Unsicher legte ich den Kopf schief. Tinkerbell fühlte sich gestört und warf mir einen beleidigten Blick zu. Ich trottete zur Haustür und hob die Nase, um besser riechen zu können.

»Was hast du denn, Ellie?«, fragte Maya.

Es gab nicht die geringste Spur von dem Jungen, und ich war mir nicht mal mehr sicher, ob ich richtig gehört hatte. Draußen fuhren Kinder auf Fahrrädern vorbei, aber Ethan war nicht dabei. Was hatte ich denn auch erwartet? Dass Ethan – genau wie Jakob – plötzlich wieder auftauchen würde? Ich wusste, dass Hunden so etwas normalerweise nicht vergönnt war. Trotzdem … Maya hatte den Namen des Jungen doch ausgesprochen, oder? Warum nur?

Ich ging zu Maya hin, um mich von ihr beruhigen zu lassen, und legte mich seufzend neben sie. Tinkerbell folgte mir und kuschelte sich an mein Fell. Verlegen mied ich Als wissenden Blick.

Kurz darauf hatten wir einen neuen Hausbewohner: die kleine Gabriella. Sie roch nach saurer Milch und schien ein noch unnützeres Wesen zu sein als die Katze. Als Maya die Kleine zum ersten Mal mit nach Hause brachte, hielt sie sie mir hin, damit ich sie beschnuppern konnte, aber ich konnte wenig mit ihr anfangen. Von da an stand Maya nachts oft auf, und ich begleitete sie. Sie drückte Gabriella an ihre Brust, und ich legte mich ihr zu Füßen. In diesen Momenten verströmte sie so eine innige Liebe, dass ich ganz friedlich einschlief.

Aber meistens hatte ich jetzt Schmerzen, die gleichen Schmerzen wie zu der Zeit, als ich noch Bailey war und den größten Teil des Tages damit verbrachte, Grandpa bei seinen Erledigungen zu helfen. Alle Geräusche wurden leiser, und die meisten Dinge sahen etwas verschwommen aus. Auch das kannte ich von damals.

Ich fragte mich, ob Maya wusste, dass ich nicht mehr lange bei ihr bleiben würde. Es war ganz normal, dass ich sterben würde, genau wie Emmet und Stella. So etwas passierte andauernd. Toby und Bailey war es ja auch passiert.

Als ich eines Tages an einem sonnigen Fleckchen lag und darüber nachdachte, wurde mir klar, dass ich ein guter Hund gewesen war. Was ich von meiner ersten Mutter gelernt hatte, hatte mich zu Ethan geführt, und von ihm hatte ich gelernt, Geoffrey in das reißende Wasser zu folgen und ihn zu retten. Zwischendurch hatte Jakob mir Such und Zeig beigebracht, und ich hatte viele Menschen gerettet.

Das musste der Grund sein, warum ich nach meiner Zeit bei Ethan als Ellie wiedergeboren worden war. Alles, was ich je getan und gelernt hatte, war darauf hinausgelaufen, dass ich ein guter Hund wurde, der Menschen rettete. Das machte natürlich nicht so viel Spaß, wie ein Schussel-Hund zu sein, aber ich verstand jetzt, warum diese Menschen mich von Anfang an so fasziniert hatten: Mein Schicksal war unauflöslich mit dem ihren verknüpft, vor allem mit Ethan, dem ich stärker verbunden war als irgendjemandem sonst.

Da sich der Sinn meines Lebens nun erfüllt hatte, musste das Ende wohl nahe sein. Ich war mir sicher, dass ich nicht noch einmal wiedergeboren würde, und das war völlig in Ordnung. So schön es auch war, ein Welpe zu sein, hatte ich doch keine Lust, noch mal ein anderer zu sein als Ethans Hund. Maya und Al hatten Gabriella, um sich die Zeit zu vertreiben, und ich merkte, dass die Kleine mich in der Familienrangordnung überholt hatte – zumindest, wenn man außer Acht ließ, dass Tinkerbell mich als Familienoberhaupt betrachtete.

Ich dachte kurz darüber nach, ob Katzen wohl auch wiedergeboren wurden, verwarf den Gedanken aber gleich wieder, denn soviel ich wusste, hatte ihr Leben ohnehin keinen Sinn.

Peinlicherweise konnte ich manchmal nicht mehr lange genug einhalten, bis ich es nach draußen schaffte, und es kam immer häufiger vor, dass ich das Haus verschmutzte. Dummerweise hatte Gabriella das gleiche Problem, und so war die Mülltonne oft mit unseren Hinterlassenschaften gefüllt.

Ein paarmal fuhr Al mit mir zum Tierarzt, und unterwegs durfte ich auf den Vordersitz. Der Mann tastete dann meinen ganzen Körper ab, und ich stöhnte genüsslich, aber all das änderte nichts. »Du bist ein guter Hund, Ellie, aber jetzt wirst du alt«, sagte Al, und bei »guter Hund« wedelte ich mit dem Schwanz. Maya hatte viel mit Gabriella zu tun, so dass sich Al jetzt meist um mich kümmerte, womit ich aber auch kein Problem hatte. Wenn er mir aufhalf und mich ins Auto lud, spürte ich, wie gern er mich hatte.

Eines Tages musste er mich in den Garten tragen, damit ich mein Geschäft verrichten konnte. Das machte ihn ganz traurig, denn er begriff, was das bedeutete. Ich leckte ihm übers Gesicht, um ihn zu trösten, und legte ihm meinen Kopf auf den Schoß, als er sich auf den Rasen setzte und weinte.

Als Maya nach Hause kam, kam sie mit Gabriella in den Garten, und wir vier blieben alle zusammen dort sitzen. »Du warst so ein guter Hund, Ellie«, sagte Maya immer wieder. »Eine richtige Heldin. Du hast Menschen gerettet, so wie den kleinen Jungen, Geoffrey.«

Eine Nachbarin kam herüber, um Gabriella abzuholen. Maya beugte sich über das Mädchen und flüsterte ihm liebevoll etwas ins Ohr. »Auf Wiedersehen, Ellie«, sagte Gabriella. Die Nachbarin bückte sich, so dass mir Gabriella ihre Hand hinhalten konnte. Ich leckte sie.

»Sag Auf Wiedersehen!«, sagte die Frau.

»Auf Wiedersehen«, wiederholte Gabriella. Dann trug die Nachbarin sie ins Haus

»Es ist so schwer, Al«, seufzte Maya.

»Ich weiß«, antwortete Al. »Wenn du willst, kümmere ich mich allein darum.«

»Nein, nein. Ich muss bei Ellie bleiben.«

Al hob mich hoch und trug mich vorsichtig zum Wagen. Maya setzte sich zu mir auf den Rücksitz.

Ich wusste, wohin diese Fahrt gehen sollte. Alles tat mir so weh, dass ich mich einfach nur auf den Sitz fallen ließ und den Kopf auf Mayas Schoß legte. Ich wusste, was passieren würde, und freute mich auf die Ruhe, die ich dann finden würde. Maya streichelte meinen Kopf, und ich schloss die Augen. Ich überlegte, ob es etwas gab, das ich gern noch ein letztes Mal tun würde. Such? Im Meer schwimmen? Den Kopf aus dem fahrenden Wagen in den Wind halten? Das alles war ganz wunderbar, aber ich hatte es oft genug getan, und das reichte mir.

Ich wedelte mit dem Schwanz, als sie mich auf den gewohnten Stahltisch legten. Maya weinte und flüsterte immer wieder: »Guter Hund, Ellie!« Ich nahm ihre Worte und ihre Liebe mit, als ich im Hals einen feinen Stich spürte und dann von wunderbar warmem Meerwasser fortgespült wurde.

Sechsundzwanzig

Meine neue Mutter hatte ein großes schwarzes Gesicht und eine warme rosa Zunge. Wie benommen blinzelte ich zu ihr auf, als mir klar wurde, dass alles wieder von vorn losging. Nach meinem Leben als Ellie hatte ich das nicht für möglich gehalten.

Ich hatte acht Brüder und Schwestern. Alle waren schwarz, gesund und sehr verspielt. Meist zog ich es jedoch vor, allein zu sein und darüber nachzudenken, was es zu bedeuten hatte, dass ich wieder ein Welpe war.

Das ergab doch überhaupt keinen Sinn! Ich hatte verstanden, dass ich niemals zu Ethan gekommen wäre, wenn ich als Toby nicht gelernt hätte, ein Gatter zu öffnen. Mein Leben im Bachbett hatte mir gezeigt, dass es auf der anderen Seite des Zauns nichts gab, wovor man sich fürchten musste. Durch Ethan hatte ich dann gelernt, was Liebe und Freundschaft bedeuteten, und meinen damaligen Lebenszweck hatte ich erfüllt, indem ich den Jungen durch seine Kindheit und Jugend begleitet hatte. Darüber hinaus hatte er mir im Teich beigebracht, wie man Menschen vor dem Ertrinken rettete, so dass ich später als Ellie nicht nur Such und Zeig gelernt, sondern den kleinen Jungen aus dem Kanal gerettet hatte. Ich hätte meine Arbeit bestimmt nicht so gut machen können, wenn ich vorher nicht Ethans Hund gewesen wäre, denn Jakobs distanzierte Art hätte mich sonst vermutlich nur verwirrt und gekränkt.

Was aber sollte ich jetzt noch tun? Was, um alles in der Welt, konnte noch geschehen, das meiner Wiedergeburt als Welpe einen Sinn gab?

Wir befanden uns in einem Zwinger mit einem sauberen Betonboden, der zweimal pro Tag von einem Mann gereinigt wurde. Dann ließ der Mann uns hinaus, und wir tollten im Gras umher. Auch andere Männer und Frauen kümmerten sich um uns. Sie hoben uns hoch und begutachteten unsere Pfoten, aber obwohl ich spürte, dass sie sich über uns freuten, verströmte keiner die Liebe, die ich von Ethan und Maya und Al kannte.

»Glückwunsch, Colonel«, sagte ein Mann einmal, als er mich hochhielt. »Ein guter Wurf. Der wird Ihnen ein paar hübsche Dollar einbringen.«

»Nur der, den Sie da gerade in der Hand halten, macht mir Sorgen«, sagte der Mann, der Colonel genannt wurde. Er roch nach Rauch, und nach der Art zu urteilen, wie meine neue Mutter reagierte, wenn er den Zwinger betrat, musste er wohl ihr Besitzer sein. »Er scheint nicht so vital zu sein wie die anderen.«

»Hat der Tierarzt ihn sich schon einmal angesehen?« Der Mann, der mich hielt, drehte mich um und fuhr mir mit den Fingern unter die Lefzen, um meine Zähne bloßzulegen. Ich ließ alles über mich ergehen und wollte bloß meine Ruhe haben.

»Ihm scheint nichts zu fehlen«, antwortete der Colonel. »Er ist nur gern für sich und braucht viel Schlaf.«

»Na ja, nicht jeder kann ein Champion sein«, sagte der andere Mann und setzte mich wieder auf den Boden.

Der Colonel sah mir unglücklich hinterher, als ich davontrottete. Ich wusste nicht, was ich verkehrt gemacht hatte, aber ich würde ja sowieso nicht lange hierbleiben. Wenn ich aus meinen früheren Erfahrungen eines gelernt hatte, dann das: Leute, die einen Wurf Welpen besaßen, mochten die jungen Hunde sehr gern, aber nicht genug, um sie zu behalten.

Aber ich irrte mich. Im Laufe der folgenden Wochen wurden die meisten meiner Brüder und Schwestern von irgendwelchen Leuten abgeholt. Bald waren nur noch drei von uns übrig. Meine neue Mutter war darüber sehr traurig, aber sie fand sich damit ab. Sie säugte uns nicht mehr, aber sie senkte liebevoll den Kopf, wenn einer von uns zu ihr kam, um sie abzuschlecken. Anscheinend erlebte sie das alles nicht zum ersten Mal.

Auch in den nächsten Tagen kamen einige Menschen zu Besuch und spielten mit uns. Sie steckten uns in Kissenbezüge, rasselten mit Schlüsseln und warfen Bälle ganz dicht an unseren Nasen vorbei, um zu sehen, wie wir reagierten. Ich fand ihr Verhalten ziemlich unangemessen, denn immerhin waren wir noch Welpen. Aber den Leuten schien es sehr ernst zu sein.

»Ein Haufen Geld für so einen kleinen Hund«, bemerkte ein Mann zum Colonel.

»Sire hat zweimal das Nationale Jagdrennen gewonnen, die Mutter ist auf sechs Hundeschauen ausgezeichnet worden und war zweimal Siegerin. Ich denke also, dass sie ihren Preis wert sind«, erwiderte der Colonel.

Die Männer schüttelten einander die Hand, und dann waren nur noch meine Mutter und die Schwester übrig, die ich für mich den Hüpfer nannte, weil sie sich ständig mit einem Satz auf mich stürzte. Da ich ihr nun als letztes Geschwisterchen geblieben war, wurde es mit der Springerei noch schlimmer, und um sie abzuwehren, balgte ich mich oft mit ihr herum. Der Colonel bemerkte meine erhöhte Aktivität und schien darüber sehr erleichtert zu sein.

Dann wurde der Hüpfer von einer Frau abgeholt, die nach Pferden roch, und ich blieb als Einziger übrig. Endlich hatte ich meine Ruhe.

»Ich muss mit dem Preis heruntergehen«, sagte der Colonel einige Tage darauf. »Eine Schande ist das.« Ich hob weder den Kopf, noch lief ich zu ihm, um ihm zu zeigen, dass er meinetwegen nicht enttäuscht zu sein brauchte, denn das schien er zu sein.

Um die Wahrheit zu sagen: Ich war total deprimiert. Ich konnte einfach nicht verstehen, was mit mir geschah und warum ich wieder ein Welpe sein sollte. Die Vorstellung, noch mal ein Training durchlaufen zu müssen, von jemand anders als Maya oder Jakob Such zu lernen und ein völlig anderes Leben zu führen, machte mich völlig fertig. Ich kam mir vor wie ein böser Hund.

Wenn Leute zu Besuch kamen, lief ich nicht zu ihnen an den Zaun, nicht mal, wenn sie Kinder dabeihatten. Auch dazu hatte ich keine Lust mehr. Ethan war das einzige Kind, das für mich je gezählt hatte und je zählen würde.

»Was hat er bloß? Ist er krank?«, hörte ich eines Tages einen Mann fragen.

»Nein, er hat einfach nur gern seine Ruhe«, erwiderte der Colonel.

Der andere Mann kam in den Zwinger und hob mich hoch. Er hatte helle blaue Augen und sah mich freundlich an. »Du bist ein kleiner Melancholiker, was?«, sagte er. Ich spürte sein Interesse und wusste plötzlich, dass ich den Zwinger noch heute mit ihm verlassen würde. Ich ging zu meiner neuen Mutter hinüber und leckte ihr zum Abschied übers Gesicht. Auch sie schien es zu wissen, und sie stupste mich liebevoll mit der Nase an.

»Ich gebe Ihnen zwei-fünfzig«, sagte der Mann mit den blauen Augen, und der Colonel wich erschrocken zurück.

»Was? Der Stammbaum dieses Welpen …«

»Ich weiß. Ich habe Ihre Annonce gelesen. Hören Sie, er soll für meine Freundin sein. Sie geht mit ihm nicht jagen, sie möchte einfach nur einen Hund haben. Sie sagten, Sie seien bereit, mir entgegenzukommen. Verständlicherweise. Denn wenn Sie als Züchter immer noch auf einem Hund sitzen, der bereits drei Monate alt ist, muss es ja wohl einen Grund geben, warum die Leute ihn nicht kaufen wollen. Sie selbst wollen ihn ja auch nicht behalten. Ich könnte mir natürlich auch einen Labrador im Internet besorgen, kostenlos. Aber ich denke, dass dieser hier Papiere und einen glaubwürdigen Stammbaum hat, und das ist mir zweihundertfünfzig wert. Oder haben Sie Interessenten, die Ihnen mehr bieten? Das würde mich überraschen.«

Kurz darauf setzte mich der Mann auf den Beifahrersitz seines Wagens. Er schüttelte dem Colonel die Hand, der mich gehen ließ, ohne sich von mir zu verabschieden. Der andere Mann überreichte dem Colonel ein Stück Papier. »Wenn Sie mal eine Luxuslimousine brauchen, komme ich Ihnen ebenfalls entgegen. Rufen Sie einfach an«, sagte der Mann gut gelaunt.

Ich sah mir meinen neuen Besitzer näher an. Es gefiel mir natürlich, dass er mich vorne sitzen ließ, aber als er mich von der Seite ansah, spürte ich keinerlei Zuneigung. Ich war dem Mann sogar völlig gleichgültig.

Bald wurde mir klar, warum: Ich sollte gar nicht bei ihm wohnen (er hieß übrigens Derek). Vielmehr war mein neues Zuhause bei einer Frau namens Wendi, die vor Freude kreischte und auf und ab hüpfte, als Derek mich zu ihr brachte. Dann fingen Derek und Wendi sofort an, miteinander zu balgen, so dass ich in Ruhe die Wohnung erkunden konnte, in der ich von nun an leben sollte. Überall lagen Schuhe und Kleidungsstücke herum, und auf einem niedrigen Tisch vor der Couch standen lauter Schachteln mit angetrockneten Essensresten, die ich erst mal sauber leckte.

Derek schien auch für Wendi keine besondere Zuneigung zu empfinden, obwohl er sie umarmte, als er sich verabschiedete. Wenn Al sich früher verabschiedet hatte, war seine Liebe zu Maya immer deutlich zu spüren gewesen, so dass ich vor Freude immer mit dem Schwanz gewedelt hatte, aber dieser Mann hier war ganz anders.

Wendis Liebe zu mir war spontan, aber verwirrend, ein Gefühlschaos, das ich nicht verstand. Im Laufe der folgenden Tage nannte sie mich Pu-Bär, Google, Schnüffelhund, Leno und Pistachio. Dann war ich wieder Pu-Bär, schließlich nur noch Bär, und anschließend probierte sie verschiedene Variationen von Bär aus: Bärchen, Bärle, Brummi, Honigbär, Knuddelbär und Wunderbär. Sie hielt mich oft fest, küsste mich ab und drückte mich, als könnte sie nicht genug von mir bekommen, aber dann klingelte das Telefon, und sie ließ mich einfach fallen.

Jeden Morgen kramte Wendi in ihren Sachen herum und wurde ganz hektisch. Dabei murmelte sie vor sich hin: »Ich komme zu spät! Ich komme zu spät!« Dann rannte sie zur Tür und ließ mich den ganzen Tag allein. Ich langweilte mich bis zur Verblödung.

Wendi legte lauter Zeitungen auf den Fußboden, aber ich konnte mich nie erinnern, ob ich darauf pinkeln oder sie auf keinen Fall nass machen sollte. Also versuchte ich es mit ein bisschen von beidem. Als mir einmal die Zähne wehtaten, und sich in meinem Maul eine Menge Spucke ansammelte, versuchte ich, mir Linderung zu verschaffen, indem ich ein Paar Schuhe durchkaute. Als Wendi die Schuhe später sah, bekam sie einen Schreikrampf. Manchmal vergaß sie, mich zu füttern, und mir blieb nichts anderes übrig, als über den Mülleimer in der Küche herzufallen, aber auch das brachte Wendi zum Schreien.

Mein Zusammenleben mit Wendi schien mir vollkommen sinnlos zu sein. Wir trainierten nicht zusammen, wir gingen nicht mal viel spazieren. Sie machte abends einfach die Tür auf und ließ mich in den Hof. Tagsüber tat sie das fast nie, und wenn doch, dann nur verstohlen und ängstlich, als täten wir etwas Verbotenes. Es war ziemlich frustrierend, und in mir sammelte sich so viel überschüssige Energie an, dass ich mich mit Bellen abreagierte. Manchmal bellte ich Stunden am Stück, und zwar so heftig, dass meine Stimme von den Wänden widerhallte.

Eines Tages wurde laut an die Tür geklopft. »Bär, komm her!«, zischte Wendi. Sie schloss mich im Schlafzimmer ein, aber trotzdem konnte ich den Mann gut hören, der in die Wohnung kam und mit ihr sprach. Er klang sehr wütend.

»Hundehaltung ist hier verboten, das steht auch in Ihrem Mietvertrag!« Ich legte den Kopf schief, als ich das Wort »Hund« hörte, und fragte mich, ob der Mann meinetwegen so wütend war. Soviel ich wusste, hatte ich nichts falsch gemacht, aber hier bei Wendi schienen andere Regeln zu gelten, als ich es gewohnt war, also war ich mir nicht sicher.

Als Wendi das nächste Mal zur Arbeit ging, verschwand sie nicht einfach, sondern rief mich zu sich und verlangte, dass ich mich hinsetzte. Es schien sie jedoch nicht im Geringsten zu beeindrucken, dass ich wusste, was das bedeutete. Dabei hatte sie es mir nicht beigebracht. »Schau mal, Bärchen, du darfst nicht bellen, wenn ich weg bin, verstehst du? Ich bekomme sonst Ärger mit den Nachbarn. Nicht bellen, okay?«

Ich spürte, dass sie traurig war, und fragte mich, warum. Ob sie sich tagsüber vielleicht genauso langweilte wie ich? Warum nahm sie mich dann nicht einfach mit? Wo ich doch so gern Auto fuhr! Den ganzen Tag lang bellte ich mir die überschüssige Energie aus dem Leib, ließ aber Wendis Schuhe zufrieden.

Einen oder zwei Tage darauf riss Wendi beim Heimkommen ein Blatt Papier von der Tür ab, das daran klebte. Ich rannte auf sie zu, weil meine Blase kurz vorm Platzen war, aber sie ließ mich nicht hinaus. Stattdessen starrte sie auf das Schreiben in ihrer Hand und begann dann wütend herumzuschreien. Mir blieb nichts anderes übrig, als mich auf dem Küchenfußboden zu entleeren, und sie schlug mir mit der flachen Hand aufs Hinterteil, ehe sie endlich die Tür öffnete.

»Ach, ist doch egal«, sagte sie. »Geh ruhig raus. Es wissen ja sowieso längst alle, dass du hier bist.« Ich verrichtete mein restliches Geschäft im Hof, und es tat mir leid, dass ich bereits die Küche beschmutzt hatte, aber ich hätte wirklich nicht länger warten können.

Am nächsten Tag schlief Wendi lange, dann stiegen wir ins Auto und machten eine lange Fahrt. Der Beifahrersitz war mit allem möglichen Zeug belegt, deshalb musste ich hinten sitzen. Immerhin öffnete sie hinten das Fenster, so dass ich die

Nase in den Wind halten konnte. Wir bogen in die Einfahrt eines kleinen Hauses, vor dem schon mehrere andere Wagen standen, die dem Geruch nach schon lange nicht mehr gefahren waren. An einem davon hob ich das Bein.

Eine ältere Frau öffnete die Haustür.

»Hi, Mom«, sagte Wendi.

»Ist er das? Der ist aber groß! Du sagtest doch, er sei noch ein Welpe.«

»Was meinst du wohl, warum ich ihn Bär genannt habe?«

»Nein, Wendi, der kann hier nicht bleiben!«

»Komm schon, Mom! Was bleibt mir denn anderes übrig? Ich habe bereits eine Abmahnung bekommen.« Wendi schrie ihre Mom fast an.

»Was hast du dir überhaupt dabei gedacht, dir einen Hund anzuschaffen?«

»Es war ein Geschenk von Derek. Was sollte ich denn tun? Ihm zurückbringen?«

»Und warum schenkt er dir einen Hund, wenn du in deiner Wohnung gar keine Hunde halten darfst?«

»Herrgott nochmal, weil ich gesagt habe, dass ich mir einen Hund wünsche. Ist es das, was du hören willst? »

Die Gefühle der beiden Frauen füreinander waren so kompliziert, dass ich sie nicht verstehen konnte. Wendi und ich blieben über Nacht in dem winzigen Haus und hatten beide ein wenig Angst, denn es gab da einen Mann namens Victor, der erst nach Hause kam, als es schon dunkel war. Er war dermaßen wütend, dass mir plötzlich alles gefährlich und verrückt vorkam. Nachts, als Wendi und ich in einer vollgestopften Kammer in einem engen Bett lagen, brüllte er in einem anderen Zimmer herum.

»Ich will keinen Hund!«

»Das Haus gehört mir, also treffe ich hier die Entscheidungen.«

»Was sollen wir denn mit einem Hund anfangen?«

»Was für eine saudumme Frage! Was soll man mit einem Hunden denn schon anfangen?«

»Halt den Mund, Lisa! Halt einfach den Mund!«

»Das wird schon, Bärchen«, flüsterte Wendi mir ins Ohr. »Ich würde dich niemals in schlechte Hände geben.« Sie war so traurig, dass ich tröstend ihre Hand leckte, aber das brachte sie nur zum Weinen.

Am nächsten Morgen standen die beiden Frauen draußen neben dem Auto und unterhielten sich miteinander, während ich an der Fahrertür herumschnüffelte und sehnlichst darauf wartete, hineingelassen zu werden. Je eher wir diesen Ort wieder verließen, desto besser.

»Ich verstehe nicht, wie du es mit ihm aushältst«, sagte Wendi.

»Es gibt Schlimmere. Immerhin ist er nicht so schlimm wie dein Vater.«

»Fang nicht wieder damit an!«

Eine Weile sagten sie nichts. Ich hielt die Nase in die Höhe und witterte, weil ein köstlicher Geruch in der Luft lag. Er wehte vom Müll herüber, der neben dem Haus lag, und ich dachte, dass es sich bestimmt lohnen würde, ihn einmal gründlich zu durchsuchen.

»Na, dann«, sagte Wendis Mom. »Ruf an, wenn du zu Hause bist!«

»Mach ich, Mom. Pass gut auf Bär auf.«

»Alles klar.« Die Frau steckte sich eine Zigarette in den Mund, zündete sie an und stieß Rauch aus.

Wendi kniete sich neben mich, und ihre Traurigkeit kam

mir so bekannt vor, dass ich plötzlich wusste, was nun geschehen würde. Sie streichelte meinen Kopf und sagte, ich sei ein guter Hund. Dann stieg sie in ihren Wagen, ohne mich hineinzulassen. Ich sah dem Auto hinterher, ohne besonders überrascht zu sein, obwohl ich keine Ahnung hatte, was ich verbrochen hatte. Wenn ich so ein guter Hund war, warum verließ Wendi mich dann?

»Und was machen wir jetzt mit dir?«, sagte die Frau, die neben mir stand und rauchte.

Siebenundzwanzig

Im Laufe der nächsten Woche lernte ich, Victor aus dem Weg zu gehen. Meist war das kein Problem, weil ich im Hinterhof an einen Pfosten gekettet wurde und Victor selten in meine Nähe kam. Oft sah ich ihn aber durchs Küchenfenster, wie er am Tisch saß, rauchte und trank. Manchmal kam er nachts in den Hinterhof, um zu urinieren, und nur dann sprach er mit mir. »Was guckst du so blöd?«, blaffte er beispielsweise und lachte dann, aber sein Lachen klang nie glücklich.

Die Tage wurden wärmer, und um mir etwas Schatten zu verschaffen, buddelte ich zwischen dem kaputten Zaun und einer herumstehenden Maschine ein Loch in die Erde.

»Der Hund hat mein Schneemobil ganz dreckig gemacht«, schrie Victor, als er sah, was ich getan hatte.

»Das Ding fährt doch schon seit zwei Jahren nicht mehr«, schrie die Frau, Lisa, zurück.

Überhaupt schrien die beiden oft. Es erinnerte mich ein wenig an Mom und Dad. Auch sie waren oft laut und böse gewesen, aber trotzdem war es hier anders. Häufig hörte man dazu noch Gepolter und Schmerzensschreie. Meist klirrten dann auch Flaschen und fielen scheppernd zu Boden.

Hinter dem kaputten Holzzaun wohnte eine nette alte Frau, die irgendwann anfing, an den Zaun zu kommen und mit mir durch die Löcher und Lücken in den Holzbrettern hindurch zu sprechen. »So ein schöner Hund! Hast du denn heute schon Wasser bekommen?«, flüsterte sie eines Morgens, als es zum ersten Mal richtig heiß wurde. Dann ging sie wieder fort, kam aber gleich darauf mit einer Kelle wieder, aus der sie kühles Wasser in meinen schmutzigen Napf goss. Ich schleckte es dankbar auf und leckte dann die dünne, zitternde Hand, die mir die Frau durch die Zaunlücke hinhielt.

Die Fliegen, die meine Hundehaufen umschwirrten, landeten manchmal auf meinen Lefzen oder Augen und machten mich ganz wild, aber meist fand ich es ganz okay, faul im Hinterhof herumzuliegen. Hauptsache, ich kam Victor nicht in die Quere. Er machte mir Angst, denn er strahlte etwas Bösartiges und Gefährliches aus. Es erinnerte mich an Todd und den Mann mit der Waffe, der Jakob verletzt hatte. Beide hatte ich gebissen, und ich fragte mich, ob ich eines Tages auch Victor beißen würde.

Ich konnte mir einfach nicht vorstellen, dass der Sinn meines jetzigen Lebens darin bestehen sollte, Menschen anzugreifen. Das war völlig inakzeptabel. Schon bei dem bloßen Gedanken wurde mir ubel.

Wenn Victor nicht zu Hause war, bellte ich, und dann kam Lisa aus dem Haus, fütterte mich und ließ mich für eine Weile von der Kette. Aber sobald Victor anwesend war, bellte ich nie-niemals.

Die Frau von der anderen Seite des Zauns brachte mir manchmal kleine Fleischstücke mit und warf sie durch die Zaunlücke. Wenn ich das Fleisch in der Luft auffing, lachte sie und freute sich so sehr, als hätte ich ein kompliziertes Kunststück vollbracht. Der einzige Sinn meines Lebens schien darin zu bestehen, dieser geheimnisvollen Frau, deren Gesicht ich nie richtig sehen konnte, ein wenig Freude zu bereiten.

»Es ist eine Schande, eine wahre Schande!«, sagte sie. »Das können sie einem Tier doch nicht antun! Ich sollte es melden.«

Ich spürte, wie gern sie mich hatte, aber merkwürdigerweise kam sie nie zu mir in den Hof, um mit mir zu spielen.

Eines Tages fuhr ein großes Auto vor, und eine Frau stieg aus, die genauso gekleidet war wie Maya. Deswegen wusste ich, dass es eine Polizistin war. Einen Moment lang glaubte ich, sie sei gekommen, um mit mir Such zu machen, aber dann stellte sie sich bloß an die Hoftür, sah lange zu mir herüber und schrieb sich etwas auf. Irgendwie ergab das keinen Sinn. Dann trat Lisa aus dem Haus und stemmte die Hände in die Hüften. Vorsichtshalber legte ich mich hin. Die Polizistin überreichte Lisa ein Blatt Papier.

»Dem Hund geht es gut«, schrie Lisa die Polizistin an. Offenbar war sie sehr wütend. Ich spürte, dass die alte Frau hinter dem Zaun stand, und ich hörte sie atmen, während Lisa herumschrie.

An diesem Abend brüllte Victor noch lauter und länger als sonst, und immer wieder kam das Wort »Hund« dabei vor.

»Warum erschießen wir den verdammten Hund nicht einfach?«, brüllte er. »Fünfzig Dollar? Wofür? Was haben wir denn getan?« Etwas ging im Haus zu Bruch, und es polterte so laut, dass ich mich vorsichtshalber ganz klein machte.

»Wir müssen uns eine längere Kette besorgen und den Hof saubermachen«, brüllte Lisa zurück. »Lies den Strafzettel doch selbst!«

»So weit kommt es noch! Die können uns doch nicht vorschreiben, was wir auf unserem eigenen Grund und Boden tun und lassen!«

Als Victor in dieser Nacht im Hof urinierte, wollte er sich mit einer Hand an der Hauswand abstützen, griff aber daneben und fiel hin. »Was guckst du so blöd, verdammter Köter?«, murmelte er. »Morgen bist du dran. Ich zahle doch keine fünfzig Dollar!«

Ich duckte mich an den Zaun und wagte nicht mal, ihn anzuschauen.

Am nächsten Tag war ich gerade durch einen Schmetterling abgelenkt, der vor meinem Gesicht umherflatterte, und so erschrak ich, als Victor plötzlich direkt vor mir stand.

»Lust auf eine kleine Autofahrt?«, fragte er, aber es klang nicht wie eine Einladung, sondern eher wie eine Drohung, und so wedelte ich nicht mit dem Schwanz, als ich das Wort hörte. *Nein*, dachte ich, *nicht mit dir*.

»Es wird bestimmt lustig, und du bekommst etwas von der Welt zu sehen.« Er lachte, aber sein Lachen ging in Husten über, und er musste ausspucken. Dann löste er die Kette, legte mir eine Leine an und führte mich zu seinem Wagen. Als ich an der Beifahrertür stehen blieb, zerrte er mich nach hinten und öffnete den Kofferraum. »Rein mit dir«, sagte er. Ich spürte, dass er auf etwas Bestimmtes hinauswollte, und wartete auf einen Befehl, den ich verstehen konnte. »Na gut«, sagte er, beugte sich herunter und packte mich an der faltigen Haut in meinem Nacken und am Schwanz. Ein kurzer Schmerz, und schon hatte er mich in den Kofferraum gehievt, wo ich auf irgendeinem fettigen Stofffetzen ausrutschte. Victor machte die Leine los und ließ sie vor mir auf den Boden des Kofferraums gleiten. Dann knallte er die Haube zu, und ich war in fast völliger Dunkelheit gefangen.

Ich lag auf stinkenden, öligen Lumpen, die mich an den Brand erinnerten, bei dem Ethan sich das Bein verletzt hatte, und ein paar Werkzeugen aus kaltem Metall. Es war gar nicht so einfach, sich hier bequem hinzulegen. Eines der Werkzeuge war eindeutig eine Waffe. Ich wandte den Kopf ab und versuchte, die unangenehmen und durchdringenden Gerüche zu ignorieren.

Ich lag zusammengekauert da und fuhr die Krallen aus in dem vergeblichen Versuch, auf dem schlüpfrigen Untergrund Halt zu finden, weil der Wagen holperte und von einer Seite zur anderen schaukelte.

Dies war die merkwürdigste Autofahrt, die ich je erlebt hatte, und die einzige, die überhaupt keinen Spaß machte. Ich tröstete mich mit dem Gedanken, dass eine Autofahrt einen stets an neue Orte führte, deren Erkundung immer großen Spaß machte. Vielleicht waren da, wo wir hinfuhren, noch andere Hunde, oder wir fuhren zu Wendi, und ich sollte wieder bei ihr wohnen.

In dem engen, vollgestopften Kofferraum wurde es bald furchtbar warm, und ich musste an den Käfig denken, in den man mich zusammen mit Spike gesperrt hatte, als ich noch Toby hieß und mit den anderen Hunden vom Hof der Señora abgeholt wurde. An diesen schrecklichen Tag hatte ich schon lange nicht mehr gedacht. Seither war so viel passiert. Heute war ich ein völlig anderer Hund, ein guter Hund, der Menschen gerettet hatte.

Nachdem ich eine elend lange Zeit in diesem Kofferraum gehockt hatte, begann der Wagen zu vibrieren und einen fürchterlichen Lärm zu machen. Staub wirbelte auf und bildete eine dicke Wolke, die mich fast zu ersticken drohte. Ich nieste und schüttelte mich. Dann machte der Wagen eine Vollbremsung, und ich wurde gegen die Innenwand des Kofferraums geschleudert. Dann standen wir eine Weile einfach nur mit laufendem Motor da.

Ich spürte Victors Anwesenheit auf der anderen Seite des

Kofferraums und hatte das eindeutige Gefühl, dass er eine Entscheidung zu fällen versuchte, jedenfalls nahm ich so etwas wie Unentschlossenheit wahr. Er rief etwas, spuckte das Wort förmlich aus. Als Nächstes hörte ich die Fahrertür aufgehen. Victor ging über den Schotter am Wagen entlang nach hinten, wo ich mich zusammenkauerte. Ich konnte ihn riechen, ehe sich die Kofferraumhaube öffnete und kühle Luft hereinwehte.

Victor starrte auf mich herab. Ich blinzelte zu ihm auf, wandte den Blick aber schnell wieder ab, damit er nicht dachte, dass ich ihn herausfordern wollte.

»Okay«, sagte er und griff nach meinem Halsband. Ich dachte, er würde mich an die Leine nehmen, und war umso überraschter, als er mir stattdessen das Halsband abnahm. Es kam so plötzlich und unerwartet, dass ich das Halsband noch zu spüren glaubte, als es längst auf dem Boden des Kofferraums lag. »Los, raus da!«

Meine Beine waren ganz verkrampft, als ich aufstand. Victor machte eine Handbewegung, die ich als Aufforderung zum Aussteigen verstand, und als ich hastig aus dem Wagen sprang, landete ich ungeschickt auf dem Boden. Wir befanden uns auf einem Feldweg. Zu beiden Seiten wogte hohes Gras im hellen Sonnenschein. Der Straßenstaub stieg mir in die Nase und legte sich auf meine Zunge. Ich hob das Bein und sah Victor unsicher an. Was würde als Nächstes geschehen?

Victor stieg wieder in den Wagen und ließ den Motor aufheulen. Verwirrt beobachtete ich, wie die Reifen den Schotter aufwirbelten, als er wendete. Er ließ das Seitenfenster herunter.

»Du solltest mir dankbar sein«, sagte er. »Du bist frei. Lauf und fange ein paar Kaninchen oder so.« Er grinste mich an, fuhr davon und ließ nichts als eine große Staubwolke zurück.

Völlig verblüfft schaute ich ihm nach. Was für ein Spiel war das? Zögerlich folgte ich dem Wagen, was zunächst ganz einfach war, weil er viel Staub aufwirbelte, der mir den Weg wies.

Aus jahrelanger Such-Erfahrung wusste ich jedoch, dass ich Victors Spur bald verlieren würde, denn er fuhr sehr schnell. Auch ich steigerte also das Tempo. Der Staub hatte sich gelegt, stattdessen folgte ich nun den Gerüchen aus dem Kofferraum, die ich lange genug eingeatmet hatte, um sie mir einzuprägen.

An einer asphaltierten Straße war der Wagen abgebogen, und ich folgte seiner Spur. Aber als diese Straße dann zu einer anderen führte, auf der die Autos mit ungeheurer Geschwindigkeit an mir vorbeirauschten, wusste ich, dass ich keine Chance mehr hatte. Viele Fahrzeuge rasten vorüber, und alle rochen ganz ähnlich wie Victors, so dass es unmöglich war, den einen Geruch herauszufiltern, hinter dem ich her war.

Die Autobahn machte mir Angst, und ich lief zurück in die Richtung, aus der ich gekommen war. Da ich nicht wusste, was ich sonst tun sollte, verfolgte ich Victors Spur in umgekehrter Richtung, aber auch sie verlor sich in der leichten Abendbrise langsam. Ich überquerte den Feldweg, wo Victor mich ausgesetzt hatte, und wanderte ziellos weiter geradeaus, die Straße entlang.

Ich erinnerte mich daran, wie meine Mutter mir beigebracht hatte, das Gatter zu öffnen, und wie ich geflohen war. Damals war es mir wie ein riesengroßes Abenteuer vorgekommen, einfach auf und davon zu laufen, und ich hatte mich frei und wunderbar lebendig gefühlt. Dann hatte mich der Mann aufgelesen und mich Stromer genannt, und anschließend war Mom gekommen und hatte mich zu Ethan gebracht.

Jetzt war alles ganz anders. Ich fühlte mich kein bisschen frei und auch nicht wunderbar lebendig. Im Gegenteil: Ich hatte ein schlechtes Gewissen und war traurig. Ich kannte weder Richtung noch Ziel. Ich wusste, dass ich nicht nach Hause finden würde. Es war wie an dem Tag, als der Colonel mich weggegeben und Derek mich zu Wendi gebracht hatte. Obwohl der Colonel nichts für mich empfunden hatte, war es doch ein Abschied gewesen. Und Victor hatte gerade das Gleiche getan, nur dass er mich keinem neuen Besitzer übergeben hatte.

Vor Staub und Hitze hechelte ich wie wild, und ich hatte großen Durst. Als ich in der Ferne Wasser witterte, war es die natürlichste Sache der Welt für mich, die Richtung zu ändern und darauf zuzulaufen. Ich verließ also die Straße und wanderte durch hohes Gras, das im Wind wogte.

Der Wassergeruch wurde stärker und immer verlockender. Ich musste ein Wäldchen durchqueren und dann eine steile Böschung zu einem Fluss hinabsteigen. Dann watete ich bis zur Brust in das kuhle Nass und schleckte es begierig auf. Was für eine Wohltat!

Da ich nun nicht mehr von Durst geplagt war, hatte ich den Kopf frei, um mich näher umzusehen. Der Fluss duftete herrlich und befeuchtete meine Nase, und irgendwo im gurgelnden Wasser hörte ich in der Ferne eine Ente quaken, die sich über irgendwas fürchterlich aufzuregen schien.

Ich trottete am Ufer entlang und versank mit den Pfoten in dem feucht-weichen Boden, als mir schlagartig etwas klar wurde. Überrascht hob ich den Kopf und riss die Augen weit auf.

Ich wusste, wo ich war.

Achtundzwanzig

Vor langer, langer Zeit hatte ich schon einmal am Ufer dieses Flusses gestanden, vielleicht sogar an genau derselben Stelle, und zwar am Ende unserer langen Wanderung, die Flare, das dumme Pferd, verschuldet hatte, weil es Ethan abgeworfen hatte und davongerannt war. Der Geruch war eindeutig. Meine jahrelange Such-Arbeit hatte mich gelehrt, Gerüche zu unterscheiden und sie in meiner Erinnerung abzuspeichern. Deswegen erkannte ich den Ort mit absoluter Sicherheit wieder. Außerdem hatten wir Sommer, genau wie damals, ich war jung und mein Geruchssinn intakt.

Ich hatte keine Ahnung, woher Victor das hatte wissen können und warum er mich an einer Stelle ausgesetzt hatte, von der aus ich diesen Ort finden konnte. Überhaupt war mir unklar, was er von mir erwartete. Da mir nichts Besseres einfiel, lief ich weiter am Fluss entlang und nahm denselben Weg wie vor all den Jahren mit Ethan.

Als der Tag sich neigte, war ich hungriger als je zuvor im Leben und bekam Magenkrämpfe. Sehnsüchtig dachte ich an die alte Frau, die mich durch den Zaun gefüttert und kleine Fleischstücke in die Luft geworfen hatte, damit ich sie auffing. Bei der Erinnerung lief mir das Wasser im Maul zusammen. Am Flussufer wuchsen alle möglichen Pflanzen, die das Vorwärtskommen erschwerten. Je hungriger ich wurde, desto unsicherer wurde ich. Was sollte ich tun? War es richtig, dem Flusslauf zu folgen? Und wenn ja – warum?

Ich hatte gelernt, dass mein Lebenssinn darin bestand, mit Menschen zusammen zu sein und ihnen zu dienen. Auf mich allein gestellt, so wie jetzt, war ich orientierungslos, hatte keine Aufgabe, kein Ziel, keine Hoffnung. Hätte mich in diesem Moment jemand am Flussufer entlangschleichen sehen, hätte er mich mit Fug und Recht für meine ängstliche erste Mutter halten können, die sich nur im Verborgenen vorwärtsbewegte. So weit war es mit mir gekommen! Das hatte Victors Zurückweisung aus mir gemacht!

Ein großer entwurzelter Baum bildete eine natürliche Höhle, und als die Sonne unterging, suchte ich dort Unterschlupf. Ich war erschöpft und hungrig und hatte keine Ahnung, wie ich mit meinem neuen Leben fertigwerden sollte.

Der Hunger weckte mich am nächsten Morgen, aber als ich die Nase in die Luft reckte, konnte ich nichts als den Fluss und den nahen Wald riechen. Weil mir nichts Besseres einfiel, lief ich weiter am Wasser entlang, aber ich bewegte mich langsamer als am Vortag, weil ich Bauchweh hatte und mich die Kraft verließ. Ich dachte an die toten Fische, die manchmal an Land gespült wurden, und fragte mich, warum ich mich damals am Ententeich lediglich darin gewälzt hatte. Warum hatte ich sie nicht gefressen, solange ich die Möglichkeit dazu hatte? Ein toter Fisch wäre mir jetzt mehr als willkommen gewesen, aber der Fluss schien nichts Essbares zu beherbergen.

Mir war so elend zu Mute, dass ich es kaum merkte, als das unwegsame Flussufer in einen Fußweg überging, auf dem es vor menschlichen Gerüchen nur so wimmelte. Achtlos trottete ich weiter und blieb erst stehen, als der Weg steil bergan führte und in eine Straße mündete.

Die Straße wiederum führte zu einer Brücke. Ich hob den Kopf und hatte das Gefühl, langsam wieder zur Besinnung zu kommen. Ich schnüffelte erregt und stellte fest, dass ich hier schon einmal mit Ethan gewesen war. Genau an dieser Stelle hatte der Polizist uns in seinen Wagen geladen und zur Farm zurückgebracht!

Wie viele Jahre seither vergangen waren, konnte ich daran sehen, dass die kleinen Bäumchen am Anfang der Brücke, die ich damals markiert hatte, inzwischen riesig groß geworden waren. Also markierte ich sie erneut. Außerdem waren die schadhaften Planken der Brücke durch neue ersetzt worden. Aber abgesehen davon roch alles genauso wie früher.

Ein Wagen kam auf mich zugefahren, als ich mitten auf der Brücke stand, und hupte. Ich sprang erschrocken zur Seite. Eine Minute später beschloss ich jedoch, ihm zu folgen und den Fluss hinter mir zu lassen.

Ich wusste immer noch nicht, wohin ich gehen sollte, aber irgendetwas sagte mir, dass ich dieser Straße folgen musste, wenn ich die Stadt erreichen wollte, die ich kannte. In einer Stadt gab es Menschen, und wo Menschen waren, gab es auch Futter.

An der nächsten Kreuzung folgte ich weiter meiner inneren Stimme und bog nach rechts ab. Doch als ich einen Wagen näher kommen hörte, drückte ich mich wie ertappt seitwärts ins hohe Gras. Ich kam mir vor wie ein böser Hund, ein Gefühl, das durch meinen Hunger nur noch verstärkt wurde.

Doch dann hatte ich mein Ziel erreicht. Ich wanderte an vielen Häusern vorbei. Die meisten lagen hinter Gärten, ein Stück abseits der Straße, und oft wurde ich von Hunden angebellt, deren Revier ich wohl durchstreifte.

Als das Tageslicht schwand und es Nacht wurde, kam ich an

einem Haus vorbei, in dessen Nähe es nach Hund roch. Eine Seitentür öffnete sich, und ein Mann trat heraus. »Leo! Komm her, Leo! Zeit für dein Abendessen!«, rief er. In seiner Stimme lag diese übertriebene Aufgeregtheit, mit der Menschen einem Hund klarmachen wollten, dass sie etwas Gutes in petto hatten. Dann stellte er mit lautem Scheppern einen Blechnapf auf die oberste Stufe einer kurzen Treppe.

Als ich das Wort »Abendessen« hörte, blieb ich wie angewurzelt stehen, und im nächsten Moment kam ein massiger Hund mit einem Riesenmaul die Treppe herunter, um sein Geschäft im Vorgarten zu verrichten. An seinen Bewegungen erkannte ich, dass er alt war. Er schien mich nicht zu riechen, ging die Treppe wieder hinauf und schnupperte an seinem Futter. Dann kratzte er mit der Pfote an der Tür. Kurz darauf wurde sie geöffnet.

»Ist das dein Ernst, Leo? Willst du wirklich nichts fressen?«, fragte der Mann. Er klang so traurig, dass ich daran denken musste, wie Al an meinem letzten Tag mit ihm und Maya im Hof geweint hatte. »Na gut, dann komm rein, Leo.«

Der Hund winselte und hatte offenbar Schwierigkeiten, die Hinterbeine die letzte Stufe hochzuhieven. Der Mann beugte sich vor und trug ihn sanft und vorsichtig ins Haus.

Ich fand den Mann sehr sympathisch und dachte: Das könnte mein neues Zuhause werden. Der Mann liebte seinen Hund Leo, und genauso würde er mich lieben. Er würde mich füttern, und wenn ich alt und schwach wurde, würde er mich ins Haus tragen. Selbst wenn hier niemand mit mir Such, Schule oder eine andere Arbeit verrichtete, wüsste ich zumindest, wo ich hingehörte. Das verrückte, sinnlose Leben, das ich als Bär geführt hatte, wäre vorbei.

Ich ging auf das Haus zu und tat das einzig Vernünftige:

Ich leerte Leos Fressnapf. Nachdem ich bei Lisa und Victor wochenlang nur fades, zähes Futter bekommen hatte, kam mir das saftige Fleisch in Leos Napf wie das Köstlichste vor, das ich je gefressen hatte. Als ich fertig war, leckte ich den Napf so ungestüm aus, dass er an die Hauswand stieß. Das Geräusch musste Leo alarmiert haben, denn er bellte kurz auf. Dann hörte ich ihn an die Tür kommen, und es schien ihn so anzustrengen, dass er schnaufte. Er knurrte, und je deutlicher er meine Witterung auf der anderen Seite der Tür wahrnahm, umso lauter wurde sein Knurren. Vermutlich war er von der Idee, dass ich hier einzog, deutlich weniger begeistert als ich.

Ich lief so schnell die Treppe hinunter, dass ich zwischen den Bäumen verschwunden war, als Licht gemacht und der Vorgarten hell beleuchtet wurde. Leo knurrte so feindselig, dass seine Botschaft klar war: Ich sollte mir ein anderes Zuhause suchen. Kein Problem. Mein Hunger war fürs Erste gestillt, und mein Wunsch, hier zu leben, hatte sich gelegt.

Irgendwo im hohen Gras legte ich mich schlafen. Ich war müde, aber mit vollem Magen wesentlich zufriedener als noch wenige Minuten zuvor.

Als ich tags darauf von den Vororten in die Stadt gelangte, war ich wieder hungrig. Ich war irritiert. Alles sah anders aus als früher. Hier standen viele neue Häuser, und in den Straßen wimmelte es von Autos und Kindern. In meiner Erinnerung hatte es hier nichts als Felder gegeben. Doch dann fand ich den Ort, an dem Grandpa und seine Freunde immer gesessen und stinkenden Saft ausgespuckt hatten: Hier roch es genau wie damals. Allerdings hatte man die Fenster mit verwitterten Brettern zugenagelt, und das Nachbargebäude war von einem klaffenden, matschigen Loch verschluckt worden. Am Fuße des Loches arbeitete eine Maschine, die große Haufen Erde vor sich her schob.

Menschen konnten so etwas: alte Häuser abreißen und an ihrer Stelle neue bauen, wie damals, als Grandpa die neue Scheune gebaut hatte. Sie veränderten ihre Umgebung nach ihren Wünschen, und den Hunden blieb nichts anderes übrig, als sie zu begleiten und, wenn sie Glück hatten, mit ihnen Auto zu fahren. Der große Lärm und die vielen neuen Gerüche sagten mir, dass die Einwohner dieser Stadt in Punkto Veränderung sehr fleißig gewesen waren.

Einige Menschen sahen misstrauisch zu mir herüber, als ich durch die Straßen trottete, und dabei fühlte ich mich wieder wie ein schlechter Hund. Nun, da ich hier war, wusste ich nicht, was ich tun sollte. Ich kam an einer großen Mülltonne vorbei, aus der ein Müllbeutel gefallen war, und ich schämte mich, als ich ihn aufriss und ein Stück Fleisch in einer klebrig-süßen Soße herauszerrte. Statt es an Ort und Stelle zu verschlingen, verzog ich mich damit hinter die Mülltonne und versteckte mich vor den Menschen, so wie meine erste Mutter es mir beigebracht hatte.

Irgendwann gelangte ich beim Umherstreifen zu dem Hundepark. Unter den Bäumen am Rand blieb ich sitzen und beobachtete neidisch, wie die Leute Scheiben warfen, die ihre Hunde dann in der Luft fingen. Ohne Halsband kam ich mir regelrecht nackt vor, und eigentlich wäre es besser gewesen, sich ein bisschen zurückzuhalten. Aber die Hunde tollten so ausgelassen auf der großen Wiese herum, dass es mich magisch anzog, und ehe ich mich recht versah, war ich mitten unter ihnen. Wir wälzten uns durchs Gras, rannten um die Wette, und ich vergaß alles um mich herum, weil es einen ungeheuren Spaß machte, einfach nur ein verspielter Hund zu sein.

Manche Hunde machten bei dem Herumgebalge nicht mit, sondern blieben bei ihren Menschen, schnüffelten am Rand der Wiese entlang und taten, als sei ihnen völlig egal, wie sehr wir uns amüsierten. Andere wiederum jagten begeistert Bällen oder den fliegenden Scheiben hinterher. Doch früher oder später wurden alle von ihren Menschen zurückgerufen und durften dann in Autos einsteigen. Alle außer mir. Aber niemand schien zu bemerken, dass ich weder Herrchen noch Frauchen hatte. Gegen Ende des Tages kam eine Frau mit einer großen, hellbraunen Hündin in den Park und ließ sie von der Leine. Ich war inzwischen ganz erschöpft vom Herumtollen, lag hechelnd auf der großen Wiese und beobachtete zwei Hunde beim Balgen. Die hellbraune Hündin lief gleich zu ihnen hin und wollte mitmachen. Die beiden hielten kurz inne, und sie beschnupperten einander schwanzwedelnd. Ich sprang auf, um die Neue ebenfalls zu begrüßen, und fiel aus allen Wolken, als ich den Duft in ihrem Fell erkannte.

Sie roch nach Hannah. Dem Mädchen.

Die hellbraune Hündin wurde ungeduldig, weil ich gar nicht aufhörte, an ihr zu schnuppern, und riss sich von mir los, um endlich mit Spielen anzufangen. Aber ich ignorierte das Kopfnicken, mit dem sie mich zum Mitmachen aufforderte und raste stattdessen quer über die Wiese auf ihre Besitzerin zu.

Die Frau auf der Bank war aber nicht Hannah, obwohl auch sie diesen intensiven Duft verströmte. »Na, Hundchen, was bist du denn für einer?«, begrüßte sie mich, als ich schwanzwedelnd auf sie zukam. Wie sie so dasaß, erinnerte sie mich an Maya, kurz bevor Baby Gabriella zu uns kam. Die Frau war müde und fühlte sich gar nicht wohl. Immer wieder betrachtete sie ihren Bauch und legte die Hände darauf. Ich stupste sie mit der Nase an, sog Hannahs Geruch ein und versuchte, ihn von dem der Frau, dem der lebhaften hellbraunen Hündin und all den anderen Gerüchen zu unterscheiden, die Menschen immer an sich hatten und einen Hund ganz schön verwirren konnten, wenn er im Suchen nicht so geübt war wie ich. Ich war mir ganz sicher, dass diese Frau erst kürzlich mit dem Mädchen zusammen gewesen war.

Die Hündin mit dem hellbraunen Fell kam zu uns herüber und schien fast ein wenig eifersüchtig zu sein. Da ich sie nicht brüskieren wollte, ließ ich mich von ihr in eine freundschaftliche Rauferei verwickeln.

Als es Nacht wurde, zog ich mich in eine dunkle Ecke zurück, in der ich mit meinem schwarzen Fell kaum zu sehen war, und beobachtete, wie die letzten Wagen vom Parkplatz fuhren und im Hundepark Ruhe einkehrte. Mich zu tarnen und im Hintergrund zu halten fiel mir plötzlich wieder so leicht, als hätte ich nie woanders gelebt als in dem ausgetrockneten Flussbett und zusammen mit Schwesterchen, dem Schnellen und dem Hungrigen die Regeln unserer ersten Mutter befolgt. Es war nicht schwer, Futter aufzutreiben. Überall standen Mülleimer herum, die voller köstlicher Abfälle waren. Ich mied Scheinwerfer und Fußgänger, versteckte mich im Dunkeln und lebte wie ein wildes Tier.

Trotzdem hatte mein Leben wieder einen Sinn und ein Ziel, und dieses Gefühl war sogar noch stärker als die innere Stimme, die mich in die Stadt geführt hatte. Denn wenn nach all der Zeit und all den Veränderungen das Mädchen Hannah hier war, dann war wahrscheinlich auch der Junge nicht weit.

Und dann würde ich früher oder später seine Witterung aufnehmen. Ich würde Ethan finden.

Neunundzwanzig

Eine Woche darauf lebte ich immer noch in dem Hundepark.

Die Frau, die nach Hannah roch, kam fast jeden Tag mit der lebhaften hellbraunen Hündin, Carly, hierher. Der Geruch des Mädchens ermutigte mich immer wieder aufs Neue, und ich war fest davon überzeugt, dass auch Ethan irgendwo in der Nähe war, und das, obwohl Carly nie nach ihm roch, kein einziges Mal. Wenn ich sie und die Frau kommen sah, verließ ich mein Gebüsch und lief ihnen freudig entgegen. Es war immer das absolute Highlight des Tages.

Die übrige Zeit war ich ein böser Hund. Manche Parkbesucher beobachteten mich zuweilen misstrauisch. Sie deuteten in meine Richtung und unterhielten sich über mich. Ich verzichtete darauf, mit ihren Hunden zu spielen.

»Hallo, du Stromer! Wo ist denn dein Halsband geblieben? Und wo ist dein Herrchen?«, fragte mich eines Tages ein Mann und hielt mir freundlich die Hände hin. Ich tänzelte vorsichtig von ihm weg, denn ich spürte, dass er mich packen wollte. Außerdem traute ich ihm nicht, weil er mich Stromer nannte. Wahrscheinlich hatte meine erste Mutter doch recht gehabt: Um frei zu sein, musste man sich von Menschen fernhalten.

Ich nahm mir vor, die Farm zu finden, genauso wie ich die Stadt gefunden hatte. Aber das erwies sich als schwieriger, als ich vermutet hatte. Wenn ich früher mit Grandpa und Ethan im Auto in die Stadt gefahren war, hatte ich mich am Geruch des Ziegenhofs orientiert. Aber von den Ziegen war seltsamerweise keine Spur mehr zu entdecken. Auch die Brücke, deren Geratter man überall hörte, und die sozusagen die Grenze zwischen einer Stadtfahrt und einer Landpartie markiert hatte, war verschwunden. Nach Einbruch der Dunkelheit lief ich immer wieder durch die Straßen und war mir eine Zeit lang ganz sicher, auf der richtigen Fährte zu sein, doch früher oder später blockierte stets ein großes Gebäude meinen Weg, und die Gerüche unzähliger Menschen und Autos irritierten meine Sinne. Zudem befand sich vor diesem Gebäude ein Springbrunnen, der mich vollkommen durcheinanderbrachte, weil seine Fontäne ein feines chemisches Aroma verströmte, das mich daran erinnerte, wie Maya ihre Wäsche gewaschen hatte. Ich hob das Bein an dem Brunnen, aber das verschaffte mir nur vorübergehend Erleichterung.

Nachts war mein schwarzes Fell ein guter Schutz vor Entdeckung. Ich konnte mich in dunkle Ecken verdrücken und mich vor Autos verstecken und kam erst wieder zum Vorschein, wenn sie sich verzogen hatten und kein Mensch mehr zu sehen war. Die ganze Zeit über war ich im Such-Modus, konzentrierte mich auf meine Erinnerung an die Gerüche von damals und versuchte, sie in der kühlen Nachtluft zu identifizieren. Entsprechend frustrierend war es, dass ich nicht einen einzigen davon wiederfinden konnte.

Futter fand ich im Müll, und gelegentlich lag ein totes Tier am Straßenrand. Kaninchen schmeckten mir am besten, Krähen am schlechtesten. Aber ich hatte auch Fressfeinde: Tiere von der Größe eines kleinen Hundes, die streng rochen und dicke, buschige Schwänze und schwarze Augen hatten. Sie durchsuchten Mülltonnen und konnten geschickt an ihnen hochkletterten. Wenn ich auf ein solches Tier stieß, knurrte es mich an, und ich ging ihm aus dem Weg, denn es hatte Zähne und Klauen, die bestimmt sehr wehtun konnten. Ich wusste nicht, um was für Tiere es sich handelte, aber offenbar waren sie zu dumm, um zu begreifen, dass sie eigentlich vor mir hätten Angst haben sollen, weil ich größer war als sie.

Auch die Eichhörnchen im Park waren dumm. Sie hüpften so sorglos von den Bäumen und sprangen so unbeschwert im Gras herum, als gehörte der Park nicht uns Hunden. Ein paarmal hätte ich fast eins gefangen, aber in letzter Sekunde kletterten sie immer irgendeinen Baum hoch und hockten dann oben im Geäst und maulten, als hätte man ihnen ihr Territorium streitig gemacht. Carly, die Hündin mit dem hellbraunen Fell, begleitete mich oft auf der Jagd, aber sogar zu zweit hatten wir bis jetzt kein Eichhörnchen erwischt. Wenn wir es oft genug versuchten, würden wir eines Tages sicher eins erwischen, obwohl ich, ehrlich gesagt, nicht wusste, was wir dann damit anfangen sollten. »Was ist eigentlich mit dir los, Schätzchen?«, fragte Carlys Besitzerin mich einmal. »Warum bist du so dünn? Hast du denn kein Zuhause?« Sie klang so besorgt, dass ich mit dem Schwanz wedelte und hoffte, sie würde mich mit in ihren Wagen nehmen und auf der Heimfahrt an meiner Farm absetzen. Als sie von ihrer Bank aufstand und mühsam auf die Füße kam, spürte ich, dass sie zögerte. Überlegte sie, ob sie mich mitnehmen sollte? Ich wusste, dass Carly damit kein Problem haben würde, denn wenn sie in den Park kam, hielt sie immer als Erstes nach mir Ausschau. Trotzdem entzog ich mich den besorgten Blicken der Frau und tat, als sei ein Mensch in der Nähe, der mich liebte und gerade nach mir gerufen hätte. Ich lief zwölf, fünfzehn Meter weiter, dann blieb ich stehen und schaute mich um. Die Frau sah mir immer noch hinterher, eine Hand in die Hüfte gestemmt, die andere auf den runden Bauch gelegt.

Noch am selben Nachmittag kam ein Lastwagen angefahren, der so intensiv nach Hunden roch, dass ich ihn in der Ecke des Parks, wo ich im Gras lag, sofort bemerkte. Ein Polizist stieg aus und unterhielt sich mit einigen Hundebesitzern, die auf verschiedene Stellen des Parks deuteten. Der Polizist holte eine lange Stange mit einer Schlaufe von seinem Wagen, und ein kalter Schauer fuhr mir über den Rücken. Wozu diese Stange dienen sollte, wusste ich nur zu gut.

Der Polizist umrundete den Park und suchte das Gebüsch ab, aber als er sich meinem Versteck näherte, hatte ich mich längst in den Wald verzogen, der an den Park grenzte.

Vor lauter Panik rannte ich immer weiter, auch als der Wald in ein Wohngebiet überging, in dem viele Hunde und Kinder wohnten. Ich tat mein Bestes, um nicht gesehen zu werden und blieb stets in der Nähe des Waldrandes. Ich war ziemlich weit von der Stadt entfernt, als ich beschloss, kehrtzumachen. Das konnte ich nur wagen, weil meine beste Verbündete, die Nacht, einsetzte.

Doch plötzlich nahm ich eine ganze Hundemeute wahr und folgte meiner Witterung neugierig. Aus dem hinteren Teil eines großen Gebäudes klang vielstimmiges Gebell. Dort saßen einige Hunde in Käfigen und kläfften einander an. Dann drehte sich der Wind, und es klang, als ob sie nun *mich* anheulten.

Plötzlich wusste ich, dass ich hier früher schon einmal gewesen war: Es war das Haus, in dem sich der nette Mann, der Tierarzt, um mich gekümmert hatte, als ich noch Bailey war. Und es war der Ort, an dem ich das letzte Mal mit Ethan zusammen gewesen war. Ich hielt es für besser, dieses Haus schnell hinter mir zu lassen. Als ich seine Einfahrt überquerte, musste ich plötzlich stehen bleiben und begann zu zittern.

Als ich Bailey war, war eines Tages der Esel Jasper zu uns auf die Farm gekommen, um der unzuverlässigen Flare Gesellschaft zu leisten. Auch als Jasper älter wurde, war er nie so groß wie Flare geworden, obwohl er sonst ganz ähnlich gebaut war. Er brachte Grandpa oft zum Lachen, aber Grandma schüttelte immer nur den Kopf über ihn. Damals hatte ich Jasper immer gründlich beschnuppert, wenn Grandpa ihn bürstete, und ich hatte mit ihm gespielt, so gut das mit einem Esel ging. Jaspers Geruch war mir also genauso vertraut wie der unserer Farm, und dieser Geruch stieg mir jetzt in die Nase, da war ich mir ganz sicher, genau hier, in der Einfahrt des großen Hauses. Ich folgte ihm und kam an eine Stelle auf dem Parkplatz, wo dieser Geruch stark und frisch war. Es lagen sogar ein paar Klumpen aus Erde und Stroh auf dem Asphalt, die so stark nach Jasper rochen, als stünde er leibhaftig da.

Die Hunde heulten mich immer noch an. Wahrscheinlich waren sie wütend, weil ich frei herumlief, während sie gefangen gehalten wurden. Ich ignorierte sie, sog den würzigen Geruch ein, der von Jasper stammen musste, und folgte ihm. Vom Parkplatz führte er zunächst auf die Straße.

Als ein Auto auf mich zufuhr, mich mit den Scheinwerfern blendete und hupte, erschrak ich fürchterlich, weil ich mich voll und ganz darauf konzentriert hatte, Jaspers Spur zu folgen. Ich sprang in den Straßengraben und duckte mich, als der Wagen mit aufheulendem Motor beschleunigte und davonfuhr.

Danach war ich vorsichtiger. Ich konzentrierte mich weiter auf Jasper, aber gleichzeitig horchte ich auf Fahrzeuge und versteckte mich rechtzeitig, ehe ihre Scheinwerfer mich erfassten.

Es war ein langer Weg, aber trotzdem war diese Such-Aktion deutlich einfacher als Such-Wally. Über eine Stunde lang brauchte ich nur stur geradeaus zu laufen, doch dann ging es nach links und anschließend noch einmal. Jaspers Geruch wurde schwächer, je länger ich lief, was bedeutete, dass ich ihm in umgekehrter Richtung folgte, zu seinem Ausgangspunkt. Allerdings bestand die Gefahr, dass sich die Spur ganz verlieren würde, ehe ich diesen Ausgangspunkt erreichte. Doch nach einer letzten Rechtskurve war ich nicht mehr auf meinen Geruchssinn angewiesen: Ich wusste plötzlich, wo ich war. An dieser Stelle kreuzte die Eisenbahn die Straße – es waren die Schienen, vor denen Ethans Wagen Halt gemacht hatte, als er zum ersten Mal zum College gefahren war. Von hier aus kannte ich den Weg zur Farm, und Jaspers Geruch diente mir nur noch als Bestätigung, als ich wieder rechts abbog. Bald kam ich an Hannahs Haus vorbei, wo es merkwürdigerweise überhaupt nicht mehr nach dem Mädchen roch. Aber die Bäume und eine moosbewachsene Mauer an der Straße waren unverändert geblieben.

In die Einfahrt der Farm einzubiegen, kam mir so selbstverständlich vor, als hätte ich es erst gestern noch getan.

Jaspers Spur führte zu einem großen weißen Anhänger, vor dem viele Klumpen aus Erde und Stroh lagen – wie auf dem Parkplatz in der Stadt. Überall roch es hier nach Jasper, aber das Pferd, das mich ebenso misstrauisch wie schläfrig beobachtete, war nicht Flare. Ich schnüffelte an seinem Zaun, aber eigentlich interessierte ich mich nicht dafür. Ethan! Ich konnte Ethan riechen. Auch sein Geruch war überall. Der Junge musste immer noch hier wohnen!

Noch nie in meinem ganzen Leben hatte ich mich so gefreut. Mir war ganz schwindelig vor Glück.

Im Haus war Licht, ich umrundete es und blickte von einem kleinen Grashügel aus durch das Wohnzimmerfenster. Ein Mann in Grandpas Alter saß im Sessel und sah fern. Allerdings sah er nicht aus wie Grandpa. Ethan war nicht bei ihm. Auch sonst niemand.

In der äußeren, metallenen Haustür gab es immer noch eine Hundeklappe, aber die Holztür dahinter war verschlossen. Frustriert kratzte ich an der Metalltür, dann fing ich an zu bellen.

Ich hörte Schritte und musste so heftig mit dem Schwanz wedeln, dass ich mich nicht hinsetzen konnte, denn er schleuderte mein ganzes Hinterteil hin und her. Über mir ging ein Licht an, und dann ertönte das vertraute Knarzen der Holztür. Der Mann, den ich im Sessel gesehen hatte, stand an der Schwelle und schaute verwundert durch die Glasscheibe, die in die Metalltür eingelassen war.

Ich kratzte wieder an dem Metall. Der Mann sollte mir öffnen, damit ich ins Haus und mit meinem Jungen zusammen sein konnte.

»Nanu«, sagte er. Durch die geschlossene Tür klang seine Stimme ganz gedämpft. »Aus!«

Ich hörte den Tadel in seiner Stimme und versuchte mich brav zu setzen, aber mein Hinterteil schnellte sofort wieder in die Höhe.

»Was willst du hier?«, fragte er schließlich. Ich merkte, dass es eine Frage war, aber ich wusste nicht, was sie zu bedeuten hatte.

Dann wurde mir klar, dass ich nicht abzuwarten brauchte, bis der Mann klarer machte, was er wollte. Da die innere Tür offen war, konnte ich durch die Hundeklappe ja zu ihm gelangen! Ich senkte den Kopf, schob mich durch die Plastikklappe und schoss ins Haus.

»Hey!«, rief der alte Mann überrascht.

Auch ich war überrascht. Sobald ich das Haus betreten hatte, roch ich die Person, die mir da im Weg stand. Ich wusste, wer es war. Diesen Geruch hätte ich überall auf der Welt erkannt.

Eindeutig Ethan.

Ich hatte den Jungen wiedergefunden.

Dreißig

Obwohl Ethan stand, versuchte ich, auf seinen Schoß zu gelangen. Dann sprang ich noch höher und versuchte, ihm übers Gesicht zu lecken, meine Schnauze an ihm zu reiben und an ihm hochzuklettern. Ich konnte nicht verhindern, dass mir laute Schluchzer entfuhren, und meinen umherpeitschenden Schwanz bekam ich auch nicht unter Kontrolle.

»Hey!«, rief er wieder und wich blinzelnd ein paar Schritte zurück. Ethan versuchte sich gegen meinen Ansturm zu wappnen, indem er sich auf seinen Gehstock stützte, doch dann landete er doch auf dem Boden. Ich sprang auf ihn und leckte ihm das Gesicht ab. Er schob meine Schnauze von sich weg. »Okay, okay«, grummelte er. »Aus! Okay?«

Es war ein wunderbares Gefühl, als seine Hand mich berührte, das wunderbarste, was es überhaupt gab. Vor Glück schloss ich die Augen.

»Zurück jetzt!«, sagte er. »Zurück!«

Umständlich stand der Junge wieder auf. Ich drückte meinen Kopf an seine Hand, und er streichelte mich kurz. »Meine Güte, was bist du denn für einer?« Er knipste noch ein Licht an und sah mich forschend an.

»Wie dünn du bist! Hast du niemanden, der dich anständig füttert? Oder hast du dich verlaufen? Was ist dein Problem, hm?«

Ich hätte die ganze Nacht so dasitzen und ihm zuhören können, aber das sollte nicht sein. »Wie auch immer … reinkommen kannst du nicht.« Er öffnete die äußere Tür. »Raus jetzt!«

Diesen Befehl kannte ich. Also setzte ich mich widerstrebend in Bewegung. Ethan blieb stehen und beobachtete mich durch die Scheibe in der Tür. Ich setzte mich erwartungsvoll hin. »Du musst nach Hause gehen, Hundchen«, sagte Ethan. Bestätigend wedelte ich mit dem Schwanz. Ich wusste, dass ich »nach Hause« gekommen war. Endlich, endlich war ich wieder auf der Farm, bei Ethan, wo ich hingehörte.

Er schloss die Tür.

Ich wartete gehorsam, bis es mir zu viel wurde. Dann jaulte ich und bellte ungeduldig und frustriert. Als Ethan nicht reagierte, jaulte ich weiter und kratzte an der Metalltür.

Ich wusste schon nicht mehr, wie lange das so ging, als die Tür endlich wieder aufging. Ethan hatte eine Schüssel dabei, die köstliche Gerüche verströmte. »Hier«, murmelte er. »Du hast bestimmt Hunger.«

Kaum hatte er die Schüssel abgesetzt, fiel ich über das Futter her und verschlang es.

»Es ist bloß Lasagne«, sagte Ethan. »Ich habe kein Hundefutter im Haus. Aber du siehst nicht so aus, als seist du besonders wählerisch.«

Ich wedelte mit dem Schwanz.

»Du kannst aber nicht hierbleiben. Ich kann keinen Hund halten, dafür habe ich keine Zeit. Wenn du satt bist, musst du wieder nach Hause gehen.«

Ich wedelte mit dem Schwanz.

»Herrgott, wann hast du das letzte Mal etwas zu fressen bekommen? Nicht so hastig, sonst wird dir noch schlecht!«

Ich wedelte mit dem Schwanz.

Als ich fertig war, bückte Ethan sich langsam, um die Schüssel aufzuheben. Ich leckte ihm übers Gesicht. »Puh! Du stinkst aus dem Maul!« Er wischte sich mit dem Ärmel übers Gesicht und kam wieder hoch. Ich sah ihn aufmerksam an, bereit, alles zu tun, was er von mir wollte. Einen Spaziergang machen? Mit dem Auto fahren? Mit dem blöden Flip spielen? Eins war mir so recht wie das andere.

»Also dann. Lauf nach Hause, Hundchen! Ich sehe doch, dass du keine Promenadenmischung bist. Ein Hund wie du hat ein Zuhause. Also lauf! Gute Nacht.«

Ethan schloss die Tür.

Ich blieb ein paar Minuten lang sitzen. Dann bellte ich, und das Licht über mir ging aus.

Ich lief zu dem kleinen Grashügel zurück und schaute ins Wohnzimmer. Ethan ging langsam und auf seinen Stock gestützt durchs Zimmer und löschte alle Lichter.

Mein Junge war so alt geworden, dass ich ihn niemals wiedererkannt hätte. Doch nun, da ich wusste, dass er es war, kam mir sein Gang vertraut vor. Er war nur etwas steifer geworden. Auch die Art, wie er den Kopf bewegte und aus dem Fenster schaute, ehe er die letzte Lampe ausknipste, und wie er die Ohren spitzte, um zu horchen, das war Ethan, wie er leibte und lebte.

Ich fand es verwirrend, dass ich die Nacht wieder im Freien verbringen sollte, aber mein Bauch war so voll und ich war von der langen Wanderung so erschöpft, dass ich mich einfach zusammenrollte, wo ich gerade war, und die Nase unter den Schwanz steckte, obwohl es eine warme Nacht war. Ich war zu Hause!

Als Ethan am nächsten Morgen aus dem Haus kam, stand

ich auf, schüttelte mich und lief schnell zu ihm. Dieses Mal hielt ich mich absichtlich zurück, um ihn nicht wieder mit Liebkosungen zu Fall zu bringen. Er sah mich verwundert an. »Was machst du denn immer noch hier? Was ist mit dir los?«

Ich folgte ihm in die Scheune, wo er ein Pferd, das ich nicht kannte, losband und in den Hof ließ. Natürlich reagierte das blöde Vieh nicht, als es mich sah, sondern tat so, als sähe es durch mich hindurch, genau wie Flare früher. *Ich bin ein Hund, du Idiot!* Ich markierte den Hof, während Ethan das Pferd mit Hafer fütterte.

»Wie geht's dir heute, Troy? Du vermisst Jasper, nicht wahr? Ja, ja, ich weiß. Du vermisst deinen Freund Jasper.«

Ethan sprach mit dem Pferd, und ich hätte ihm gleich sagen können, dass es die pure Zeitverschwendung war. Er streichelte ihm die Nase, nannte es Troy und erwähnte Jasper immer wieder. Das war merkwürdig, denn als ich in die Scheune ging, war der Esel nicht da, sondern nur sein Geruch. Am Anhänger war sein Geruch am stärksten. »Das war ein trauriger Tag gestern. Aber Jasper hatte ein gutes und langes Leben. Vierundvierzig ist ein gesegnetes Alter für einen kleinen Esel.«

Ich spürte, dass Ethan traurig war, und stupste seine Hand mit der Nase an. Als er mich ansah, merkte ich, dass er mit den Gedanken ganz woanders war. Dann tätschelte er Troy noch einmal und ging ins Haus zurück.

Einige Stunden später schnüffelte ich im Hof umher und wartete darauf, dass Ethan zum Spielen herauskam, als ein Lastwagen in unsere Einfahrt einbog. Es war derselbe, den ich auf dem Parkplatz des Hundeparks gesehen hatte, und der Mann, der ausstieg, war derselbe Polizist, der das Gebüsch mit der langen Stange und der Schlaufe abgesucht hatte. Auch jetzt holte er diese Stange von der Ladefläche des Wagens.

»Die brauchen Sie nicht«, rief Ethan und trat aus dem Haus. Ich lief schwanzwedelnd zu meinem Jungen hin. »Er ist sehr umgänglich.«

»Ist er Ihnen erst gestern Abend zugelaufen?«, fragte der Polizist.

»Genau. Sehen Sie bloß, wie mager das arme Tier ist! Man kann seine Rippen zählen. Er ist reinrassig, aber er scheint schrecklich vernachlässigt worden zu sein.«

»Ein abgemagerter, herrenloser Labrador ist uns in letzter Zeit öfter gemeldet worden«, sagte der Polizist. »Aber der trieb sich im Stadtpark herum. Ich bin mir nicht sicher, ob es dasselbe Tier ist.«

»Unwahrscheinlich«, meinte Ethan skeptisch. »Der Park ist ja schon ziemlich weit weg.« Inzwischen war er zum LKW hinübergehumpelt.

Der Polizist öffnete einen Käfig auf der Ladefläche. »Sie meinen also, er geht von alleine rein? Ich habe keine Lust auf eine wilde Verfolgungsjagd.«

»Hey, Hundchen, hierher! Okay? Komm hier herauf!« Ethan klopfte auf den offenen Käfig.

Einen Moment lang betrachtete ich ihn verständnislos, dann sprang ich mit einem Satz in den Käfig. Wenn es das war, was der Junge mit mir spielen wollte – warum nicht? Für ihn hätte ich alles getan.

»Danke!«, sagte der Polizist und schlug die Käfigtür zu.

»Was geschieht jetzt mit ihm?«, fragte Ethan.

»Hunde wie er werden schnell vermittelt. Bestimmt findet er bald ein neues Zuhause.«

»Hm … Können Sie dafür sorgen, dass man mich anruft? Er scheint ein netter Kerl zu sein, und ich wüsste gern, dass er in gute Hände gekommen ist.«

»Das kann ich Ihnen nicht versprechen. Setzen Sie sich lieber direkt mit dem Tierheim in Verbindung. Mein Job besteht nur darin, ihn einzufangen.«

»Gut, mache ich.«

Der Polizist und mein Junge gaben einander die Hand. Dann kam Ethan an meinen Käfig, während der Polizist vorne einstieg. Ich streckte die Schnauze zwischen den Gitterstäben heraus, damit Ethan mich anfassen und ich seinen Geruch einsaugen konnte. »Mach's gut, Kumpel«, sagte Ethan liebevoll. »Du brauchst ein gutes Zuhause, mit Kindern zum Spielen. Ich bin bloß ein alter Mann.«

Erstaunlicherweise fuhren wir los, und Ethan schaute uns nach. Ich wollte nicht bellen, konnte aber nicht anders. Ich bellte und bellte, als der Laster die Einfahrt hinunter, die Straße entlang, an Hannahs Haus vorbei und immer weiter fuhr.

Die Dinge hatten eine Wendung genommen, die mir gar nicht gefiel. Warum wurde ich von Ethan getrennt? Warum schickte er mich fort? Wann würde ich ihn wiedersehen? Ich wollte doch nichts anderes, als bei ihm zu sein!

Stattdessen wurde ich in ein Haus gebracht, in dem viele andere Hunde lebten. Vor Angst bellten sie den ganzen Tag. Ich bekam einen Käfig ganz für mich allein, und schon binnen eines einzigen Tages trug ich wieder einen albernen Plastikkragen und spürte diesen vertrauten Schmerz im Unterleib. Hatte man mich deswegen hierher gebracht? Wann würde Ethan kommen und mich nach Hause holen?

Immer wenn jemand an meinem Käfig vorbeikam, sprang ich auf, weil ich dachte, es könnte mein Junge sein. Doch die Tage vergingen, und wenn meine Enttäuschung zu groß wurde, bellte ich, genau wie die anderen, deren Gebell tagein, tagaus von den Wänden widerhallte. Wo war Ethan? Wo war mein Junge?

Die Menschen, die mich fütterten und sich um mich kümmerten, waren nett und freundlich, und ich muss gestehen, dass ich mich nach Menschen sehnte. So ging ich immer zu ihnen, wenn sie an meinen Käfig kamen, und streckte ihnen meinen Kopf hin, damit sie mich streicheln konnten. Als ich in ein Zimmer geführt wurde, wo ich von einer Familie mit drei kleinen Mädchen Besuch bekam, kletterte ich ihnen auf den Schoß und rollte mich auf den Rücken, weil ich mich so sehr nach Körperkontakt sehnte.

»Können wir ihn behalten, Daddy?«, fragte eins der Mädchen. Alle drei brachten mir so viel Zuneigung entgegen, dass mir ganz schummerig wurde.

»Er ist kohlrabenschwarz«, sagte die Mutter.

»Blacky«, sagte der Vater. Er hielt meinen Kopf fest und untersuchte meine Zähne, dann hob er meine Pfoten und betrachtete eine nach der anderen. Ich wusste, was das bedeutete, denn derlei Untersuchungen hatte ich schon früher über mich ergehen lassen müssen. Ich bekam es mit der Angst zu tun. *Nein!* Ich konnte nicht zu diesen Leuten gehen! Ich gehörte doch dem Jungen!

»Blacky, Blacky!«, jubelten die Mädchen. Wie vor den Kopf gestoßen sah ich sie an, denn ihre Bewunderung stellte plötzlich eine Bedrohung für mich dar.

»Lasst uns jetzt erst mal zu Mittag essen«, sagte der Vater.

»Aber Daddy!«

»Und wenn wir fertig sind, kommen wir zurück und machen eine Ausfahrt mit Blacky«, fuhr der Mann fort.

»Jippieh!«

Ich verstand das Wort »Ausfahrt« ganz deutlich und war

deshalb umso erleichterter, als die Familie nach zahllosen weiteren Umarmungen der Mädchen dann doch ohne mich fuhr. Ich wurde wieder in meinen Käfig gebracht und rollte mich ziemlich verwirrt zu einem Nickerchen ein. Ich musste daran denken, dass es in der Zeit, als ich mit Maya zur Schule ging, auch zu meinem Job gehört hatte, stillzusitzen und mich von Kindern streicheln zu lassen. Vielleicht war das hier eine ganz ähnliche Geschichte, nur dass die Kinder jetzt zu mir kamen.

Ich hatte nichts dagegen. Ich war nur froh, dass ich mich geirrt hatte und die Familie mich nicht mitgenommen hatte. Ich würde hier weiter auf meinen Jungen warten. Menschliche Beweggründe sind Hunden oft ein Rätsel, und so kam ich auch nicht dahinter, warum mein Junge und ich vorübergehend getrennt waren. Aber ich war mir ganz sicher, dass Ethan mich suchen und finden würde, sobald die richtige Zeit dafür gekommen war.

»Glück gehabt, Hundchen«, sagte die Frau, die mich fütterte, als sie mir eine Schüssel frisches Wasser hinstellte. »Du hast ein neues Zuhause. Die Leute kommen bald zurück und holen dich ab. Ich dachte mir schon, dass wir dich schnell vermittelt bekommen.« Ich wedelte mit dem Schwanz, ließ mich hinterm Ohr kraulen und leckte der Frau die Hand. Ich war genauso glücklich wie sie. *Ja*, dachte ich in Erwiderung ihrer guten Laune, *ich bin immer noch hier.*

»Ich rufe jetzt den Mann an, der dich einliefern ließ. Er wird sich bestimmt freuen, dass wir eine geeignete Familie für dich gefunden haben.«

Als sie wieder ging, drehte ich mich ein paarmal um mich selbst, ehe ich mich zu einem Nickerchen hinlegte und weiter geduldig auf meinen Jungen wartete.

Eine halbe Stunde später schreckte ich aus dem Schlaf, weil

ich eine Männerstimme vernahm, eine ärgerliche Männerstimme.

Ethan.

Ich bellte.

»Es ist mein Hund, ich bin der Besitzer… Ich habe es mir anders überlegt«, rief Ethan aufgebracht.

Ich hörte auf zu bellen und hielt ganz still. Ich spürte, dass Ethan sich hinter der Wand befand, und starrte auf die Tür, als könnte ich sie durch Willenskraft öffnen und Ethans Witterung aufnehmen. Eine Minute später war es so weit, und die Frau, die mir Wasser gegeben hatte, führte den Jungen herein. Ich stützte die Vorderbeine am Käfiggitter ab und wedelte mit dem Schwanz.

Die Frau war wütend, das spürte ich genau. »Die Kinder werden so enttäuscht sein«, sagte sie und öffnete meinen Käfig. Ich schoss hinaus, warf mich dem Jungen an die Brust, wedelte noch heftiger mit dem Schwanz, leckte Ethan ab und winselte vor Freude. Der Ärger der Frau verflog, als sie mir zuschaute. »Herrgott!«, sagte sie. »So was habe ich ja noch nie gesehen.«

Ethan trat für ein paar Minuten an einen Tresen und schrieb irgendetwas auf. Ich nahm geduldig zu seinen Füßen Platz und beherrschte mich, um nicht die ganze Zeit vor Freude an ihm hochzuspringen. Als wir das Haus verließen und in Ethans Wagen stiegen, ließ er mich auf den Vordersitz!

Es war lange her, dass ich das Vergnügen hatte, auf einer Autofahrt die Nase aus dem Fenster halten zu können, und ich genoss es sehr, aber noch lieber wollte ich meinen Kopf auf Ethans Schoß legen und mich von ihm streicheln lassen. Also entschied ich mich dafür.

»Dann hast du mir also verziehen, Kumpel?«, sagte Ethan.

Ich sah ihn fragend an. »Ich habe dich einsperren lassen, aber du nimmst es mir nicht übel«, sagte Ethan. Dann schwieg er eine Weile. Ich fragte mich, ob wir wohl zu unserer Farm fuhren. Dann sagte Ethan: »Du bist ein guter Hund.« Ich wedelte mit dem Schwanz. »Ich muss unterwegs noch Futter besorgen.«

Tatsächlich fuhren wir zu unserer Farm, und dieses Mal hielt Ethan mir die Haustür weit auf und ließ mich eintreten.

Nach dem Abendessen legte ich mich zu seinen Füßen hin und war zufriedener als je zuvor im Leben.

»Sam«, sagte Ethan zu mir. Gespannt hob ich den Kopf. »Max. Nein. Winston? Murphy?«

Ich wollte es ihm recht machen, aber ich hatte keine Ahnung, was er von mir wollte. Ich wünschte, er hätte so etwas wie »Such!« gesagt, denn dann hätte ich ihm zeigen können, wie gut ich das konnte.

»Bandit? Bello?«

Plötzlich wusste ich, worum es ging, und ich sah meinen Jungen erwartungsvoll an. Wie würde er sich entscheiden?

»Rex? Rocky? Buddy? Was meinst du, Kumpel?«

Da! Das Wort »Kumpel« kannte ich. Ich bellte, und Ethan sah mich überrascht an. »Was ist los, Kumpel? Ist das dein Name? Dein früheres Herrchen hat dich Buddy genannt?«

Ich wedelte mit dem Schwanz.

»Na gut, dann eben Buddy. Ist das okay, Buddy?«

Ich brauchte kaum einen Tag, um mich an meinen neuen Namen zu gewöhnen und darauf zu hören. »Komm her, Buddy!«, sagte Ethan beispielsweise. Oder »Sitz, Buddy!« Immer tat ich genau, was Ethan wollte. »Du bist aber gut erzogen«, sagte er. »Jemand muss sich mit dir richtig Mühe gegeben haben. Aber wie kommst du dann hierher? Hat man dich ausgesetzt?«

An unserem ersten Tag wich ich Ethan nicht von der Seite. Am Abend stellte ich überrascht fest, dass wir zum Schlafen in Grandpas und Grandmas Zimmer gingen. Aber als Ethan einladend auf die Matratze klopfte, sprang ich auf das weiche Bett, streckte mich aus und seufzte vor Wonne.

Ethan stand in der Nacht mehrfach auf, um ins Badezimmer zu gehen, und ich begleitete ihn ergeben. Während er sein Geschäft verrichtete, wartete ich geduldig im Hausflur auf ihn. »Du musst nicht jedes Mal mitkommen«, sagte er zu mir. Und noch etwas war anders geworden: Er schlief nicht mehr so lange wie früher. Mit den ersten Sonnenstrahlen stand er auf und machte uns Frühstück.

»Weißt du, Buddy«, sagte er. »Ich habe mich zwar weitgehend zur Ruhe gesetzt, aber ein paar Kunden betreue ich immer noch. Mit einem davon muss ich heute Morgen telefonieren. Aber danach haben wir frei. Was hältst du davon, wenn wir ein bisschen im Garten arbeiten? Hast du Lust, Buddy?«

Ich wedelte mit dem Schwanz. Inzwischen gefiel mir mein neuer Name.

Nach dem Frühstück (ich durfte Toast essen!) telefonierte der Junge, und ich schaute mich im Haus um. Die Zimmer oben schienen nicht mehr oft benutzt zu werden, denn sie rochen etwas muffig, und kaum etwas deutete darauf hin, dass Ethan sich hier aufhielt. Sein Zimmer sah noch genauso aus wie früher, aber in Moms Zimmer standen keine Möbel mehr, sondern nur noch Pappkartons.

Ein großer Wandschrank im Erdgeschoss war fest verschlossen, aber als ich an den Ritzen entlangschnüffelte, stieg mir ein vertrauter Geruch in die Nase.

Der Flip.

Einunddreißig

Der Junge war von tiefer Trauer erfüllt, von einem Schmerz, der neu und viel stärker war als der, der sich in seinem Bein festgesetzt hatte.

»Ich lebe hier ganz allein, Buddy. Nach wem suchst du bloß die ganze Zeit?«, fragte Ethan, als ich jede Ecke des Hauses inspizierte. »Eigentlich wollte ich immer heiraten, und ein paarmal war ich nahe dran, aber irgendwie hat es nie geklappt. Ein paar Jahre habe ich sogar mit einer Frau in Chicago zusammengelebt.« Der Junge blieb am Fenster stehen und starrte mit leerem Blick hinaus. Dabei wurde er immer trauriger. »John Lennon hat gesagt: ›Leben ist das, was passiert, während du andere Pläne schmiedest.‹ Ich glaube, das trifft es ziemlich genau.« Ich ging zu ihm hin, setzte mich neben ihn und hob eine Pfote, um sie an sein Bein zu drücken. Er schaute auf mich herab, und ich wedelte mit dem Schwanz. »Was soll's? Komm, Buddy, wir holen dir ein Halsband.«

Wir gingen die Treppe hinauf in sein Zimmer, und er holte eine Schachtel aus dem Regal. »Mal sehen … Da ist es ja.«

Es klirrte, als Ethan ein Halsband aus der Schachtel nahm und es schüttelte. Das Klingeln war mir so vertraut, dass ich erzitterte. Als Bailey hatte ich immer genau dieses Geräusch gemacht, wenn ich mich bewegte. »Es gehörte meinem anderen Hund«, sagte Ethan. »Das ist lange, lange her. Er hieß Bailey.«

Ich wedelte mit dem Schwanz, als ich den Namen hörte. Ethan hielt mir das Halsband hin, und ich schnupperte daran. Immer noch roch es ganz schwach nach einem anderen Hund. *Nach mir!* An mir selbst zu riechen, war sehr merkwürdig.

Ethan schüttelte das Halsband. »Bailey war so ein guter Hund«, sagte er. Er setzte sich hin und hing seinen Gedanken nach, dann schaute er mich an. Als er weitersprach, war seine Stimme ganz rau, und ich merkte, dass er sehr bewegt war – von Traurigkeit und Liebe, Bedauern und Verlust. »Ich glaube, wir besorgen dir lieber ein eigenes Halsband, Buddy. Es wäre nicht richtig, von dir zu verlangen, dass du wirst wie er. Bailey war nämlich ein … ein ganz besonderer Hund.«

Ich war nervös, als wir am nächsten Tag in die Stadt fuhren. Auf keinen Fall wollte ich in den Käfig mit all den kläffenden Hunden zurück. Aber es stellte sich heraus, dass wir nur Tüten voller Futter aus verschiedenen Häusern abholten – und ein Halsband für mich. Als wir zu Hause waren, befestigte Ethan ein paar klirrende Anhänger daran.

»Darauf steht: Ich heiße Buddy und gehöre Ethan Montgomery«, sagte Ethan mit einem dieser Anhänger in der Hand. Ich wedelte mit dem Schwanz.

Wir fuhren noch öfter in die Stadt, und ich verlor die Angst davor, denn ich hatte nicht das Gefühl, dass Ethan mich wieder loswerden wollte. Auch auf der Farm begleitete ich ihn nicht mehr auf Schritt und Tritt, sondern streifte umher, wie es mir beliebte, und dehnte meinen Aktionsradius auf das gesamte Farmgelände aus. Besonders interessant fand ich den Briefkasten und andere Stellen an der Straße, an denen die Duftmarken anderer Rüden hafteten.

Der Teich lag da wie früher, und auch die dummen Enten wohnten noch an seinem Ufer. Ich denke, es waren dieselben wie früher, denn sie reagierten genauso, wenn sie mich sahen: Alarmiert flohen sie ins Wasser, nur um dann wieder zu mir zurückzuschwimmen und mich anzuglotzen. Ich wusste, dass es keinen Sinn hatte, sie zu jagen, aber ich tat es trotzdem, weil es ungeheuren Spaß machte.

Oft kniete Ethan auf einem großen Stück lockerer Erde hinterm Haus, und ich musste lernen, dort nicht das Bein zu heben. Während er mit der Erde spielte, redete er mit mir, und ich hörte zu. Wenn ich meinen Namen hörte, wedelte ich mit dem Schwanz.

»Bald gehen wir sonntags auf den Farmermarkt. Das macht immer viel Spaß. Meine Tomaten verkaufen sich gut«, sagte er zum Beispiel.

Eines Nachmittags wurde mir das Gebuddel in der Erde zu langweilig, und ich ging in die Scheune. Die geheimnisvolle schwarze Katze war längst nicht mehr da, sie hatte nicht mal ihren Geruch hinterlassen, was schade war, da sie die einzige Katze gewesen war, die ich je gemocht hatte.

Das heißt, eigentlich stimmte das nicht. Mir war Tinkerbells ungenierte Liebe zu mir zwar meist eher lästig gewesen, aber tief im Innern hatte ich mich letztlich doch darüber gefreut. Ganz hinten in der Scheune fand ich ein paar alte verschimmelte und verrottete Decken. Als ich die Nase hineinsteckte und tief einatmete, erkannte ich ganz schwach den vertrauten, heimeligen Geruch von Grandpa. Hier hatten wir immer gemeinsam etwas zu erledigen gehabt.

»Es tut mir gut, herauszukommen und spazieren zu gehen«, sagte Ethan. »Ich weiß gar nicht, warum ich mir nicht früher einen neuen Hund zugelegt habe.« Manchmal umrundeten wir die Farm abends auf einem ausgetretenen Weg, der stark nach Troy roch, ein andermal gingen wir auf der Straße erst in die eine, dann in die andere Richtung. Wenn wir an Hannahs Haus vorbeikamen, spürte ich immer, dass sich in dem Jungen etwas regte. Aber er blieb nie stehen oder ging hinein, um Hannah zu besuchen. Ich fragte mich, warum ich von dem Mädchen keine Spur mehr riechen konnte, und musste an Carly denken, die über und über nach Hannah roch.

Als wir das Haus eines Abends wieder passierten, wurde mir plötzlich etwas klar: Der Schmerz, den der Junge tief in sich trug, ähnelte dem von Jakob. Er hatte etwas mit Einsamkeit und Abschied zu tun.

Manchmal war Ethan von diesem Gefühl jedoch ganz frei. Er liebte es, mit seinem Stock gegen einen Ball zu schlagen, der dann quer durch die Einfahrt der Farm flog, bis ich ihn auffing und zurückbrachte. Wir spielten dieses Spiel ziemlich oft, und ich hätte es gespielt, bis meine Pfoten wund wurden, nur um meinen Jungen glücklich zu machen. Wenn ich den Ball mit einem Luftsprung auffing, als sei er ein Stück Fleisch, das durch einen Zaun geworfen wurde, lachte er vor Freude.

Dann wieder schien ihn der Strudel der Traurigkeit regelrecht in die Tiefe zu ziehen. »Ich hätte nie gedacht, dass mein Leben so verlaufen würde«, sagte er eines Nachmittags mit heiserer Stimme. Ich stupste ihn mit der Nase an, um ihn aufzuhcitern. »Dass ich ganz allein sein und niemanden haben würde, mit dem ich alles teilen kann. Ich habe zwar viel Geld verdient, aber der Job hat mich nicht befriedigt. Also habe ich mich früh zur Ruhe gesetzt, aber das hat mich auch nicht zufriedener gemacht.« Ich holte einen Ball und spuckte ihn in Ethans Schoß, aber er wandte sich von mir ab und ignorierte das Spielzeug. Sein Schmerz war so groß, dass ich beinahe aufgeheult hätte. »Ach, Buddy, die Dinge laufen nicht immer, wie man will.« Er seufzte. Ich stieß den Ball mit der Nase an und schob ihn an seinen Beinen hoch, bis er ihn schließlich halbherzig warf. Ich brachte ihm den Ball zurück, aber ich merkte, dass Ethan nicht mit dem Herzen bei der Sache war. »Guter Hund«, sagte er geistesabwesend. »Ich habe jetzt keine Lust zu spielen.«

Es war ziemlich frustrierend. Ich war ein guter Hund gewesen, ich hatte Such gelernt, und nun war ich wieder bei meinem Jungen. Doch er war nicht glücklich, jedenfalls nicht so, wie die meisten, wenn eine Such-Runde vorbei war, man die fraglichen Personen gefunden hatte und Jakob oder Maya ihnen Decken und etwas zu essen gaben und sie zu ihren Familien brachten.

Als ich darüber nachdachte, wurde mir klar, dass der eigentliche Sinn meines Lebens nicht darin gelegen hatte, Menschen zu suchen und zu finden, sondern sie zu *retten*. Den Jungen wiederzufinden, war also nur ein Teil meiner jetzigen Aufgabe gewesen.

Auch Jakob hatte düstere Gefühle gehabt. Aber als ich ihn später, in der Schule, noch einmal wiedergesehen hatte, hatte er eine Familie gehabt – ein Kind und eine Frau. Und er war glücklich gewesen, so glücklich wie Ethan und Hannah, als sie auf der Veranda gesessen und gekichert hatten.

Wenn Ethan gerettet werden sollte, brauchte er also eine Familie. Er brauchte eine Frau und ein Baby. Das würde ihn glücklich machen.

Als der Junge am nächsten Morgen wieder hinterm Haus in der Erde buddelte, verließ ich das Farmgelände in Richtung Straße. Den Ziegenhof gab es nicht mehr, aber auf unseren Fahrten in die Stadt hatte ich mir neue Duftmarken gemerkt, so dass ich den Weg genauso sicher finden konnte wie meine Lieblingsplätze rund um die Farm. Sobald ich die Stadt erreichte, begab ich mich in den Hundepark. Doch was für eine Enttäuschung: Carly war nirgends zu finden. Ich balgte mich mit ein paar anderen Hunden und hatte keine Angst mehr, von Menschen beobachtet zu werden, denn jetzt war ich ja wieder Ethans Hund, ein guter Hund. Ich hatte ein Halsband, und mein Name war Buddy.

Am späten Nachmittag kam Carly dann plötzlich doch auf mich zugesprungen und freute sich mächtig, mich wiederzusehen. Wir spielten miteinander, und ich sog Hannahs Duft ein, der stark und frisch überall in Carlys Fell hing.

»Hallo, Hundchen! Dich habe ich ja lange nicht mehr gesehen. Du bist aber hübsch geworden!«, sagte die Frau auf der Parkbank. »Jetzt geben sie dir wohl endlich genug zu essen, was?« Sie war sehr müde, und als sie schon nach einer halben Stunde wieder aufstand, stützte sie den Rücken mit den Händen ab. »Puh! Was bin ich *fertig!*«, stöhnte sie. Ganz langsam schritt sie den Weg entlang, während Carly vorauslief und immer wieder zu ihr zurückkehrte. Ich blieb an Carlys Seite, und zusammen versetzten wir ein paar Eichhörnchen in Angst und Schrecken.

Zwei Blocks hinter dem Park steuerte die Frau auf ein Haus zu und öffnete die Tür. Ich wusste, dass ich Carly nicht hineinfolgen durfte. Als die Frau die Haustür geschlossen hatte, setzte ich mich auf die Stufen und wartete. Dieses Spiel war mir mittlerweile hinlänglich bekannt.

Einige Stunden vergingen, ehe ein Wagen vorfuhr, aus dem eine weißhaarige Frau ausstieg. Ich trottete die Stufen hinab, um sie zu begrüßen.

»Na, wen haben wir denn da? Bist du gekommen, um mit

Carly zu spielen?«, begrüßte mich die Frau freundlich und hielt mir ihre Hand hin.

Ich erkannte ihre Stimme, ehe ich sie riechen konnte: Hannah! Ich wedelte mit dem Schwanz, rollte mich vor ihre Füße und bettelte darum, gestreichelt zu werden, was sie prompt tat. Dann öffnete sich die Haustür.

»Hi, Mom. Er ist mir aus dem Park gefolgt«, sagte die jüngere Frau von der Tür her. Carly lief aus dem Haus und freute sich so sehr, mich zu sehen, dass sie mich fast umwarf. Ich drückte sie mit der Schulter zur Seite, denn jetzt ging es um Hannah, nicht um sie.

»Wo wohnst du denn, Hundchen?« Hannah griff nach meinem Halsband, und ich setzte mich so hin, dass sie gut drankam. Aber Carly steckte ihren Kopf dazwischen. »Aus dem Weg, Carly!«, sagte Hannah und schob Carlys Kopf beiseite. »Ich heiße Buddy«, sagte Hannah langsam und hielt den Anhänger meines Halsbands in der Hand.

Ich wedelte mit dem Schwanz.

»... und gehöre ... O mein Gott!«

»Was ist denn, Mom?«

»Ethan Montgomery.«

»Wem?«

Hannah stand auf. »Ethan Montgomery. Er ist ... Ich kenne ihn von früher, aber das ist lange her ... Ich war noch ein junges Mädchen ...«

»War er dein Freund?«

»Ja, sozusagen.« Hanna lachte leise. »Mein erster Freund.«

»Dein erster? Wow! Und das ist sein Hund?«

»Ja, er heißt Buddy.«

Ich wedelte mit dem Schwanz, und Carly kaute an meinem Gesicht herum.

»Was machen wir denn jetzt?«, fragte die jüngere Frau.

»Was wir jetzt machen? Nun, wir sollten ihn anrufen. Er wohnt immer noch in der Nähe meines Elternhauses.« Hannah sah mich an. »Da bist du aber eine ganz schöne Strecke gelaufen!«

Ich hatte genug von Carly. Sie schien überhaupt nicht zu kapieren, worum es hier ging, und versuchte unermüdlich, auf meinen Rücken zu klettern. Ich knurrte sie an, und sie legte die Ohren an und setzte sich hin. Doch kurz darauf setzte sie erneut zum Sprung an. Manche Hunde sind einfach zu fröhlich, als gut für sie ist.

Ich vertraute darauf, dass Hannah mich zu meinem Jungen zurückbrachte. Wenn Ethan sie wiedersah, war es mit seinen dunklen Gefühlen und seiner Einsamkeit sicher vorbei. Es war keine leichte Aufgabe, eine Kombination aus Such und Zeig, bei der letztlich die beiden aktiv werden mussten.

Und das wurden sie. Eine gute Stunde darauf fuhr Ethans Wagen vor. Ich hatte Carly gerade ins Gras geworfen, aber als ich meinen Jungen sah, lief ich sofort zu ihm. Hannah saß auf den Stufen vor der Haustür und stand unsicher auf, als Ethan ausstieg.

»Buddy! Was, um alles in der Welt, machst du hier?«, fragte Ethan. »Komm, steig ein!«

Ich sprang auf den Vordersitz. Carly legte die Pfoten an die Wagentür und reckte sich, um mich noch durchs Fenster zu riechen, als hätten wir nicht schon stundenlang miteinander herumgetollt.

»Sitz, Carly!«, sagte Hannah streng. Carly gehorchte.

»Ach, das ist schon in Ordnung«, sagte Ethan. »Tag, Hannah.«

»Tag, Ethan.«

Einen Moment lang sahen sie sich reglos an, dann lachte Hannah. Sie umarmten einander ungeschickt, und ihre Gesichter kamen sich ganz kurz ganz nahe.

»Ich habe keine Ahnung, wie das passieren konnte«, sagte der Junge.

»Dein Hund war im Stadtpark«, sagte Hannah. »Meine Tochter Rachel geht da jeden Nachmittag hin. Sie ist schon eine Woche über die Zeit, und der Arzt sagt, sie soll jeden Tag spazieren gehen. Sie würde sogar Trampolin springen, wenn es die Geburt beschleunigte.«

Hannah kam mir sehr nervös vor, aber das war nichts im Vergleich zu Ethan. Sein Herz klopfte so heftig, dass ich es hören konnte, und seine Gefühle waren ein einziges Durcheinander.

»Das ist ja das Merkwürdige«, sagte er. »Ich war nämlich gar nicht in der Stadt. Buddy muss ganz allein hergelaufen sein. Ich habe keine Ahnung, warum.«

»Ach so«, sagte Hannah.

Dann sahen sie einander wieder eine Weile lang an.

»Willst du nicht hereinkommen?«, fragte Hannah schließlich.

»Nein, nein. Ich muss zurück.«

»Na gut.«

Unschlüssig standen sie noch eine Weile herum. Carly gähnte, setzte und kratzte sich. Die Spannung zwischen Hannah und Ethan schien ihr völlig zu entgehen.

»Ich wollte dich eigentlich anrufen, als ich von... von Matthew hörte. Es tut mir sehr leid«, sagte Ethan.

»Danke«, sagte Hannah. »Aber das ist nun fünfzehn Jahre her.«

»Wirklich schon so lange?«

»Ja.«

»Dann bist du also zu Besuch hier. Wegen der Geburt?«

»Nein, ich wohne wieder hier.«

»Ach, wirklich?« Ethan war plötzlich wie elektrisiert, aber als ich mich umschaute, konnte ich nichts Ungewöhnliches entdecken, abgesehen von einem Eichhörnchen, das im Nachbargarten von einem Baum heruntergeklettert war und ganz hektisch im Gras buddelte. Carly sah nicht mal das, wie ich fassungslos feststellte.

»Vor zwei Jahren bin ich wieder hierhergezogen. Rachel und ihr Mann wohnen bei mir, solange ihr Haus renoviert wird. Sie machen einen Anbau, wegen des Babys.«

»Oh.«

»Es wird höchste Zeit, dass sie fertig werden. Rachels Bauch ist schon sooo dick ...«, sagte Hannah und lachte.

Jetzt lachten sie beide. Als sie damit aufhörten, spürte ich, dass Hannah beinahe traurig wurde, während Ethan sich langsam entkrampfte. Aber auch er schien von einer merkwürdigen Wehmut erfasst worden zu sein.

»Es war schön, dich mal wiederzusehen, Ethan.«

»Ja, finde ich auch, Hannah.«

»Tja dann ... Mach's gut.«

Hannah drehte sich um und ging aufs Haus zu, und Ethan kehrte zu seinem Wagen zurück. Er war wütend, verängstigt, traurig und hin- und hergerissen. Carly hatte das Eichhörnchen immer noch nicht entdeckt. Hannah war an der obersten Stufe angekommen. Ethan öffnete die Wagentür und rief: »Hannah!«

Hannah drehte sich um. Ethan atmete so tief durch, dass er zitterte. »Hättest du Lust, mal zum Essen zu mir zu kommen? Du warst so lange nicht auf der Farm, dass es dir bestimmt gefallen würde. Ich, äh, ich pflanze jetzt Tomaten an…« Seine Stimme versagte.

»Hast du etwa kochen gelernt, Ethan?«

»Na ja… Ich bin ziemlich gut im Aufwärmen.«

Beide lachten, und ihre Traurigkeit verflog so plötzlich, als sei sie nie da gewesen.

Zweiunddreißig

Seitdem war ich oft mit Hannah und Carly zusammen. Immer häufiger kamen sie uns auf der Farm besuchen, was natürlich ganz in meinem Sinne war. Carly begriff schnell, dass die Farm mein Revier war, aber das war auch kein Kunststück, denn schließlich gab es weit und breit keinen Baum mehr, den ich nicht markiert hatte. Jetzt war ich der Leithund, was Carly auch niemals infrage stellte. Trotzdem ließ sie oft den nötigen Respekt vermissen und benahm sich meist so, als seien wir einfach nur gute Freunde.

Daraus schloss ich, dass sie nicht besonders helle war. Das merkte man auch daran, dass sie glaubte, man könne Enten fangen, indem man sich langsam genug an sie heranschlich – der pure Schwachsinn! Ich beobachtete sie verächtlich, wie sie geduckt durchs hohe Gras schlich, den Bauch auf den Boden gedrückt, und nicht merkte, dass die Mutter-Ente sie schon seit geraumer Zeit beobachtete. Wenn Carly dann lossprang und das Wasser aufspritzte, erhoben sich die Enten ein paar Meter in die Luft, um dann ein paar Meter vor Carlys Nase wieder zu landen. Sie schwamm dann eine Viertelstunde lang hinter ihnen her und legte sich dabei so ins Zeug, dass sie beinahe von der Wasseroberfläche abhob. Wenn sie glaubte, nahe genug zu sein, um einfach nach den Enten zu schnappen, schlugen die mit den Flügeln, flohen halb zu Wasser, halb in der Luft ein Stückchen weiter, und Carly bellte ihnen enttäuscht hinterher. Wenn sie schließlich aufgab, drehten die Enten um und paddelten ihr quakend hinterher. Manchmal schwamm dann auch Carly wieder zurück, weil sie glaubte, die Enten ausgetrickst zu haben, und dann ging alles wieder von vorn los. Ich hatte für das ganze Theater nicht das geringste Verständnis.

Manchmal besuchten Ethan und ich Carly in der Stadt, aber das machte nicht so viel Spaß, denn da konnten wir nur im Garten hinter ihrem Haus spielen.

Im nächsten Sommer versammelten sich viele Leute auf der Farm, nahmen auf Klappstühlen Platz und sahen mir bei dem Kunststück zu, das ich bei Al und Maya gelernt hatte: Langsam und würdevoll schritt ich zwischen den Stuhlreihen nach vorne, wo Ethan eine kleine Holzbühne errichtet hatte, damit alle mich besser sehen konnten. Dort band er mir etwas vom Rücken, Hannah und er unterhielten sich kurz und küssten sich dann, und alle lachten und applaudierten mir.

Danach wohnte Hannah bei uns auf der Farm, und das Leben in unserem Haus veränderte sich. Es erinnerte mich jetzt an das Haus von Mayas Mama, weil oft viele Leute zu Besuch kamen. Ethan kaufte weitere Pferde, die Troy Gesellschaft leisten sollten. Sie waren kleiner, und die Kinder, die uns besuchten, liebten es, auf ihnen zu reiten. Ich persönlich hielt Pferde nach wie vor für unzuverlässige Geschöpfe, die ihren Reiter mitten im Wald im Stich ließen, sobald sie die erstbeste Schlange sahen.

Carlys Besitzerin, Rachel, kam uns bald mit einem winzig kleinen Baby besuchen, ein kleiner Junge namens Chase, der mir gern auf den Rücken kletterte, seine Hände in meinem Fell vergrub und glucksend lachte. Ich blieb immer ganz still liegen, wenn er das tat, so wie Maya es mir in der Schule beigebracht hatte. Ich war ein guter Hund, das sagten alle.

Hannah hatte drei Töchter, und alle hatten Kinder. Deswegen hatte ich meist mehr Spielgefährten, als ich zählen konnte.

Wenn mal kein Besuch da war, saßen Ethan und Hannah abends, wenn die Luft langsam abkühlte, auf der Veranda und hielten sich an den Händen. Dann lag ich ihnen zu Füßen und seufzte vor Zufriedenheit. Der Schmerz, der so tief in meinem Jungen gesessen hatte, war völlig verflogen und hatte einer unbeschwerten Heiterkeit Platz gemacht. Ich konnte seine Glücksgefühle direkt spüren. Die Kinder, die zu Besuch kamen, nannten ihn Granddaddy, und das machte ihn besonders glücklich. Hannah nannte ihn Liebling und Darling und manchmal auch einfach nur Ethan.

Das Einzige, was mir an unserem neuen Leben nicht gefiel, war, dass ich nicht mehr ins Ethans Bett schlafen durfte, seit Hannah bei uns war. Zuerst hielt ich es für ein Versehen, denn auch wenn Hannah mit im Bett lag, war an meiner Lieblingsstelle, zwischen den beiden, genug Platz für mich. Aber Ethan bestand darauf, dass ich auf dem Fußboden schlief. Dabei war das Bett in seinem alten Zimmer völlig in Ordnung, und Hannah hätte auch problemlos *dort* schlafen können. Nachdem ich vor all den Leuten das Kunststück vollführt hatte, waren auch in allen Zimmern der oberen Etage Betten aufgestellt worden, sogar in Grandmas ehemaligem Nähzimmer, aber keines davon schien gut genug für Hannah zu sein.

Ich versuchte jede Nacht, sie umzustimmen, legte leise die Pfoten ans Bettgestell und schob mich so langsam und vorsichtig vor wie Carly, wenn sie sich an die Enten heranschlich. Aber sobald ich über die Bettkante schauen konnte, lachten

Ethan und Hannah und schickten mich wieder auf den Fußboden.

»Nein, Buddy, leg dich hin!«, sagte Ethan dann.

»Du kannst ihm nicht verdenken, dass er's wenigstens versucht«, gab Hannah dann oft zu bedenken.

Wenn es schneite, setzten sich Ethan und Hannah an den Kamin, um sich zu unterhalten, und legten sich eine Decke über die Knie. An Thanksgiving und Fröhliche Weihnachten waren so viele Menschen im Haus, dass ich befürchtete, jemand könnte auf mich treten. Aber dann konnte ich mir abends aussuchen, in welchem Bett ich schlafen wollte, denn die Kinder waren alle ganz erpicht darauf, dass ich mich zu ihnen legte. Mein Liebling war Rachels Junge, Chase, der mich ein wenig an Ethan erinnerte, wenn er mich umarmte und küsste. Als er begriffen hatte, dass Menschen nicht wie Hunde auf allen vieren liefen, sondern stattdessen auf zwei Beinen gingen, begleitete er mich gern bei meinen Streifzügen über das Farmgelände, während Carly immer noch vergebens versuchte, Enten zu jagen.

Ich war ein guter Hund. Ich hatte meine Aufgaben erfüllt, und mein Leben hatte einen Sinn gehabt. Was ich als wildes Tier gelernt hatte, war mir nützlich gewesen, wenn es darum ging, Gefahren zu entgehen, zu fliehen, mich vor Menschen zu verstecken und Mülltonnen nach Essbarem zu durchsuchen. Das Leben mit Ethan hatte mich gelehrt, was Liebe war, und es hatte mir vor Augen geführt, was der eigentliche Sinn meines Lebens war: für das Wohl des Jungen zu sorgen. Jakob und Maya hatten mir Such und Zeig beigebracht, und dadurch hatte ich gelernt, Menschen zu retten. Und all das zusammen, alles, was ich als Hund je gelernt hatte, hatte mich befähigt, Ethan und Hannah zu finden und die beiden wieder zusammenzubringen. Jetzt erst konnte ich verstehen, warum ich so viele Leben gehabt hatte. Ich hatte eine Menge lernen müssen, bis ich Ethan retten konnte – nicht aus dem Teich, sondern vor dem Versinken in Einsamkeit und Unglück.

Abends durchstreiften der Junge und ich immer noch die Gegend um die Farm. Meist kam Hannah mit, aber nicht immer. Ich liebte es, Ethan für mich allein zu haben. In dem unwegsamen Gelände ging er langsam und redete mit mir. »Wir hatten eine schöne Woche, was, Buddy? Für dich war's doch auch schön, oder?« Manchmal schlug er mit seinem Stock einen Ball weg, und ich raste hinterher und kaute ein wenig darauf herum, ehe ich ihn Ethan wieder vor die Füße legte, damit er ihn noch einmal wegschlagen konnte.

»Du bist so ein toller Hund, Buddy. Ich wüsste gar nicht, was ich ohne dich tun sollte«, sagte Ethan bei einem dieser Abendspaziergänge. Er atmete tief durch und drehte sich einmal um sich selbst, damit er das ganze Farmgelände überblicken konnte. Dann winkte er ein paar Kindern zu, die an einem Picknicktisch saßen und ihrerseits zurückwinkten.

»Hi, Granddaddy!«, riefen sie.

Ethan freute sich und genoss sein neues Leben so sehr, dass ich vor Freude bellen musste. Er drehte sich wieder zu mir um und lachte.

»Bereit für den nächsten Wurf, Buddy?«, fragte er, hob seinen Stock an und versetzte dem Ball einen Schlag

Chase war nicht das letzte Baby, das die Familie vergrößerte. Es wurden immer mehr. Als er ungefähr in dem Alter war, in dem ich Ethan kennengelernt hatte, brachte seine Mutter, Rachel, ein kleines Mädchen mit nach Hause, das abwechselnd Kleiner Unfall, Bestimmt Die Letzte und Kirsten genannt wurde. Wie immer hielten sie mir das Baby hin, damit ich es beschnuppern konnte, und wie immer versuchte ich, Freude und Dankbarkeit zu zeigen. In Wahrheit hatte ich keine Ahnung, was die Menschen von mir erwarteten, wenn sie mir Babys zum Beschnuppern hinhielten.

»Komm, Buddy, lass uns Ball spielen gehen!«, sagte Chase. *Das* war eine handfeste Ansage, auf die ich reagieren konnte.

An einem schönen Frühlingstag war ich mit Ethan allein und hielt ein Nickerchen, während er im warmen Sonnenschein, der durch das Fenster mit den bunten Scheiben auf die Couch fiel, ein Buch las. Hannah war mit dem Wagen weggefahren, und das Haus war ausnahmsweise mal nicht von Verwandten bevölkert. Trotz der Ruhe wurde ich plötzlich wach und schlug die Augen auf, drehte den Kopf und sah zu Ethan auf. Überrascht erwiderte er meinen Blick. »Hast du was gehört, Buddy?«, fragte er. »Ist ein Wagen vorgefahren?«

Irgendetwas stimmte mit dem Jungen nicht, das spürte ich ganz genau. Winselnd stand ich auf und hatte plötzlich große Angst. Er wandte sich wieder seinem Buch zu und lachte, als ich die Pfoten auf die Couch stellte, als wollte ich ihm auf den Schoß klettern. »Was machst du denn da, Buddy?«

Das Gefühl, dass eine Gefahr drohte, wurde immer stärker. Ich bellte hilflos.

»Was ist denn mit dir los? Musst du mal vor die Tür?« Ethan deutete auf die Hundeklappe, dann nahm er seine Brille ab und rieb sich die Augen. »Puh! Mir ist ein bisschen schwindelig.«

Ich setzte mich. Ethan blinzelte und schaute in die Ferne. »Weißt du was, Buddy? Ich glaube, wir beide brauchen jetzt ein Nickerchen. Lass uns zu Bett gehen.« Schwankend stand er auf. Nervös hechelnd folgte ich ihm zum Schlafzimmer. Dort angekommen setzte er sich aufs Bett und stöhnte. »Oh«, sagte er.

Dann zerriss etwas in seinem Kopf, ich konnte es ganz deutlich spüren. Er sank aufs Kissen und sog hörbar Luft ein. Ich sprang zu ihm aufs Bett, aber er sagte nichts, sondern starrte mich nur mit glasigen Augen an.

Ich konnte nichts für ihn tun. Verzweifelt stupste ich seine schlaffe Hand mit der Nase an und spürte, wie eine unheilvolle Kraft in seinem Inneren wirkte. Er atmete flach und zitterte.

Nach etwa einer Stunde regte er sich wieder. Etwas stimmte mit ihm ganz und gar nicht, aber er kam wieder etwas zu sich und versuchte sich gegen das Unbekannte zu wehren, das von ihm Besitz ergriffen hatte. Er kämpfte auf dieselbe Art wie ich an dem Tag, als ich mich mit dem kleinen Geoffrey im Maul durch die kalten Strudel an die Wasseroberfläche gekämpft hatte.

»Oh«, keuchte Ethan. »Oh, Hannah!«

Wieder verging einige Zeit. Ich winselte leise und spürte, wie der Kampf, den er in seinem Inneren führte, heftiger wurde. Dann öffnete er die Augen. Zuerst ging sein Blick ins Leere, dann sah er mich an, und seine Augen weiteten sich erstaunt.

»Hallo, Bailey«, sagte er. Ich war völlig schockiert. »Wo hast du dich die ganze Zeit rumgetrieben? Ich habe dich vermisst.« Unsicher tastete er nach mir und griff mir ins Fell. »Guter Hund«, sagte er. »Du bist ein guter Hund, Bailey.«

Es war kein Versehen. Irgendwie wusste er es. Menschen, diese großartigen Wesen mit ihrem so komplexen Verstand, sind zu so viel mehr in der Lage als Hunde. Ethan war sich seiner Sache hundertprozentig sicher. Daher wusste ich, dass er das Rätsel meines Lebens gelöst hatte. Er schaute mich an und erkannte Bailey in mir.

»Denkst du noch manchmal an das Gokart Rennen zurück, Bailey? Denen haben wir's gezeigt, was?«

Ich wollte ihm zu verstehen geben, dass er recht hatte, dass ich wirklich Bailey war. Ethan hatte immer nur den einen Hund gehabt, und was immer gerade mit ihm passierte, versetzte ihn in die Lage, mein wahres Ich zu erkennen. Ich ahnte, was ich tun konnte, um wieder richtig Bailey zu werden. Ich sprang vom Bett und rannte in den Hausflur. An der Tür des Wandschranks, den ich einmal so intensiv beschnuffelt hatte, richtete ich mich auf und drückte auf den Griff, genau wie ich es einst von meiner ersten Mutter gelernt hatte. Er bewegte sich wie erwartet, und die Tür öffnete sich einen Spalt breit. Mit der Schnauze schob ich sie weiter auf und durchwühlte das muffige Durcheinander, das auf dem Boden lag. Ich schob Stiefel und Regenschirme beiseite, bis ich gefunden hatte, was ich suchte: den Flip.

Als ich wieder aufs Bett sprang und das Ding in Ethans Hand fallen ließ, schreckte er auf, als hätte ich ihn geweckt. »Wow, Bailey, der Flip! Wo hast du den denn gefunden?«

Ich schleckte ihm durchs Gesicht.

»Zeig mal her!«

Was er dann tat, hatte ich mir nun wirklich nicht gewünscht. Zitternd vor Anstrengung stand Ethan auf und kämpfte sich zum Fenster vor, das offen stand, damit frische Luft ins Haus kam. »Also los, Bailey! Hol den Flip!« Irgendwie schaffte er es, den Flip auf die Fensterbank zu legen und nach draußen zu schieben.

Ich wollte meinem Jungen jetzt nicht von der Seite weichen, nicht mal für eine Sekunde, aber als er den Befehl wiederholte, konnte ich nicht anders. Ich musste gehorchen. Ich flitzte los, durchs ganze Haus, quetschte mich durch die

Hundeklappe, umrundete das Haus und schnappte den Flip aus dem Gebüsch, in dem er gelandet war. Dann raste ich zurück. Die ganze Zeit über verfluchte ich den Flip innerlich, weil er mich von meinem Jungen fernhielt.

Zurück im Schlafzimmer musste ich feststellen, dass sich sein Zustand verschlechtert hatte. Er saß auf dem Fußboden, genau da, wo er zuletzt gestanden hatte. Sein Blick war starr, und das Atmen fiel ihm schwer. Ich ließ den Flip einfach fallen, denn darum ging es jetzt nicht mehr. Um Ethan nicht zu verletzten oder zu erschrecken, bewegte ich mich langsam in seine Richtung und legte ihm vorsichtig den Kopf auf den Schoß.

Er war dabei, mich zu verlassen. Sein rasselnder Atem wurde immer flacher. Mein Junge lag im Sterben.

Auf diesem Weg konnte ich ihn nicht begleiten, und ich wusste auch nicht, wohin er ihn führte. Menschen waren viel komplexere Wesen als Hunde, und ihr Leben diente einem viel höheren Ziel. Die Aufgabe eines Hundes bestand letztlich nur darin, die Menschen zu begleiten und an ihrer Seite zu bleiben, wo immer das Leben sie hinführte. In diesem Moment konnte ich nichts anderes tun, als Ethan Trost und Zuversicht zu spenden und ihn spüren zu lassen, dass er nicht allein war, sondern einen Hund hatte, der ihn mehr liebte als alles andere auf der Welt.

Mit schlaffen, zitternden Händen griff er mir ins Fell. »Ich werde dich vermissen, mein Schussel-Hund.«

Ich schmiegte mich an seine Wange, spürte seinen Atem und leckte ihm übers Gesicht, während er versuchte, seinen Blick auf mich zu richten. Aber er schaffte es nicht, sondern verdrehte am Ende nur die Augen. Ich wusste nicht, ob er mich jetzt als Bailey oder Buddy sah, aber das spielte auch keine Rolle mehr. Ich war sein Hund, und er war mein Junge.

So langsam und unmerklich, wie das Tageslicht nach einem Sonnenuntergang schwand, verlor er das Bewusstsein. Ohne Schmerzen, ohne Angst. Er ging einfach nur dahin, wo er jetzt hingehen musste. Die ganze Zeit über spürte ich, dass ihm bewusst war, wer da auf seinem Schoß lag – bis er zum letzten Mal bebend ausatmete und ihm gar nichts mehr bewusst war.

In der Stille dieses Frühlingsnachmittags blieb ich ganz ruhig bei meinem Jungen liegen. Das Haus war schweigsam und leer. Bald würde Hannah heimkommen, und da ich wusste, wie schwer es allen gefallen war, sich von Bailey, Ellie und sogar den Katzen zu verabschieden, war mir klar, dass sie meine Hilfe brauchte, um das Leben ohne Ethan zu meistern.

Also würde ich hierbleiben und von jetzt an ihr treu sein. Ich dachte daran, wie ich den Jungen zum ersten Mal gesehen und wie ich ihn eben gerade erlebt hatte – und an alles, was zwischendurch geschehen war. Ich wusste, dass Schmerz und Trauer schon bald von mir Besitz ergreifen würden, aber in diesem Augenblick empfand ich nur tiefen Frieden und spürte, dass mein ganzes Leben auf diesen einen Augenblick hinausgelaufen war.

Der Sinn meines Lebens hatte sich endgültig erfüllt.

Danksagung

So viele Menschen haben mir geholfen, dahin zu gelangen, wo ich jetzt bin, dass ich gar nicht weiß, wo ich anfangen soll, wenn ich alle nennen will. Wo ich *aufhören* soll, ist noch schwerer zu entscheiden. Deswegen möchte ich zunächst einmal festhalten: Mir ist bewusst, dass ich als Autor und als Mensch sozusagen noch in Arbeit bin, eine Summe all dessen, was ich bisher gelernt und erlebt habe, geprägt von Menschen, die mich unterrichtet, mir geholfen und mich unterstützt haben.

Bei meiner Recherche über das Innenleben der Hunde waren folgende Bücher für mich von unschätzbarem Wert: *Dogwatching. Die Körpersprache des Hundes* von Desmond Morris, *What the Dogs Have Taught Me* von Merrill Markoe, *Das geheime Leben der Hunde* von Elizabeth Marshall Thomas und *Search and Rescue Dogs, ein Beitrag über Such- und Rettungshunde* von der Amerikanischen Vereinigung für Rettungshunde. Darüber hinaus seien die Werke von Cesar Millan, James Herriot, Dr. Marty Becker und Gina Spadafori erwähnt.

Ohne die Unterstützung meiner Familie, vor allem meiner Eltern, wäre ich nichts. Sie haben immer an mich als Autor geglaubt, obwohl ich jahrzehntelang zunächst nur Absagen bekam.

Auch mein Agent, Scott Miller von Trident Media, war

stets von mir überzeugt und gab niemals auf – weder dieses Buch noch mich.

Dank Scotts Bemühungen bin ich bei Tor/Forge und meiner Lektorin Kristin Sevick gelandet, die an dieses Buch nicht nur geglaubt hat, sondern mit geübtem Auge und viel Erfahrung geholfen hat, diesen Roman noch lesbarer zu machen. Darüber hinaus war es ein großes Vergnügen, mit ihr und den anderen von Tor/Forge zusammenzuarbeiten.

Obwohl die englische Originalausgabe noch gar nicht gedruckt ist, während ich diese Sätze schreibe, arbeiten schon jetzt viele an seinem Erfolg: Sheryl Johnston, eine großartige Pressereferentin und eine Frau, die weiß, was sie will. Lisa Nash, die ihr weitreichendes Netzwerk für mich mobilisiert hat. Buzz Yancey, der die Werbetrommel rührte. Hillary Carlip, die meine Webseite, wbrucecameron.com, neu gestaltet und parallel dazu adogspurpose.com ins Leben gerufen hat – übrigens mit großem Erfolg. Amy Cameron, die ihre jahrelange Berufserfahrung als Lehrerin genutzt hat, um einen Leitfaden für Pädagogen zu schreiben, mit dessen Hilfe dieses Buch im Unterricht behandelt werden kann. Mein Dank gilt auch Geoffrey Jennings, der mit Leib und Seele Buchhändler ist, und der schon bei einer frühen Fassung dieses Werks den Daumen nach oben streckte. Und nicht zuletzt danke ich Lisa Zupan, die alles versteht.

Dank gebührt auch allen Herausgebern, die meine Kolumne in ihren Zeitungen veröffentlichen, obwohl das Zeitungswesen im Augenblick schwere Zeiten durchmacht. Besonders möchte ich der *Denver Post* danken, die mich nach dem bedauerlichen Untergang der *Rocky Mountain News* übernahm. Mein Dank gilt auch Anthony Zurcher, der meine Kolumne all die Jahre so wunderbar redigiert hat.

Zudem danke ich Brad Rosenfeld und Paul Weitzman von Preferred Artists, die mich unter vielen anderen auswählten, und Lauren Lloyd, die alles gemanagt hat.

Vielen Dank Steve Younger und Hayes Michael für die juristische Beratung – obwohl ich immer noch finde, dass wir auf Unzurechnungsfähigkeit plädieren sollten.

Ich danke auch Bob Bridges für das ehrenamtliche Ausmerzen meiner Sach- und Tippfehler. Ich wünschte, ich könnte Dir das Hundertfache Deines gegenwärtigen Honorars zahlen.

Danke, Claire LaZebnik, dass Du mich mit dem Schreibvirus infiziert hast.

Mein Dank gilt zudem Tom Rooker. Ich habe bis heute nicht kapiert, was Du eigentlich machst, aber das machst Du gut.

Big Al und Evie, Euch sei Dank für alles, was Ihr in meine Karriere als »Genie« investiert habt. Danke, Ted, Maria, Jakob, Maya und Ethan, dass Euch meine Hosen immer so gut gefallen haben.

Den Mitarbeitern der Nationalen Vereinigung der Zeitungskolumnisten sei ebenfalls Dank. Nur Euch ist zu verdanken, dass wir noch nicht auf der Liste der vom Aussterben bedrohten Arten stehen.

Aufrichtiger Dank an Georgia Lee Cameron, für die Einführung in die Welt der Rettungshunde.

Danke, Bill Belsha, für das, was Du mit meinem Kopf gemacht hast.

Und ich danke Dir, Jennifer Altabef, dass Du da warst, wenn ich Dich brauchte.

Ein herzliches Dankeschön gilt Alberto Alejandro, weil Du – wie durch Zauberhand – einen Bestsellerautor aus mir gemacht hast.

Danke, Kurt Hamilton, dass Du mich zu einem Gesundheitscheck überredet hast.

Danke, Julie Cypher, dass Du mir alles zur Verfügung gestellt hast, was Du besitzt.

Danke, Marcia Wallace, meine liebste Action-Figur.

Danke, Norma Vela, für den Pferdeverstand.

Danke, Molly, für die Autofahrt, und Sierra für die gnädige Erlaubnis.

Danke, Melissa Lawson, für den letzten Feinschliff.

Danke, Betsy, Richard, Colin und Sharon, dass Ihr immer ansprechbar wart und sogar versucht habt, mir das Rumbatanzen beizubringen.

Der erste Mensch, dem ich diese Geschichte erzählt habe, war Cathryn Michon. Danke, Cathryn, dass Du mich gedrängt hast, sie sofort aufzuschreiben – und für alles andere.

Ich kann jetzt verstehen, warum die Dankesreden so vieler Oscar-Gewinner zu lang sind, denn die Liste derer, bei denen ich mich bedanken möchte, ist endlos. Also höre ich jetzt einfach auf und sage nur noch eins: Ich möchte all den Männern und Frauen meine Hochachtung aussprechen, die unermüdlich die schwere Arbeit in Tierheimen verrichten und verirrten, ausgesetzten und misshandelten Tieren helfen, bis sie ein neues Zuhause bei liebevollen Familien finden. Ihr seid wahre Engel.

HEYNE <

WENN DEIN BESTER FREUND EIN RABAUKE IST

Bailey ist kein gewöhnlicher Hund. Er ist clever, faul und ziemlich frech. Noch dazu ist er zwar ein wunderschöner Rassehund, aber in seinem vorherigen Leben war er ein einfacher Straßenköter. Denn Bailey hat nicht nur ein Leben, sondern vier. Immer wieder fragt er sich, welchen Sinn das alles wohl haben soll. Zum Glück trifft er den achtjährigen Ethan und lernt, was es heißt, einen echten Freund zu haben. Als ihre gemeinsame Zeit zu Ende geht, ist Bailey verzweifelt. Doch eines Tages ergibt alles plötzlich einen Sinn …

Der Bestseller aus Amerika!

»Ein wunderbares Debüt.
Man kann es einfach nicht aus der Hand legen.«
Publishers Weekly

DEUTSCHE ERSTAUSGABE

ISBN: 978-3-453-40894-4 € 8,99 [D]
€ 9,30 [A]

WWW.HEYNE.DE